KB085802

수능까지 연결되는
초등

디딤돌
독해력

이 책을 쓰신 선생님들

김가람 채재준 국어전문학원
김봉관 책한권 국어논술학원
김세동 유신고등학교
김슬기 지우 국어논술학원
김은영 국어 전문 저자
심승보 휘문고등학교
박형주 채재준 국어전문학원
유한아 세원고등학교
윤서연 도당중학교
윤치남 지우 국어논술학원
윤치명 보성여자고등학교
이경호 중동고등학교
이지연 국어 전문 저자
장선 국어 전문 저자
정다운 이대부속고등학교
정윤주 채재준 국어전문학원
채재준 채재준 국어전문학원
현유석 국어 전문 저자
홍성구 덕원여자고등학교
황택준 배재고등학교

디딤돌 독해력[초등국어] 고학년 II

펴낸날 [초판 1쇄] 2019년 1월 25일 [초판 7쇄] 2024년 1월 25일
펴낸이 이기열
펴낸곳 (주)디딤돌 교육
주소 (03972) 서울특별시 마포구 월드컵북로 122 청원선와이즈타워
대표전화 02-3142-9000
구입문의 02-322-8451
내용문의 02-325-6800
팩시밀리 02-338-3231
홈페이지 www.didimdol.co.kr
등록번호 제10-718호

구입한 후에는 철회되지 않으며 잘못 인쇄된 책은 바꾸어 드립니다.
이 책에 실린 모든 삽화 및 편집 형태에 대한 저작권은
(주)디딤돌 교육에 있으므로 무단으로 복사 복제할 수 없습니다.
Copyright © Didimdol Co. [1901860]

※ (주)디딤돌 교육은 이 책에 실린 모든 글의 출처를 찾기 위해
  최선의 노력을 기울였습니다.
  저작권자를 찾지 못해 허락을 받지 못한 글은 저작권자가 확인되는 대로
  통상의 사용료를 지불하겠습니다.

독해

초등 고학년, 본격 독해로
수능까지 연결하라

실력 향상을 위한 본격 독해 트레이닝

이 책은 꾸준히 실전 독해하는 과정 속에서 독해의 방법과 개념을 습득할 수 있는 책입니다.
수능에 출제되는 여러 영역, 즉 인문, 사회, 과학, 기술, 예술 영역을 다양하게 독해할 수 있도록 지문을
구성하였으며, 역사, 철학, 경제, 환경 등 수능에서 특히 자주 등장하는 세부 영역은 별도의 단원으로
세분화하여 폭넓은 영역의 독해가 가능하도록 했습니다.
초등 고학년이 감당할 수 있는 중등 수준의 난도를 총 4단계로 세분화하여 구성하였기 때문에
체계적으로 난도를 높여가며 독해하는 과정에서 자신감과 성취감을 느낄 수 있을 것입니다.

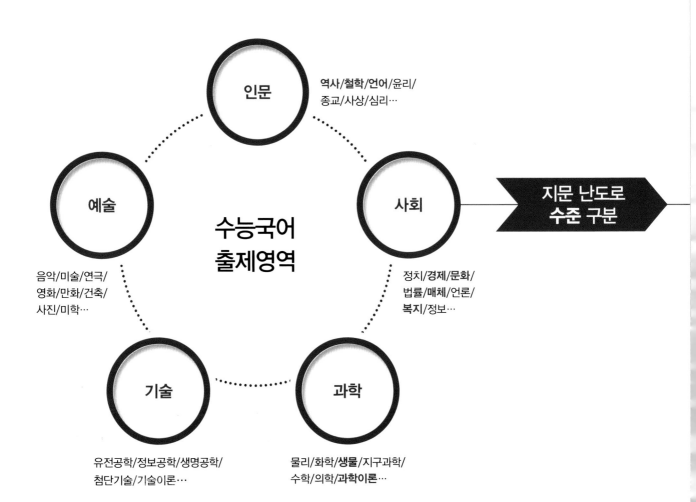

수능까지 연결되는
초등

디딤돌 독해력

디딤돌

어떻게 공부할까요?

1 본격적인 독해 훈련을 위한 필수 주제별 4개, 총 40지문

초등 고학년 디딤돌 독해력은 Level에 따라 수준별로 지문이 구성되어 있습니다.

단계별 지문 수준에 따라 사회, 과학, 문화, 경제, 예술, 기술, 언어, 환경, 인문, 매체 등 필수 주제별로 4개씩 지문을 읽다 보면, 독해 실력도 쑥쑥 오를 거예요!

	하	중	상
어휘 수준	★	★	★★★
글감 수준	★	★	★★★
글의 길이	967자		

지문 수준은 지문 왼쪽의 별 표시로 확인하세요.

디딤돌 고학년 독해력,
어떻게 학습해야 할지 궁금하다면?
QR 코드를 검색해 보세요.

2 독해 실력을 확인하는 실전 문제

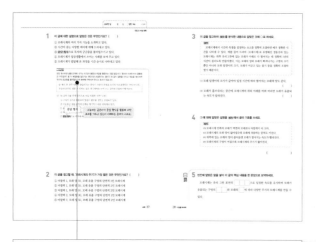

내용 이해/전개 방식/추론/비판/사례 적용/어휘/한줄 요약까지 지문에서 나올 수 있는 모든 문제가 빈틈없이 수록되어 있습니다.

지문을 읽은 후에는 문제를 풀며 자신이 지문을 제대로 읽었는지 확인해 보세요.

➕ 수능연결

문답 형식이란 글을 전개해 나가는 데 있어 물음과 대답을 활용하는 것을 말합니다. '황사와 미세먼지의 공통점은 무엇일까? 둘 다 폐질환을 일으키는 원인으로 손꼽힌다는 점이다.'와 같이 질문을 던지고 대답을 제시하면 독자의 궁금증을 불러일으키며 화제에 주목하게 만드는 효과가 있습니다.

> 한 세기 후 음악 미학자 한슬리크는 음악이 사람의 감정을 묘사하거나 표현하는 것이 아니라,
> 음들의 순수한 결합 그 자체로 깊은 정신세계를 보여 주는 것이라 주장하기에 이른다.

43. 위 글의 내용 전개 방식으로 가장 적절한 것은? [1점]

① 구체적 증거를 활용하여 통념이 잘못된 것임을 증명하고 있다.
② 비유적인 예를 통하여 문제를 제기하고 이를 반박하고 있다.
③ 문답 형식
④
⑤ 문답 형식으로 화제에 대

> 수능에는 글쓴이가 문답 형식을 활용해 어떤 효과를 거두고 있는지 이해하는 문제가 나와요.

➕ 수능연결
실전 문제에서 수능까지 연결되는 내용을 살펴보며 자신의 공부 방향이 맞는지 확인해 볼 수 있습니다.

3 독해력을 기르는 어휘

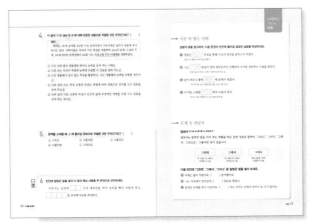

독해력의 기본은 어휘입니다. 실제 수능 문제에서도 어휘 문제가 꼭 출제됩니다.

빈칸 채우기, 연결하기 등 쉽고 간단한 어휘 문제를 통해 지문 속 어휘와 문제 속 개념어를 다시 짚고 넘어갈 수 있어요!

4 독해의 기본 원리를 익히는 독해력 특강

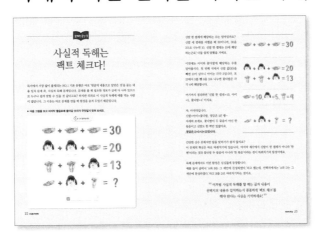

여러분이 평소에 궁금해하는 독해의 기본 개념, 독해의 과정, 독해의 방법 등 독해의 기본 원리를 부담 없이 익힐 수 있도록 구성하였습니다.

재미있는 퀴즈, 이미지, 심리 테스트 등 다채로운 내용으로 꾸며져 있으니, 꼭 읽어 보세요.

5 독해를 완성하는 정답과 해설

정답과 해설에는 지문의 핵심 내용과 실전 문제의 해설을 제시하였습니다.

내가 틀린 문제는 왜 틀렸는지를 해설을 통해 꼭 확인하고 가세요!

학습계획표

수능까지 연결되는 **제대로 된** 독해 학습,
디딤돌 초등 고학년 독해력 II권의
강의 소개 영상입니다.

게임 중독

⏱ 10분 안에 풀어보세요.

어휘 수준 　하　중　상
★★★★☆
글감 수준 ★★★★☆
글의 길이 963자

본격 독해 훈련

　　게임 중독이란 게임에 과도하게 빠져 일상생활이나 건강에 악영향을 미치는 상황에 머물러 있는 상태를 의미한다. 게임에만 지나치게 몰두하다 보면, 가족이나 친구 간의 대화가 많이 줄어들게 되고, 규칙적인 식사에도 지장을 주어 건강 상태 또한 나빠지게 된다.

　　게임 중독의 주요 발생 원인으로는 게임 자체의 강한 자극성과 게임 사용자의 불균형한 심리 상태 등을 들 수 있다. 현대 사회에는 정보의 바다라고도 불리는 인터넷 등 여러 매체를 통해 다양하고 자극적인 정보들이 넘쳐 난다. 또한 인간은 기본적으로 새로운 자극에 반응하고 이를 더욱 추구하는 성향을 가지고 있기 때문에 현대인들이 게임에 더욱 열광하고 몰두하게 되는 것이다.

　　또한 게임 사용자가 사회적 불안감이나 낮은 자존감, 또는 충동적 성향을 지니고 있을 경우 게임 중독에 걸릴 가능성이 매우 높아진다. 이러한 성향을 가진 사람들은 일상생활에서 충분한 만족감을 얻지 못한 채, 가상 공간에 몰두하게 되고 그 안에서 안정감이나 ㉠대리 만족을 느끼면서 자신이 겪고 있는 현실 속의 문제 상황을 잠시나마 잊고자 한다.

　　게임 중독에 빠지게 되면 규칙적인 일상생활에 큰 어려움을 겪게 된다. 낮과 밤의 구분도 없이 가상의 게임 공간에만 머물다 보면, 현실 세계의 일들에 소홀해지기 쉽다. 실제로 심각한 게임 중독에 빠진 청소년들 중에는 공부를 게을리하거나 심지어 학교에 나가지 않는 경우도 있다.

　　이런 아동과 청소년의 게임 중독을 예방하기 위한 법으로, '신데렐라법'이라고도 불리는 '셧다운(shutdown) 제도'가 있다. 이는 만 16세 미만 청소년이 밤 12시부터 다음 날 오전 6시까지 온라인 게임에 접속할 수 없도록 하는 내용의 법안이다. 하지만 가장 중요한 건 사용자 스스로가 게임 시작 전에 계획적으로 시간을 정해 놓고 이에 따르는 습관을 기르는 것이다. 또한 운동 및 독서와 같은 다양한 취미 활동을 하면서 게임 중독에 빠지지 않기 위해 노력하는 자세를 가져야 한다.

● **몰두**(沒빠질 몰, 頭머리 두)
어떤 일에 온 정신을 다 기울여 열중함.

● **자존감**(自스스로 자, 尊높을 존, 感느낄 감)
스스로 품위를 지키고 자기를 존중하는 마음.

● **충동**(衝찌를 충, 動움직일 동)
순간적으로 어떤 행동을 하고 싶은 욕구를 느끼게 하는 마음 속의 자극.

정답과 해설 1쪽

1 이 글에 대한 설명으로 알맞은 것은 무엇인가요? (   )

① 게임 중독의 원인과 문제점, 예방책을 제시하고 있다.

② 게임 중독에 대해 대립되는 두 견해를 소개하고 있다.

③ 게임 중독에 빠지게 되는 과정을 단계별로 설명하고 있다.

④ 게임 중독을 규정하는 다양한 개념적 정의를 소개하고 있다.

⑤ 게임 중독이 사회에 미치는 부정적 영향과 사례를 설명하고 있다.

2 이 글로 보아, 게임에 중독되는 이유로 알맞지 <u>않은</u> 것은 무엇인가요? (   )

① 인간은 기본적으로 새로운 자극을 추구하는 존재이기 때문이다.

② 게임은 다양한 요소들이 합쳐져서 지속적으로 자극을 주기 때문이다.

③ 사회적 불안감을 가진 사람이 게임을 하면서 안정감을 느끼기 때문이다.

④ 낮은 자존감을 가진 게임 사용자가 게임을 통해 대리 만족을 느끼기 때문이다.

⑤ 규칙적인 생활로 바쁜 사람들이 가상 공간에서 잠깐의 여유를 느끼기 때문이다.

3 보기 를 통해 추론한 내용으로 알맞은 것에 ○표 하세요.

> **보기**
> • '셧다운(shutdown)' 제도는 게임 중독을 예방하기 위해 마련된 제도임.
> • '셧다운(shutdown)' 제도는 만 16세 미만 청소년에게 적용됨.

(1) 만 16세 미만 청소년들은 게임 중독에 빠지게 되는 비율이 가장 낮다. (   )

(2) 만 16세 미만 청소년들의 게임 중독은 사회적으로 큰 문제로 인식되었다.

(   )

4   ㉠과 관계있는 행동이나 상황을 [보기]에서 모두 골라 기호를 쓰세요.

> **보기**
>
> ㈎ 사람을 해치는 게임 방식에 잔인함을 느끼고 해당 게임을 그만두었다.
> ㈏ 자신의 '아바타'가 보다 좋은 아이템을 갖도록 사용자의 용돈을 투자하였다.
> ㈐ 게임의 마지막 단계를 통과하였지만 어떤 경제적 이득도 얻지 못했다.
> ㈑ 실제 축구 시합에서 골을 넣지 못했지만, 온라인 축구 게임에서는 많은 골을 넣었다.
> • 아바타: 게임에서 사용자를 대신하는 캐릭터

(   )

5   이 글의 글쓴이와 [보기]의 글쓴이가 모두 공감할 만한 내용으로 가장 알맞은 것은 무엇인가요? (   )

> **보기**
>
> 　최근 게임 중독이 심각한 사회 문제가 되면서 '셧다운 제도'를 16세 이상의 청소년에게도 적용해야 한다는 주장이 나왔다. 하지만 게임 회사들은 무조건 법으로 게임을 막는 것은 적절하지 않다며 반대를 하였다. 게임 산업이 위축되면 산업 경제 전체에도 손해가 될 수 있고, 법으로만 게임 중독을 막을 수 있는 것은 아니므로 정부의 올바른 판단이 필요하다.

① 정부의 적극적 개입이 게임 중독 예방을 위해 필수적이다.
② 게임 회사들이 협조하지 않아도 '셧다운 제도'의 효과에는 변함이 없다.
③ 사회 제도에 의존하는 것만으로 게임 중독 현상을 예방하는 것은 아니다.
④ 게임 중독 문제로 인해 게임 산업 시장을 일방적으로 규제하는 것은 바람직하다.
⑤ 캠페인이나 서명 운동을 통해 게임 산업 시장을 과감하게 축소시킬 필요가 있다.

6   빈칸에 알맞은 말을 넣어 이 글의 핵심 내용을 한 문장으로 요약하세요.

한줄
요약

　게임 중독은 게임 자체의 ☐☐과 게임 사용자의 불균형한 심리 상태에서

발생하며, 게임 중독에 빠지면 규칙적인 ☐☐☐에 어려움을 겪게 되므로,

게임 중독에 빠지지 않기 위한 사용자 스스로의 ☐☐이 필요하다.

지문 속 필수 어휘

낱말의 뜻을 참고하여, 다음 문장의 빈칸에 들어갈 알맞은 낱말을 완성하세요.

❶ 그녀는 보수적인 [성][ㅎ] 이 강해 새로운 일에 도전하기를 꺼려 한다.
　　　　　　　　성질에 따른 경향.

❷ 그 가수가 등장하자 관중석은 [ㅇ][광] 의 도가니가 되었다.
　　　　　　　　　　너무 기쁘거나 흥분하여 미친 듯이 날뜀. 또는 그런 상태.

❸ 자신이 잘할 수 있는 운동이나 음악 활동을 하는 것은 높은 [자][ㅈ][ㄱ] 형성에 도움
을 준다.
　　　　　　　　　　　　　　　　　　스스로 품위를 지키고 자기를 존중하는 마음.

❹ 인터넷의 세상은 현실 세계와 다른 [ㄱ][상] 공간에 불과하다.
　　　　　　　사실이 아니거나 사실 여부가 분명하지 않은 것을 사실이라고 가정하여 생각함.

다음 문장을 읽고, (　　) 안에 공통으로 들어갈 낱말을 완성하세요.

❺
* 인간은 누구나 자신의 행복을 (　　　)한다.
* 장사꾼은 이익을 (　　　)하며 물건을 판다.

[추][ㄱ]

❻
* 소년은 수학 문제를 해결하는 것에만 (　　　)하였다.
* 과학자는 연구에 (　　　)하느라 시간 가는 줄 몰랐다.

[몰][ㄷ]

❼
* 반장으로서 맡은 일에 (　　　)하면 안 된다.
* 안전 관리에 (　　　)한 결과로 큰 참사가 일어났다.

[소][ㅎ]

동물 복지

어휘 수준 ★★★★★
글감 수준 ★★★★★
글의 길이 1,048자

본격 독해 훈련

오리나 거위 등의 목과 가슴에 있는 부드러운 솜털, 즉 다운(Down)은 가볍고 따뜻해서 겨울옷, 이불 등으로 많이 쓰인다. 강추위가 몰아닥친 지난해, 다운으로 만들어진 패딩이 불티나듯 팔렸다. 겨울철 패션업계의 효자 상품인 다운 패딩, 대체 어떻게 만들어지는 것일까?

미국다운페더연합에 따르면 전 세계 오리털과 거위털의 80%는 중국에서 생산되는데, 매년 오리와 거위들은 살아 있는 채로 수천 톤에 달하는 털이 뽑힌다. 왜냐하면 사체에서는 단 한 번만 털을 뽑을 수 있지만 산 채로는 마리당 최대 15번까지 털을 뽑을 수 있기 때문이다. 결국 [(가)]

오리와 거위는 보통 생후 10주째부터 털을 뜯기기 시작한다. '뽑고 다시 자라나면 뽑고' 이 과정은 6주 간격으로 이루어지는데, 한 마리의 거위에서 나오는 깃털과 솜털은 최대 140g 정도로, 우리가 입는 패딩 한 벌을 만들려면 보통 15∼20마리의 털이 필요하다.

영하의 추위에서 우리를 따뜻하게 지켜 주는 패딩, 하지만 이 한 벌의 다운 패딩이 탄생하기까지 희생된 거위들의 비명 소리를 우리는 듣지 못했다. 그런데 2010년 독일의 동물 복지 운동 단체가 헝가리 거위 농장의 실상을 폭로하면서 다운 생산 과정의 잔인함이 세계에 알려지게 되었다. 동물 학대 논란이 확산되자 의류 제조업체들은 앞다퉈 윤리적 생산에 나섰다. 명품 브랜드들이 먼저 인조 모피 등으로 옷, 가방을 제작하며 비건 패션(Vegan Fashion) 운동에 동참했고, 젊은 소비자들의 동물 윤리 의식이 높아지면서 비건 패션 열풍도 함께 불고 있다.

비건 패션은 모피나 가죽 등 동물성 소재를 사용하지 않고 식물성 소재를 사용하는 패션을 말하는데 비건 패션의 패딩은 동물 털 대신 나일론, 폴리에스터 등 인공 충전재로 만들어진다. 이 충전재는 거위나 오리털처럼 보온성이 좋으면서도 눈비에 강할 뿐더러 다운에 비해 가격이 매우 저렴하다는 장점이 있다. 이 때문에 인조 모피나 인조 털로 만들어진 제품들이 많은 소비자들에게 사랑을 받고 있다. 우리의 필요를 만족시키면서도 동물 윤리와 동물 복지까지 생각하는 '가치 소비'에 더 많은 소비자들이 동참하기를 바란다.

● **패딩**(padding)
옷을 만들 때, 솜이나 오리털을 넣어 누비는 방식. 누비옷.

● **비건 패션**(vegan fashion)
동물의 가죽이나 털을 사용하지 않는 패션.

● **충전재**(充채울 충, 塡메울 전, 材재목 재)
빈 곳이나 공간 따위를 채우는 재료.

1 이 글에 대한 설명으로 알맞은 것은 무엇인가요? (   )

① 하나의 대상을 구성 요소별로 나누어 설명하고 있다.

② 추론을 통해 글쓴이의 주장이 옳다는 것을 증명하고 있다.

③ 상반되는 주장을 조절하여 합리적인 대안을 이끌어 내고 있다.

④ 대상이 지닌 긍정적인 면을 먼저 밝힌 후, 한계를 덧붙여 제시하고 있다.

⑤ 인용의 방식을 통해 문제 상황을 제시하고, 문제 해결을 위한 행동 변화를 당부하고 있다.

2 (가)에 **들어갈 내용**으로 가장 알맞은 것은 무엇인가요? (   )

① 경제적 효과보다 동물의 고통을 최소화하는 데 더 중점을 둔 것이다.

② 경제적 이익과 동물 윤리를 모두 고려하여 합리적인 결정을 내린 것이다.

③ 생산 효과를 극대화하기보다 동물을 죽이지 않고 생명을 지키려 한 것이다.

④ 생명의 존엄성의 문제보다 경제성을 고려하며 선택할 수밖에 없는 것이다.

⑤ 생명 윤리보다 인간의 이익을 중시하여 욕심을 부리면 불행한 결과를 가져옴을 보여 주는 것이다.

＋수능연결

글의 흐름을 고려하여 빈칸에 들어갈 내용을 파악하는 문제입니다. 이 같은 문제를 풀 때는 글의 앞뒤 내용을 살펴보고 자연스럽게 어울릴 내용을 찾아서 해결합니다.

> 이 관점에서는 4세기경에 토기의 두께가 급격히 얇아지는 이유를 다음과 같이 설명한다.
> (ⓒ   )

24. ⓒ에 **들어갈 내용**으로 가장 적절한 것은? [3점]

① 자연 환경   들어갈 내용   두께가 얇은 토기가 생존에 유리해졌기 때문이다.

② 거주 지역   이 바뀌어 토기를 만드는 재료가 달라졌기 때문이다.

③ 식량을 채취하는 여건이 악화되면서

④ 기후의 변화로 주요 식재료가 바뀌면서

> 수능에는 글의 흐름을 고려하여 빈칸에 들어갈 알맞은 내용을 찾는 문제가 나와요.

⑤ 집단 간의 활발한 교류로 새로운 토기   문이다.

3 이 글의 글쓴이가 말하고자 하는 것은 무엇인가요? ( )

① 다운 생산 과정의 잔인함을 세계에 널리 알려야 한다.
② 인공 충전재로 만들어진 의류의 장점을 소개해야 한다.
③ 살아 있는 채로 털이 뽑히는 동물들의 희생을 기억해야 한다.
④ 동물 윤리와 동물 복지를 생각하는 생산과 소비가 이루어져야 한다.
⑤ 의류 업체들은 동물의 털을 사용하지 않는 비건 패션 운동에 동참해야 한다.

4 보기 를 읽고, 이 글에 대해 보인 반응으로 알맞지 <u>않은</u> 것은 무엇인가요? ( )

> 보기
>
> 　동물 복지 또는 동물 보호 혹은 동물 복리는 일반적으로 인간이 동물에 미치는 고통을 줄이고 동물의 심리적 행복을 추구하는 것으로, 동물이 상해 및 질병이나 갈증, 굶주림 등에 시달리지 않고 행복한 상태에서 살아갈 수 있도록 하는 것이다. 여기에는 식용으로 소비되는 소나 돼지, 닭 등의 가축이 지저분하고 열악한 환경에서 자라지 않고 청결한 곳에서 적절한 보호를 받으며 행복하게 살 권리를 포함한다.

① 인간의 이익을 위해 동물에게 고통을 주는 일은 더 이상 일어나지 않았으면 좋겠어.
② 동물에게도 권리가 있기에 어떠한 경우에도 인간이 동물을 이용하는 것은 인정하지 않아야 해.
③ 인간이 일부러 동물을 괴롭히거나 다치게 하는 행위는 동물의 행복권을 침해하는 행위라고 볼 수 있어.
④ 산 채로 털이 뽑히는 거위의 고통을 생각하며 나의 소비 생활이 동물 학대를 부추기는 원인이 된 것은 아닌지 돌아보게 되었어.
⑤ 동물 복지에 대한 인식이 정착되려면 동물도 인간과 마찬가지로 행복하게 살 권리가 있음을 인정하려는 자세가 필요해.

한줄
요약

5 빈칸에 알맞은 말을 넣어 이 글의 핵심 내용을 한 문장으로 요약하세요.

　동물 학대 논란을 불러일으키는 다운(Down)을 대신하여 의류 제조업체들은

☐☐　　　　생산에 나서고, 소비자들은 동물 윤리와 동물 ☐☐ 를 생각하는

'☐☐ 소비'에 동참해야 한다.

지문 속 필수 어휘

낱말의 뜻을 참고하여, 다음 문장의 빈칸에 들어갈 알맞은 낱말을 완성하세요.

❶ 그는 겉으로는 태연해 보였으나 | ㅅ | 상 | 은 그렇지 않았다.

실제의 상태나 내용.

❷ 산불 피해가 전국적으로 급속히 | ㅎ | 산 | 되고 있다.

흩어져 널리 퍼짐.

❸ 닥종이는 펄프 종이와는 달리 | ㅂ | 온 | ㅅ | 이 높다.

주위의 온도에 관계없이 일정한 온도를 유지하는 성질.

❹ 패딩 침낭은 화학 섬유를 | ㅊ | 전 | ㅈ | 로 넣고 누빈 제품이다.

빈 곳이나 공간 따위를 채우는 재료.

다음 문장을 읽고, (   ) 안에 공통으로 들어갈 낱말을 완성하세요.

❺
- 다 같이 하는 일이니 (   )을 하는 것이 좋겠다.
- 시민들의 (   )으로 모금 운동은 성공적으로 끝났다.

| ㄷ | 참 |

❻
- 국가는 국민의 (   ) 향상을 위해 애써야 한다.
- 근로자의 (   )를 증진하기 위한 법이 만들어졌다.

| ㅂ | ㅈ |

❼
- 약한 사람을 돕는 것은 (   )으로 바람직한 일이다.
- 이 행동은 법적으로는 문제가 없지만 (   )으로는 문제가 될 수 있다.

| ㅇ | ㄹ | 적 |

협동조합

⏱ **10**분 안에 풀어보세요.

어휘 수준 ★★★★☆ (하 중 상)
글감 수준 ★★★★★
글의 길이 976자

안전한 농산물을 농민들로부터 직접 공급받고 싶었던 K씨는 자신과 뜻이 같은 사람들이 주위에 있음을 알게 되었다. K씨는 이들과 함께 일정 금액의 돈을 내어 단체를 만들었다. K씨는 이 단체를 통해 안전한 농산물을 농민들로부터 직접 살 수 있었고, 농민들은 중간의 유통에 드는 비용 없이 적절한 값을 받고 농산물을 팔 수 있었다. 이 사례와 같이 뜻을 같이하는 사람들이 일정 금액을 모아 공동의 경제, 사회, 문화적 욕구를 충족시키기 위해 자발적으로 만든 조직을 '협동조합'이라고 한다.

협동조합은 다섯 명 이상의 사람들이 모여 일정 금액을 내면 누구나 만들 수 있으며, ⓐ가입과 탈퇴도 자유롭다. 협동조합은 기본적으로 조합원들이 자발적으로 모여 만든 조직이기 때문에 모든 조합원이 협동조합을 공동으로 소유하고, 운영에도 공정하게 참여한다. 그리고 사업을 통해 얻은 이익도 자신들이 세운 원칙에 따라 조합원들에게 공정하게 돌아간다.

[A]
이윤 추구를 목적으로 하는 ㉠주식회사와 달리 ㉡협동조합은 '조합원'을 중심으로 운영된다. 주식회사는 주식을 어느 정도 가지고 있느냐에 따라 의사 결정권이 주어지므로 주식을 많이 가진 대주주가 의사를 결정하는 경우가 많다. 그러나 협동조합에서는 조합원이 낸 금액과 상관없이 한 사람에게 한 표의 의사 결정권이 주어지며, 조합원 모두의 의견을 존중한다. 그러므로 소수의 운영진에 의한 독점이나 독재는 불가능하다. 또한 협동조합은 일자리 만들기나 사회적 약자 보호와 같은 공동의 가치를 추구하며, 더 나아가 지역 사회에 관심을 두고 지역 사회 발전에도 힘쓰고 있다.

그러나 협동조합은 조합원들이 낸 돈으로 운영되기 때문에 신속하게 자본을 마련하기 어렵다는 단점을 지닌다. 의사 결정에 걸리는 시간도 상대적으로 길어 빠르게 변하는 상황에 신속하게 대처하기 어려울 수 있다. 또 이윤 추구에 몰두하여 협동조합의 기본 정신을 잃어버렸을 경우 지속되기 힘들다. 이를 극복하기 위해서는 조합원들이 분명한 목표와 가치를 서로 공유하며, 다양한 협동조합 간에도 서로 협력하면서 계속 발전해 나갈 방안을 모색해야 한다.

● **유통**(流흐를 유, 通통할 통)
재화나 용역 따위가 생산자로부터 소비자에 도달하기까지 여러 단계에서 교환되고 분배되는 활동.

● **이윤**(利이로울 이, 潤불을 윤)
장사 따위를 하여 남은 돈.

● **모색**(摸찾을 모, 索찾을 색)
어떤 일을 해결할 수 있는 바람직한 방법이나 해결책 따위를 이리저리 생각하여 찾음.

1 이 글에 사용된 설명 방식으로 알맞은 것은 무엇인가요? (   )

① 대상의 장점과 단점을 예를 들어 제시하고 있다.
② 한 대상을 기준에 따라 여러 가지로 분류하고 있다.
③ 특정 대상을 구성 요소별로 나누어 설명하고 있다.
④ 두 대상을 대조하여 중심 대상의 특징을 강조하고 있다.
⑤ 설명 대상을 유사한 성격의 다른 대상에 빗대어 서술하고 있다.

2 ⓐ에 나오는 다음 낱말들의 관계와 비슷한 관계를 가진 것을 찾아 ○표 하세요.

가입	탈퇴

(1) 식물 : 나무   (   )
(2) 생각 : 사고   (   )
(3) 가다 : 오다   (   )

3 [A]를 참고할 때, ㉡을 추구하는 입장에서 ㉠을 비판하는 내용으로 적절하지 않은 것은 무엇인가요? (   )

① 소수의 사람이 회사의 권력을 독점할 수 있다.
② 주주들의 이익을 위해서만 회사가 운영될 수도 있다.
③ 이익을 우선시하므로 사회적 가치를 소홀히 할 우려가 있다.
④ 의사 결정 과정에서 구성원 간의 협력이 이루어지기 어렵다.
⑤ 다수의 의견보다는 권력을 가진 소수의 의견에 따라 움직일 수 있다.

4 이 글을 참고하여 보기 를 이해한 내용으로 알맞은 것에 ○표 하세요.

보기

　세계를 대표하는 통신사로 꼽히는 A통신은 협동조합의 형태로 운영되는 통신사이다. A통신의 주인은 바로 미국 내 1,400여 개의 개별 언론사들이다. A통신은 이들 언론사들이 일정한 기준에 따라 돈을 나누어 내어 만들었다.

　그 밖에 오렌지를 생산하는 6천여 명의 농민과 8개 협동조합이 중간 상인의 독과점 횡포에 맞서기 위해 만든 미국의 B사, 설탕이나 비누 등 생필품의 유통 마진을 줄여 경쟁 업체보다 40% 더 저렴한 가격으로 판매하는 스위스 최대의 유통 마트 C사 등도 세계적으로 유명한 협동조합이다.

• 마진: 상품이 유통되는 과정에서 생기는 중간 이윤.

(1) A통신은 개인이 아닌 단체들이 참여하여 만든 통신사로 협동조합의 형태로 운영된다. (　　)

(2) B사와 C사는 소비자 보호라는 목적을 이루기 위해 만든 협동조합이다. (　　)

5 이 글을 읽고 난 후의 반응으로 알맞은 것을 보기 에서 골라 기호를 쓰세요.

보기

㉮ 협동조합은 주식회사와 달리 소유주가 따로 없구나.
㉯ 협동조합은 주식회사에 비해 일자리를 더 많이 만들겠구나.
㉰ 협동조합은 주식회사에 비해 이익보다 손실이 많이 발생할 수밖에 없겠구나.
㉱ 협동조합원이 되면 개인이 낸 금액에 상관없이 동등하게 의사 결정권을 갖는군.

(　　　　)

6 빈칸에 알맞은 말을 넣어 이 글의 핵심 내용을 한 문장으로 요약하세요.

한줄
요약

　협동조합은 같은 뜻을 가진 사람들이 각자 일정 금액을 내어 □□적으로 만든 조직으로, 조합원이 동등하게 □□를 결정하고 조합원 공동의 가치와 사회적 가치를 실현해 나간다.

지문 속 필수 어휘

다음 문장을 읽고, (   ) 안에 공통으로 들어갈 낱말을 완성하세요.

❶
- 시장은 수요와 (   )에 의해 형성된다.
- 제품의 (   )이 부족하여 가격이 많이 올랐다.

공	ㄱ

❷
- 그는 자신의 기대가 (   )되자 즐거워하였다.
- 기본 요건을 (   )하지 않으면 탈락할 수 있다.

충	ㅈ

❸
- 그 기업은 과도하게 (   )을 추구하여 비난받고 있다.
- (   )이 조금 남더라도 비싼 가격에 적게 파는 것보다 저렴한 가격에 많이 파는 게 낫다.

이	ㅇ

❹
- 진우는 예나와 화해할 (   )가 있었다.
- 우리는 선생님의 제안을 따르겠다는 (   )를 전달했다.

ㅇ	사

낱말의 뜻을 참고하여, 다음 문장의 빈칸에 들어갈 알맞은 낱말을 완성하세요.

❺ 해결 방안을 [모][ㅅ] 하고 있다.

　일이나 사건 따위를 해결할 수 있는 방법이나 실마리를 더듬어 찾음.

❻ 상품의 [유][ㅌ] 구조를 개선하여 가격을 낮추었다.

　상품 따위가 생산자에서 소비자, 수요자에 도달하기까지 여러 단계에서 교환되고 분배되는 활동.

❼ 쓸데없이 트집을 잡는 사람에게는 단호하게 [ㄷ][처] 해야 한다.

　어떤 정세나 사건에 대하여 알맞은 조치를 취함.

노블레스 오블리주

⏱️ **10**분 안에 풀어보세요.

프랑스 북부의 항구 도시 칼레의 시청 앞에는 6명의 프랑스 귀족들이 목에 밧줄을 매고 고통스런 표정으로 걷고 있는 모습을 형상화한 '칼레의 시민'이라는 로댕의 조각 작품이 있다. 오늘날 사회의 고위 지도층에게 요구되는 높은 수준의 도덕적 의무, 사회에 대한 책임을 의미하는 ㉠노블레스 오블리주는 이 작품에 담긴 이야기에서 유래했다.

14세기 중엽, 영국과 프랑스의 백 년 전쟁 당시, 칼레시를 점령한 영국 왕 에드워드 3세는 칼레시의 항복이 늦어 막대한 피해를 입었다며 시민을 죽이는 대신에 대표자 6명을 처형하겠다고 하였다. 이때 칼레시의 고위 지도층이라고 할 수 있는 갑부, 시장, 지도자 등 6명보다 많은 7명이 시민들을 구하기 위해 손을 들었다. 그런데 처형을 하기로 한 날, 가장 먼저 자원을 했던 갑부 외스타슈드의 모습이 보이지 않았다. 그가 나타나지 않은 이유는, 처형을 원한 7명 중 한 명이라도 살아남으면 순교자들의 사기가 떨어질 것을 걱정하여 먼저 스스로 목숨을 끊었기 때문이었다. 이에 감동한 영국 왕비의 간청으로 에드워드 3세는 처형을 중단하였다. 이렇게 시민들의 생명을 구했던 고위 지도층 7명의 희생에 대한 이야기가 노블레스 오블리주의 유래가 되었다.

이러한 노블레스 오블리주는 우리나라에서도 찾아볼 수 있다. 바로 독립운동가 이회영의 삶이 그렇다. 이회영은 오성과 한음으로 잘 알려진 이항복의 10대손으로 큰 부를 쌓았는데, 자신의 돈과 명예를 나라를 위해 사용했다. 1905년 을사년, 일본에 의해 을사조약이 강제로 체결되었을 당시 왕이었던 고종은 옥새를 찍지 않았지만 이완용을 비롯한 을사오적이 우리나라의 외교권을 일본에 팔아 버렸다. 고종이 왕위에서 ㉡물러나고 군대가 일제에 의해 강제로 해산되자 이회영은 군대를 양성하기 위해 자신의 재산을 팔아 중국 서간도로 망명하여 신흥무관학교를 설립하였다. 신흥무관학교는 1911년에서 1920년까지 약 3,000명의 졸업생을 배출하며 많은 독립군을 키우는 데 큰 역할을 하였다. 또한 신흥무관학교가 폐교한 후에도 이회영은 무장 투쟁 집단인 의열단을 직접 후원하였다. 이회영의 집안은 조선의 10대 부자라 불릴 만큼 최고의 부잣집이었기 때문에 이회영은 개인적으로 부귀영화를 누리며 살아갈 수 있었지만 그 모든 것을 포기하고 한평생 독립운동에 힘썼다. 이처럼 이회영은 개인의 행복을 포기하고 나라와 국민을 위한 독립운동에 부와 명예를 바쳤으므로 진정한 노블레스 오블리주를 실천했다고 볼 수 있다.

● **유래**(由말미암을 유, 來올 래)
사물이나 일이 생겨남. 또는 그 사물이나 일이 생겨난 바.

● **체결**(締맺을 체, 結맺을 결)
계약이나 조약 따위를 공식적으로 맺음.

● **망명**(亡망할 망, 命목숨 명)
혁명 또는 그 밖의 정치적인 이유로 자기 나라에서 박해를 받고 있거나 박해를 받을 위험이 있는 사람이 이를 피하기 위하여 외국으로 몸을 옮김.

1 이 글의 내용으로 알맞지 <u>않은</u> 것은 무엇인가요? (　　　)

① 이회영은 우리나라의 독립을 위해 최선을 다했다.

② 이회영은 고종의 부탁을 받아 의열단을 후원하였다.

③ 외스타슈드의 죽음은 순교자들과 시민들을 위한 것이었다.

④ 신흥무관학교는 이회영이 중국으로 망명하여 세운 학교이다.

⑤ 작품 '칼레의 시민'은 노블레스 오블리주의 유래가 된 이야기를 표현하고 있다.

2 이 글에 쓰인 표현 방식으로 적절하지 <u>않은</u> 것은 무엇인가요? (　　　)

① 용어의 의미를 풀어서 설명하고 있다.

② 동서양의 문화를 비교하여 서술하고 있다.

③ 인물에 대한 글쓴이의 평가가 드러나 있다.

④ 용어가 생겨난 유래에 대해 소개하고 있다.

⑤ 특정 인물의 삶을 예로 들어 설명하고 있다.

3 보기 에서 ㉠의 예로 볼 수 있는 것을 모두 골라 기호를 쓰세요.

> 보기
>
> ㈎ 지우개가 필요한 친구에게 지우개를 빌려준 짝꿍
>
> ㈏ 혼자 사는 가난한 할아버지를 위해 겨울 내내 난방비를 내준 국회의원
>
> ㈐ 불이 난 건물에 갇힌 아이를 구하기 위해 건물로 뛰어든 소방대원
>
> ㈑ 자연재해로 피해를 입은 사람들을 돕기 위해 재산을 내놓은 성공한 사업가

(　　　　　　)

4 보기 를 통해 추론한 내용으로 알맞은 것에 ○표 하세요.

> **보기**
> • 이회영은 이항복의 10대손으로 집안이 매우 부유했음.
> • 이완용을 비롯한 을사오적이 우리나라의 외교권을 일본에 팔아 버림.
> • 이회영은 독립군을 양성하기 위해 자신의 재산을 팔아 신흥무관학교를 설립함.

(1) 당시 양반들은 모두 대대로 집안이 부유하였다. ( )

(2) 당시 고위 지도층이라고 해서 모두 노블레스 오블리주를 실천한 것은 아니다.
( )

(3) 이회영은 우리나라의 독립을 위해서는 외교권을 찾아오는 것이 가장 중요하다고 생각했다. ( )

5 밑줄 친 말 중, ⓒ과 가장 유사한 의미로 사용된 것은 무엇인가요? ( )

① 사람이 지나가자 그는 뒤로 한 걸음 물러났다.
② 차도는 위험하니 인도 쪽으로 물러나거라.
③ 아저씨는 그 사건으로 인해 관직에서 물러나고 말았다.
④ 적군이 뒤쪽으로 물러난 후 강물이 차오르기 시작했다.
⑤ 잠에서 깨자 온 몸의 뼈마디가 물러난 듯한 무력감을 느꼈다.

6 빈칸에 알맞은 말을 넣어 이 글의 핵심 내용을 한 문장으로 요약하세요.

한줄
요약

노블레스 오블리주는 사회의 고위 지도층에게 요구되는 높은 수준의 ☐☐ 의무, 사회에 대한 ☐☐ 을 의미하는데, 이를 실천한 우리나라의 대표적 인물로 이회영이 있다.

지문 속 필수 어휘

다음 문장을 읽고, (　　) 안에 공통으로 들어갈 낱말을 완성하세요.

❶
- 많은 사람들이 연탄 봉사에 참여하겠다고 (　　　)하였다.
- 상윤이는 그 부서에서 일하겠다고 (　　　)하였다.

지	원

❷
- 그의 말 한마디가 많은 사람의 (　　　)를 북돋웠다.
- 심한 꾸지람은 아이의 (　　　)를 떨어뜨릴 수 있다.

사	기

❸
- 이 학교는 인재 (　　　)을 위해 설립되었다.
- 그는 후계자를 (　　　)하기 위해 최선을 다하고 있다.

양	성

❹
- 이 민속놀이는 백제 시대의 놀이에서 (　　　)하였다.
- 한식의 (　　　)에 대해서는 두 가지 설이 있다.

유	래

다음 문장을 읽고, 두 낱말 중 알맞은 것을 찾아 ○표 하세요.

❺ 그는 신발 끈을 [메고 / 매고] 달려가기 시작했다.

❻ 커서 의사가 [됀 / 된] 그 녀석을 어제 우연히 거리에서 만났다.

❼ 지난 밤에 먹[었던 / 었든] 치킨이 불현듯 생각났다.

❽ 군수는 새로운 시장에게 음식을 만들어 [받친 / 바친] 적이 없다.

사실적 독해는 팩트 체크다!

독서에서 가장 많이 출제되는 NO.1 기본 유형은 바로 '윗글의 내용으로 알맞은 것'을 묻는 내용 일치 문제 즉, 사실적 독해 문제입니다. 문제를 풀 때 필요한 정보가 글에 다 나와 있으므로 누구나 쉽게 맞힐 수 있을 것 같다고요? 하지만 의외로 이 사실적 독해에 애를 먹는 사람이 많답니다. 그 이유는 바로 문제를 만들 때 함정을 숨겨 두었기 때문입니다.

● **다음 그림을 보고 마지막 물음표에 들어갈 숫자가 무엇일지 맞혀 보세요.**

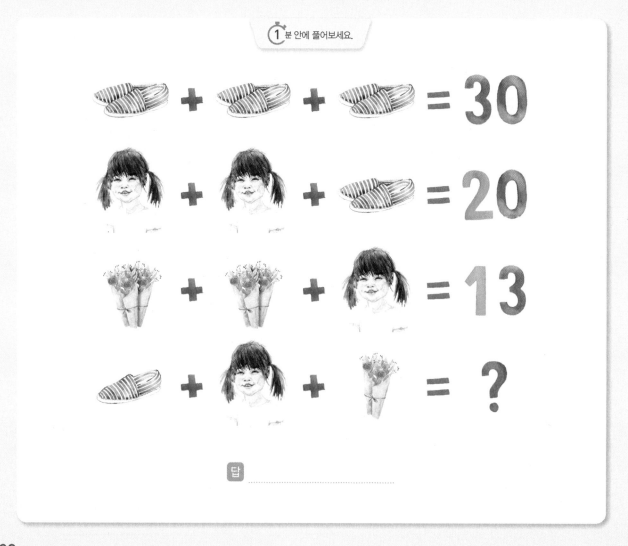

신발 한 켤레에 해당하는 수는 얼마일까요?
신발 세 켤레를 더했을 때 30이니까, 30을 3으로 나누면 10. 신발 한 켤레는 10에 해당하는군요! 다들 쉽게 맞혔을 거예요.

이번에는 아이와 꽃다발에 해당하는 수를 알아봅시다. 첫 번째 식에서 신발 값(10)을 빼면 10이 남으니 아이는 각각 5입니다. 또 13에서 5를 뺀 8을 2로 나누면 꽃다발은 각각 4에 해당합니다.

여기까지 정리하면 '신발 한 켤레=10, 아이=5, 꽃다발=4' 이지요.

자, 마지막입니다.
신발+아이+꽃다발, 정답은 19! 땡~
자세히 보세요. 꽃다발이 두 묶음이 아닌 한 묶음이고 신발도 한 짝만 있잖아요.
정답은 5+5+2=12입니다.

간단한 산수 문제지만 답을 맞히기가 쉽지 않지요?
이 문제의 핵심은 바로 바꿔치기에 있습니다. 마지막 계산에서 신발이 한 켤레가 아니라 '한 짝'이라는 것과 꽃다발 두 묶음이 아니라 '한 묶음'이라는 점이 바꿔치기의 함정이에요.

독해 문제에서도 이런 함정은 심심찮게 등장합니다.
예를 들어 글에서 'A와 B는 그 제안에 찬성하였다.'라고 했는데, 선택지에서는 'A와 D는 그 제안에 찬성하였다.'라고 B를 D로 바꿔치기하는 것이죠.

> **"** 이처럼 사실적 독해를 할 때는 글의 내용이
> 선택지의 내용과 일치하는지 꼼꼼하게 '팩트 체크'를
> 해야 한다는 사실을 기억하세요! **"**

최고의 상처 치료제, 구더기

10분 안에 풀어보세요.

어휘 수준 ★★★★★
글감 수준 ★★★★★
글의 길이 1,088자

파리 중에서도 악명 높은 나선 구더기는 살아 있는 동물의 상처에 들어가 건강한 살을 먹고 살지만, 오직 사체만 먹는 구더기도 있다. 검정파리 구더기, 검정금파리 구더기, 구리금파리 구더기 등의 청소 동물은 죽은 동물의 사체를 분해함으로써 생태계에 중요한 역할을 한다. 또한 ㉠검정금파리 구더기와 구리금파리 구더기는 상처 부위에서 죽은 살을 떼어 내는 괴사 조직 제거술에 유용하게 활용된다.

1917년에 벌어진 전투에서 두 병사가 대퇴골에 복합 골절과 복부가 찢어지는 큰 부상을 입고 병원에 실려 왔다. 교전 중에 병사를 돌볼 수 있는 사람이 없었기 때문에 두 병사는 며칠 동안 아무 치료도 받지 못한 채 자연에 그대로 내버려두어질 수밖에 없었다. 이렇게 시간이 흘렀음에도 두 병사는 열도 없었고 패혈증도 없었다. 병사들의 옷을 벗기자 상처 위에 검정금파리 구더기가 가득했다. 재빨리 구더기를 모두 털어내고 상처를 식염수로 닦아 내자 아주 놀라운 광경이 드러났다. 상처에는 세균과 고름 대신 육아 조직이 가득 차 있었다. 육아 조직은 외상으로 염증이 생겼을 때 손상된 부위를 아물게 하기 위해 살갗의 깊은 층에서 발달하여 나온 조직으로 육아 조직이 차 있다는 것은 치료가 되고 있다는 뜻이다.

[㉡] 구더기는 감염된 상처를 어떻게 치료했을까? 구더기는 외과 의사가 하는 일을 그대로 한다. 즉, 괴사 조직을 섬세하게 잘라 내는 것이다. 사실 외과용 메스로 죽은 조직을 제거할 때는 불가피하게 산 조직도 함께 잘라 낼 수밖에 없다. 하지만 구더기는 죽은 조직의 세포를 하나씩 차례대로 먹는데다가 식성이 까다롭기 때문에 건강한 세포는 건드리지 않는다. 그래서 전쟁 중 부상을 입은 두 병사가 패혈증 없이 치료될 수 있었던 것이다. 더욱이 구더기는 죽은 조직을 제거할 뿐만 아니라 상처 부위를 소독하며 더 빨리 아물게 하는데, 구더기가 분비하는 물질이 육아 조직의 생장을 촉진하기 때문이다. 일찍이 1935년에 윌리엄 로빈슨은 구더기가 상처 부위에 알란토인을 분비해 치료를 촉진한다는 사실을 알아냈다. 단백질 대사 과정에서 더불어 생기는 물질인 알란토인은 항생제 역할을 한다. 구더기가 항생제를 분비하는 것은 구더기의 가장 큰 경쟁자가 바로 세균이기 때문이다.

● **괴사**(壞무너질 괴, 死죽을 사)
생체 내의 조직이나 세포가 부분적으로 죽는 일. 냉, 열, 독물, 타박 및 특수한 병적 과정 따위가 원인이다.

● **골절**(骨뼈 골, 折부러질 절)
뼈가 부러짐.

● **패혈증**(敗패할 패, 血피 혈, 症증세 증)
곪아서 고름이 생긴 상처나 종기 따위에서 병원균이나 독소가 계속 혈관으로 들어가 순환하여 심한 중독 증상이나 급성 염증을 일으키는 병.

● **항생제**(抗겨룰 항, 生날 생, 劑약제 제)
미생물이 만들어내는 항생 물질로 된 약제. 다른 미생물이나 생물 세포를 선택적으로 억제하거나 죽인다.

1 이 글에 대한 설명으로 가장 알맞은 것은 무엇인가요? (   )

① 물음의 형식을 이용하여 주장을 강조하고 있다.

② 결과를 제시하고 원인에 대한 설명을 덧붙이고 있다.

③ 대상을 구분하여 각각의 특성을 자세히 설명하고 있다.

④ 전문가의 말을 이용하여 주장의 신뢰성을 높이고 있다.

⑤ 대상의 변화 과정을 시간의 순서에 따라 설명하고 있다.

2 이 글을 통해 알 수 있는 내용이 <u>아닌</u> 것은 무엇인가요? (   )

① 검정금파리 구더기는 괴사 조직 제거술에 유용하다.

② 구더기가 분비하는 알란토인은 항생제의 역할을 한다.

③ 구리금파리 구더기와 나선 구더기는 오직 사체만 먹는다.

④ 상처가 치료되고 있다는 것은 육아 조직을 통해 알 수 있다.

⑤ 청소 동물은 생태계에서 동물의 사체를 분해하는 역할을 한다.

3 이 글의 '검정금파리 구더기'와 같은 역할로 인간 생활에 유사한 영향을 미치는 경우를 바르게 짝지은 것은 무엇인가요? (   )

> ㄱ. 밤하늘을 반짝이며 밝히는 반딧불이
> ㄴ. 상처로 인한 안 좋은 피를 빨아먹는 거머리
> ㄷ. 벌어진 상처를 턱으로 물어 봉합해 주는 개미
> ㄹ. 달콤한 맛을 내어 음식에 넣어 먹으면 좋은 꿀을 모아 주는 벌

① ㄱ, ㄴ   ② ㄱ, ㄴ, ㄹ   ③ ㄱ, ㄷ, ㄹ

④ ㄴ, ㄷ   ⑤ ㄴ, ㄷ, ㄹ

4 이 글의 ㉠과 보기 의 ㉮에 대해 반응한 내용으로 적절한 것은 무엇인가요? (   )

> **보기**
>
> 파리는 1초에 날개를 250번 이상 움직이면서 자유자재로 날다가 공중에 정지하기도 한다. 과학자들은 파리의 이런 특성을 적용하여 2cm의 날개, 0.1g의 무게, 1초에 200번 날갯짓해서 3m를 나는 ㉮초소형 무인 비행체를 개발하였다.

① ㉠은 ㉮와 달리 생물체의 뛰어난 능력을 보여 주는 사례군.

② ㉠과 ㉮는 인간이 자연의 능력에 도달할 수 있음을 알려 주는군.

③ ㉠은 생물체가 갖고 있는 특성을 활용하고, ㉮는 생물체의 능력을 모방한 경우이군.

④ ㉠과 달리 ㉮는 특정 곤충의 단점도 관점에 따라 장점으로 인식될 수도 있음을 보여 주는군.

⑤ ㉮와 달리 ㉠은 곤충의 특징이 인간의 삶에 부정적인 영향을 미칠 수도 있음을 보여 주는 것이군.

5 문맥을 고려할 때, ㉡에 들어갈 접속어로 적절한 것은 무엇인가요? (   )

① 그리고　　　　② 그렇지만　　　　③ 그렇다고

④ 그렇다면　　　　⑤ 그러므로

6 빈칸에 알맞은 말을 넣어 이 글의 핵심 내용을 한 문장으로 요약하세요.

한줄
요약

구더기는 상처의 ☐☐ 조직 세포만을 먹어 상처를 빨리 아물게 하고,

☐☐☐☐을 분비해 치료를 촉진한다.

지문 속 필수 어휘

낱말의 뜻을 참고하여, 다음 문장의 빈칸에 들어갈 알맞은 낱말을 완성하세요.

❶ 경찰은 | 사 | ㅊ | 부검을 통해 사고의 원인을 밝히고자 하였다.

    사람 또는 동물 따위의 죽은 몸뚱이.

❷ 그는 | ㄱ | 사 | 현상이 발목 윗부분까지 진행되어 다리를 절단하는 수술을 받았다.

    생체 내의 조직이나 세포가 부분적으로 죽는 일.

❸ 날이 추우니 혈액 | 순 | ㅎ | 에 문제가 생겼다.

    주기적으로 자꾸 되풀이하여 돎. 또는 그런 과정.

❹ 이 약은 소화를 | ㅊ | 진 | 하여 도움이 된다.

    무엇이 일을 재촉하여 더 잘 진행되도록 함.

문제 속 개념어

접속어 接 이을 접, 續 이을 속, 語 말씀 어

접속어는 앞뒤의 말을 이어 주는 역할을 하는 문장 성분을 말하며, '그리고', '그러나', '그래서', '그러므로', '그렇다면' 등이 있습니다.

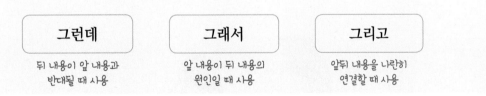

그런데	그래서	그리고
뒤 내용이 앞 내용과 반대될 때 사용	앞 내용이 뒤 내용의 원인일 때 사용	앞뒤 내용을 나란히 연결할 때 사용

다음 빈칸에 '그런데', '그래서', '그리고' 중 알맞은 말을 넣어 보세요.

❺ 어제는 많이 아팠어요. (　　　) 결석했어요.

❻ 그는 자리에서 일어났다. (　　　) 창문을 열었다.

❼ 동생은 숙제를 하고 나갔어요. (　　　) 저는 아직도 숙제가 남아서 놀 수가 없어요.

철새의 여행

어휘 수준 ★★★★★
글감 수준 ★★★★★
글의 길이 730자

⏱ **8**분 안에 풀어보세요.

우리는 주위에서 많은 새를 본다. ㉠새 중에는 참새나 까치와 같이 늘 한 고장에 머물러 사는 텃새가 있고, 제비나 기러기와 같이 철에 따라 사는 곳을 옮기는 철새가 있다. 철새는 여름 철새와 겨울 철새로 ⓐ구분할 수 있다. 제비와 같이 여름을 우리나라에서 보내는 철새를 여름 철새라고 하고, 기러기와 같이 겨울을 우리나라에서 ⓑ보내는 철새를 겨울 철새라고 한다.

철새는 1년에 두 차례씩 사는 곳을 ⓒ옮긴다. 철새는 산을 넘고 바다를 건너 아주 먼 여행을 하는데, 어떤 새는 북극에서 오스트레일리아 앞바다까지 2만여 킬로미터나 여행한다. 철새들은 이동할 때 보통 산이나 바닷가를 따라서 날아가는데, 제비처럼 넓은 바다를 밤낮없이 날아서 건너는 새도 있다.

철새들이 이렇게 머나먼 여행을 하는 까닭은 더위나 추위를 피하여 먹이를 구하고 새끼도 ⓓ치기 위해서이다. 날씨가 너무 추운 곳에서는 새끼가 잘 자랄 수 없으므로 새끼치기에 좋은 곳을 ⓔ찾아서 이동하는 것이다.

그런데 철새들이 이동하여 찾아가는 곳은 해마다 거의 같고, 이동할 때의 길도 해마다 같다. 어미 새와 새끼가 함께 이동하기 때문에 몇 번씩이나 이동한 경험이 있는 어미 새에 의해 유도된다는 의견이 있지만 확신할 수는 없다.

철새들이 [　　　　㉮　　　　] 대해서는 이와 같이 다양한 의견이 있다. 어떤 사람들은 철새들이 지구의 자기력을 따라 이동한다고 한다. 또 어떤 사람들은 태양의 위치가 철새의 길라잡이가 된다고 하고, 바람의 방향을 이용하여 철새가 이동한다고 말하는 사람들도 있다.

● **유도**(誘꾈 유, 導인도할 도)
사람이나 물건을 목적한 장소나 방향으로 이끎.

● **자기력**(磁자석 자, 氣기운 기, 力힘 력)
서로 끌거나 밀어내는 자기의 힘.

▲ 제비는 가을에 우리나라를 떠났다가 봄에 다시 돌아오는 여름 철새입니다.
흥부 놀부 이야기에서도 흥부 덕분에 목숨을 구한 제비는 박씨를 물고 어느 봄날 흥부네 집을 다시 찾아오지요.

1 이 글의 내용과 일치하지 <u>않는</u> 것은 무엇인가요? (   )

① 철새들은 어미 새와 새끼가 함께 이동한다.

② 제비는 여름 철새, 기러기는 겨울 철새에 해당한다.

③ 철새가 이동하는 이유는 기후와 먹이, 번식과 관련된다.

④ 철새들이 이동할 때 가는 길은 기후에 따라 매번 달라진다.

⑤ 철새들이 이동하여 찾아가는 장소는 해마다 거의 동일한 곳이다.

2 보기 에서 ㉠에 나타난 설명 방식으로 적절하게 묶인 것은 무엇인가요? (   )

보기

ㄱ. 두 가지 대상을 견주어 공통점을 설명하고 있다.

ㄴ. 구체적인 사례를 제시하여 대상을 설명하고 있다.

ㄷ. 원인과 결과를 바탕으로 대상의 특성을 설명하고 있다.

ㄹ. 정해진 기준에 따라 대상을 분류하여 설명하고 있다.

① ㄱ, ㄴ   ② ㄱ, ㄷ   ③ ㄴ, ㄷ   ④ ㄴ, ㄹ   ⑤ ㄷ, ㄹ

3 철새의 이동과 관련해, 보기 의 밑줄 친 부분의 이유를 추리할 때, 적절한 것은 무엇인가요? (   )

보기

철새들 대부분은 그 무리가 <u>V자 대형을 이루어 이동하게 된다</u>. V자 대형을 취하면 맨 앞에서 날갯짓하는 철새에 의해 공기의 흐름이 생기는데, 이 흐름을 이용하면 뒤쪽의 철새는 보다 적은 날갯짓으로도 오랫동안 하늘을 날 수 있다. 실험 결과 V자형 편대 비행을 하는 새는 홀로 날아가는 새보다 에너지를 11~14%나 적게 소비하는 것으로 나타났다.

① 철새들이 이동할 때 해마다 목적지를 찾아가야 하기 때문에

② 철새들이 이동하다가 장애물을 만나면 이를 쉽게 넘어야 하기 때문에

③ 철새들에게는 에너지를 가능한 한 줄여 공중에 오래 떠 있는 것이 중요하기 때문에

④ 철새들이 여름과 겨울을 나기에 적합한 목적지를 미리 알고 여행을 시작해야 하기 때문에

⑤ 철새들이 먼 거리에 있는 목적지로 가면서 일정한 장소에서 중간중간 휴식을 취해야 하기 때문에

4 해당 문단의 내용을 고려할 때, ㉮에 들어갈 내용으로 적절한 것은 무엇인가요?

( )

① 어떤 방법으로 이동하는지에
② 어느 시점에 이동을 시작하는지에
③ 어떤 이유 때문에 이동을 하는지에
④ 어떤 대열을 이루면서 이동하는가에
⑤ 어느 정도의 규모로 이동하게 되는지에

5 ⓐ~ⓔ를 바꿔 쓴 말이 적절하지 <u>않은</u> 것을 고르세요. ( )

① ⓐ: 나눌 　　② ⓑ: 지내는 　　③ ⓒ: 이동한다
④ ⓓ: 낳기 　　⑤ ⓔ: 마련해서

한줄
요약

6 빈칸에 알맞은 말을 넣어 이 글의 핵심 내용을 한 문장으로 요약하세요.

철새는 □에 따라 사는 곳을 옮기는 새로, 더위나 추위를 피하여 먹이를 구하고

□□도 치기 위해서 이동하며, 철새들이 이동하여 찾아가는 곳과 가는 길은 해마

다 거의 같다.

지문 속 필수 어휘

낱말의 뜻을 참고하여, 다음 문장의 빈칸에 들어갈 알맞은 낱말을 완성하세요.

❶ 무지개는 일곱 가지 색으로 □ㄱ□ 분 □ 할 수 있다.

　　　　　일정한 기준에 따라 전체를 몇 개로 갈라 나눔.

❷ 우리 집은 종가집인 □까□ㄷ□ 에 제사가 많은 편이다.

　　　　　일이 생기게 된 원인이나 조건.

❸ 전시장에는 벌써 □다□ㅇ□ㅎ□ 상품들이 진열되어 있었다.

　　　　　여러 가지 모양이나 양식.

❹ 이 책은 국악을 배워 보고자 하는 초보자들에게 좋은 □길□ㄹ□ㅈ□ㅇ□ 가 될 것이다.

　　　　　　　　　　　　길잡이

다음 문장을 읽고, (　　) 안에 공통으로 들어갈 낱말을 완성하세요.

❺
- 보성은 녹차가 유명한 (　　　)이다.
- 바다를 끼고 있는 이 (　　　) 아이들은 수영이라면 다들 자신 있었다.

　　　□ㄱ□장□

❻
- (　　　)은 동서남북을 지시하는 데 쓰인다.
- 그들은 (　　　)과 지도만으로 목적지를 찾는 훈련을 받았다.

　　　□ㄴ□침□ㅂ□

❼
- 며칠 밤을 지새운 뒤 이틀 (　　　)을 잠만 잤다.
- 이곳은 내가 (　　　) 다니던 길이라 눈을 감고도 갈 수 있다.

　　　□밤□ㄴ□

우리 몸을 지키는 물

어휘 수준 ★★★☆☆ 하 중 상
글감 수준 ★★★★☆
글의 길이 850자

10분 안에 풀어보세요.

가 땀을 뻘뻘 흘리고 난 뒤 마신 물 한 모금이 달콤하게 느껴진 경험은 누구에게나 있을 것입니다. 우리는 물을 마셔야만 목마름을 해소할 수 있어요. 그렇다면 물은 어떻게 구성되어 있을까요? 물 분자는 산소 원자 1개와 수소 원자 2개가 만나 만들어집니다. 이때 수소 원자는 산소 원자를 중심으로 약 104.5°의 각도로 결합합니다. 우리가 마시는 물은 수많은 물 분자들이 모인 것이지요.

나 물은 우리 몸의 70퍼센트를 이루고 있는 중요한 물질입니다. 그렇다면 물의 어떤 특징이 우리 몸에 도움을 주고 있는지 알아볼까요. 먼저 물은 여러 가지 물질을 잘 녹이는 성질이 있어 몸속 여러 물질을 녹이는 용매 역할을 합니다. 또한 물은 혈액의 구성 요소로 우리 몸의 곳곳을 흐르면서 산소와 영양소, 에너지를 운반하고 노폐물을 분해하거나 밖으로 내보내지요.

다 물은 우리 몸의 체온을 유지하는 역할도 합니다. 추운 겨울날 바깥보다 물속이 따뜻하게 느껴졌던 경험이 있나요. 그 이유는 물은 비열이 크기 때문에 주위의 공기보다 물의 온도가 덜 ㉠내려갔기 때문입니다. 비열이란 물질 1g의 온도를 1℃ 높일 때 필요한 열의 양을 말하는데, 비열이 클수록 온도를 높이는 데 많은 열량이 필요하므로 온도가 쉽게 변하지 않아요. 우리 몸은 대부분 비열이 큰 물로 구성되어 있기 때문에 우리는 무더위에도 혹은 상당한 추위에도 어느 정도까지는 체온이 유지되는 것입니다.

라 우리는 땀을 흘리거나 오줌을 눠서 물을 내보내지만 그 잃은 만큼의 물을 마셔서 다시 채웁니다. 우리는 몸에 있던 물이 약 2퍼센트만 줄어도 목이 마르다고 느끼게 됩니다. 생명체에게 꼭 필요한 물. 이렇게 우리 몸에서는 생명을 유지하기 위해 물을 마시고 내보내는 일이 늘 일어나고 있답니다.

● **용매**(溶녹을 용, 媒매개 매)
어떤 액체에 물질을 녹여서 용액을 만들 때 그 액체를 가리키는 말.

1 이 글에 나타난 글쓰기 방식으로 가장 적절한 것은 무엇인가요? (   )

① 그림 자료를 활용하여 대상을 강조하고 있다.

② 특정 상황을 가정하여 대상의 의미를 부정하고 있다.

③ 다양한 비유를 활용하여 대상의 특성을 설명하고 있다.

④ 독자의 이해를 돕기 위해 단어의 개념을 제시하고 있다.

⑤ 서로 반대되는 두 의견을 조절하여 새로운 의견을 제안하고 있다.

2 가를 읽고, '물 분자의 구조'를 그려 본 모양으로 가장 적절한 것은 무엇인가요?

(   )

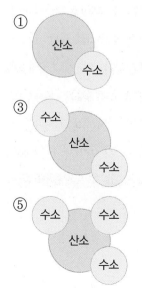

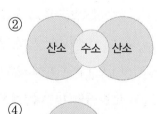

3 📘의 내용과 일치하면 ○, 일치하지 않으면 ×표 하세요.

(1) 물은 모든 물질을 녹일 수 있는 용매 역할을 한다. ( )

(2) 물은 우리 몸에서 에너지뿐 아니라 다양한 물질을 운반한다. ( )

4 📘와 📙를 읽고 난 후의 반응으로 가장 적절한 것은 무엇인가요? ( )

① 물은 온도를 높이기 위해 필요한 열의 양이 다른 물질들에 비해 적은 편이구나.

② 물의 온도는 비교적 쉽게 변할 수 있지만 그 양이 많기 때문에 체온이 쉽게 변하지 않았던 거구나.

③ 우리가 항상 비슷한 체온을 유지할 수 있는 것은 우리 몸속의 물 안에 들어 있는 어떤 성분 때문이구나.

④ 우리 몸에 있는 물이 부족하지 않으면 몸밖으로 물을 내보내는 일이 일어나지 않겠구나.

⑤ 우리의 체온이 바깥 기온에 상관없이 항상 비슷한 온도로 유지되는 것은 비열이 크다는 물의 성질 때문이었어.

5 다음 중 ㉠과 바꾸어 쓸 수 있는 말로 가장 적절한 것은 무엇인가요? ( )

① 쇠퇴했기   ② 안정됐기   ③ 떨어졌기
④ 발전했기   ⑤ 넘어갔기

6 빈칸에 알맞은 말을 넣어 이 글의 핵심 내용을 한 문장으로 요약하세요.

한줄
요약

우리 몸의 대부분을 차지하는 [ ]은 우리 몸에서 중요한 역할을 하는데, 몸 안에서

용매로서의 역할과 각종 성분을 [ ][ ]하는 역할을 하고, [ ][ ]이 큰 성질로

인해 [ ][ ]을 유지하는 역할을 한다.

지문 속 필수 어휘

낱말의 뜻을 참고하여, 다음 문장의 빈칸에 들어갈 알맞은 낱말을 완성하세요.

❶ 이 약은 [ㅎ][ㅇ]을 맑게 해 주는 기능을 한다.
피.

❷ 그는 한식에 양식을 [ㄱ][합]한 음식을 선보여 사람들로부터 박수를 받았다.
둘 이상의 사물이나 사람이 서로 관계를 맺어 하나가 됨.

❸ 감기에 걸려 열이 나자 어머니께서 [ㅊ][온]을 재 주셨다.
동물체의 온도

빈칸에 들어갈 알맞은 낱말을 보기 에서 찾아 주어진 문장을 완성하세요.

> **보기**
>
> 존재한다   구성된다   전달했다   작용했다

❹ 우리는 선생님께 마음을 모아 쓴 편지를 (   ).

❺ 우리 학교는 500명의 학생들로 (   ).

❻ 지구 밖에는 수많은 행성들이 (   ).

❼ 상대 팀의 실수는 우리 팀에게 유리한 방향으로 (   ).

모래시계의 원리 ———

어휘 수준 _하 _중 _상 ★★★★★
글감 수준 ★★★★★
글의 길이 967자

본격 독해 훈련

⑩_분 안에 풀어보세요.

　　호리병 모양의 ㉠모래시계는 위쪽과 아래쪽으로 유리그릇이 나뉘어져 있고, 두 유리그릇 사이에는 좁은 구멍이 있다. 모래가 위쪽으로 오도록 모래시계를 뒤집으면 지구가 물체를 잡아당기는 힘인 중력에 의해 위쪽에 있던 모래가 아래쪽으로 떨어진다. 모래의 양이 일정하기 때문에, 모래시계의 모래가 다 떨어지는 데 걸리는 시간도 일정하다. 제법 정밀하게 만든 모래시계는 초 단위까지 정확하다. 때문에 우리는 모래시계로 일상생활에서의 시간을 측정할 수 있다.

　　앞서 모래시계의 위쪽에 있는 모래는 중력에 의해 아래쪽으로 떨어진다고 하였다. 그런데 일반적으로 물체의 양이 많아지면 중력도 커지고 반대로 물체의 양이 적어지면 중력도 작아지기 때문에 모래가 일정한 시간 동안 떨어져서 줄어드는 양만큼 중력의 크기도 줄어들어 모래가 떨어지는 속도도 느려져야 한다. 하지만 모래시계는 위쪽의 모래가 줄어들어도 모래가 떨어지는 속도는 줄어들지 않는다.

　　과연 왜 속도가 느려지지 않는 것일까? 바로 '마찰력' 때문이다. 모래시계의 모래가 떨어지는 모양을 살펴보면 유리그릇의 벽면에 붙어 있던 모래들이 먼저 떨어지는 것을 볼 수 있다. 유리그릇의 표면에 작용하는 마찰력이 작기 때문에 여기 붙어 있던 모래들이 먼저 아래로 흘러내리고 그 외의 부분은 고정되어 있다가 유리 그릇 표면과 새로이 닿게 되는 모래들이 차례로 구멍을 따라 떨어진다. 모래시계에서 모래가 떨어지는 속도는 모래의 양으로 인한 중력의 변화와는 관계없이 유리 그릇 표면에서 작용하는 마찰력의 영향을 받아 일정하게 유지된다.

　　앞서 설명한 것처럼 모래의 유출 속도는 시간에 따라 변하지 않고 그대로이다. 그렇기 때문에 모래시계의 구멍의 크기와 모래의 양, 이 두 가지를 다르게 조절하면 다양한 주기의 모래시계를 만들 수 있다. 구멍이 넓을수록 흘러내리는 모래의 양이 많아지므로 모래시계의 주기는 짧아진다. 반대로 모래시계의 모래 양이 많으면 떨어지는 데 오랜 시간이 걸리므로 모래시계의 주기는 길어진다.

● **마찰력**(摩문지를 마, 擦문지를 찰, 力힘 력)
접촉하고 있는 두 물체가 상대 운동을 하거나 하려고 할 때, 그 운동을 저지하는 방향으로 작용하는 저항력.

● **유출**(流흐를 유, 出날 출)
액체 따위가 밖으로 흘러 나감. 정보 따위가 불법적으로 나라나 조직의 밖으로 나가 버림.

● **주기**(週돌 주, 期기약할 기)
한 바퀴 도는 시기.

1 이 글에 대한 설명으로 알맞은 것은 무엇인가요? (   )

① 모래시계의 여러 가지 기능을 소개하고 있다.

② 시간이 갖는 다양한 의미에 대해 드러내고 있다.

③ 문답 형식으로 독자의 궁금증을 불러일으키고 있다.

④ 모래시계가 일상생활에서 쓰이는 사례를 보여 주고 있다.

⑤ 모래시계가 발달해 온 과정을 시간 순서로 나타내고 있다.

+수능연결

문답 형식이란 글을 전개해 나가는 데 있어 물음과 대답을 활용하는 것을 말합니다. '황사와 미세먼지의 공통점은 무엇일까? 둘 다 폐질환을 일으키는 원인으로 손꼽힌다는 점이다.'와 같이 질문을 던지고 대답을 제시하면 독자의 궁금증을 불러일으키며 화제에 주목하게 만드는 효과가 있습니다.

> 한 세기 후 음악 미학자 한슬리크는 음악이 사람의 감정을 묘사하거나 표현하는 것이 아니라, 음들의 순수한 결합 그 자체로 깊은 정신세계를 보여 주는 것이라 주장하기에 이른다.

43. 위 글의 내용 전개 방식으로 가장 적절한 것은? [1점]

① 구체적 증거를 활용하여 통념이 잘못된 것임을 증명하고 있다.

② 비유적인 예를 통하여 문제를 제기하고 이를 반박하고 있다.

③ 문답 형식

④ 어

⑤ 문답 형식으로 화제에 대

> 수능에는 글쓴이가 문답 형식을 활용해 어떤 효과를 거두고 있는지 이해하는 문제가 나와요.

2 이 글을 참고할 때, '모래시계의 주기'가 가장 짧은 것은 무엇인가요? (   )

① 마찰력 1, 모래 양 30, 모래 유출 구멍의 단면적 1인 모래시계

② 마찰력 1, 모래 양 30, 모래 유출 구멍의 단면적 2인 모래시계

③ 마찰력 1, 모래 양 50, 모래 유출 구멍의 단면적 2인 모래시계

④ 마찰력 2, 모래 양 30, 모래 유출 구멍의 단면적 1인 모래시계

⑤ 마찰력 2, 모래 양 50, 모래 유출 구멍의 단면적 2인 모래시계

3 이 글을 참고하여 보기 를 분석한 내용으로 알맞은 것에 ○표 하세요.

> **보기**
>
> 　모래시계에서 시간의 측정을 결정하는 요소를 정확히 조절하면 매우 정확한 시간을 나타낼 수 있다. 예를 들어 드라마 〈모래시계〉로 유명해진 정동진에 있는 모래시계는 위쪽 유리그릇에 있는 모래가 아래로 다 떨어지는 데 정확히 1년의 시간이 걸리도록 만들어졌다. 이는 모래의 양과 모래가 빠져나가는 구멍의 크기뿐만 아니라 모래 알갱이의 크기, 모래가 머금고 있는 물기 등을 정확히 조절하였기 때문이다.

(1) 모래 알갱이의 크기가 같아야 일정 시간에 따라 떨어지는 모래의 양도 같다.

(　　　)

(2) 모래가 흘러내리는 중간에 모래시계의 위와 아래를 바꿔 버리면 모래가 유출되는 속도가 달라진다.

(　　　)

4 ㉠에 대해 알맞은 설명을 보기 에서 골라 기호를 쓰세요.

> **보기**
>
> ㉮ 모래시계 안쪽의 모래가 벽면의 모래보다 마찰력이 더 크다.
> ㉯ 모래시계의 모래 양이 많아질수록 모래에 작용하는 중력도 커진다.
> ㉰ 위쪽에 있는 모래의 양이 줄어들면 모래가 떨어지는 속도가 빨라진다.
> ㉱ 모래시계의 구멍이 커질수록 모래시계의 주기가 짧아진다.

(　　　　　　)

5 빈칸에 알맞은 말을 넣어 이 글의 핵심 내용을 한 문장으로 요약하세요.

한줄요약

　모래시계는 유리 그릇 표면의 [　　　]으로 일정한 속도를 유지하며 모래가 유출되는 구멍의 [　　]와 모래의 [　]에 따라 다양한 주기의 모래시계를 만들 수 있다.

지문 속 필수 어휘

낱말의 뜻을 참고하여, 다음 문장의 빈칸에 들어갈 알맞은 낱말을 완성하세요.

❶ 액자가 못에 걸려 벽에 | ㄱ | ㅈ | 되어 있었다.

　　　　　　　　　한곳에 꼭 붙어 있거나 붙어 있게 함.

❷ 스피커 음량을 | ㅈ | ㅈ | 해서 음악 소리를 듣기 좋게 만드는 게 어때.

어떤 대상의 상태를 조작하거나 제어하여 적절한 수준으로 맞춤.

❸ 우리는 발바닥과 땅바닥의 | 마 | ㅊ | ㄹ | 으로 인해 넘어지지 않고 걸을 수 있다.

　　　두 물체가 접촉하면서 상대 운동을 하는 경우 두 물체의 접촉면을 따라 그 운동을 저지하는 방향으로 작용하는 저항력.

다음 문장을 읽고, (　　) 안에 공통으로 들어갈 낱말을 완성하세요.

❹
- 이 시계는 (　　　)하게 만들어져 오차가 거의 없다.
- 기계의 구조가 너무 (　　　)하여 확실하게 알기가 쉽지 않다.

| 정 | ㅁ |

❺
- 수확한 쌀의 양이 작년에 비해 (　　　)하여 농민들의 마음에
  그늘이 생겼다.
- 경제 상황이 좋지 않아 이익이 점점 (　　　)하고 있다.

| ㄱ | 소 |

❻
- 기름이 (　　　)되어 해양 생태계가 파괴되었다.
- 우리는 중요한 비밀이 (　　　)되지 않도록 최선을 다했다.

| 유 | ㅊ |

설날과 추석

어휘 수준 ★★★★★
글감 수준 ★★★★★
글의 길이 953자

⏱ 10분 안에 풀어보세요.

우리나라에는 '설, 대보름, 단오, 추석, 동지' 등의 명절이 있다. 그 중에서 가장 대표적인 명절이 '설'과 '추석'이다. 설과 추석은 모두 농사와 깊은 관련이 있다.

설은 새해를 시작하는 첫날로 한 해 농사를 새롭게 시작하는 날이자 모든 것을 새롭게 시작하는 날이기에 뜻깊은 의미가 있다. ㉠우리 조상들은 이미 삼국 시대 이전부터 음력 정월 초하루에 하늘에 제사를 지내며 풍년을 기원했다.

'설'이란 말은 '삼가다'라는 말에서 나왔다고 한다. 한 해가 시작되는 날인 만큼 모든 일을 신중하게 하라는 뜻이다. 실제로 우리 조상들은 설날 아침을 아주 조심스럽게 맞이했다. 아침 일찍 일어나 옷을 깨끗이 갈아입고 식구들의 건강과 행복을 기원하며 조상들께 차례부터 지냈다.

추석은 한 해 농사를 끝낸 뒤 수확한 곡식과 과일을 차려 놓고 잔치를 벌이며 조상들께 감사하는 마음을 가졌던 날로 뜻깊은 의미가 있다. 우리 조상들은 삼국 시대부터 음력 8월 15일을 '가윗날' 또는 '한가윗날'이라고 부르며 큰 명절로 지내 왔다. 가위는 '가을의 중간'이라는 뜻이고 한가위는 '가을의 큰 명절'이라는 뜻이다.

설날에 차례를 지낸 뒤에는 웃어른께 세배를 드렸다. 그러면 어른들은 "새해에는 건강하여라.", "글공부를 열심히 하여 과거에 급제하게." 하고 덕담을 해 주었다. 옛날에도 덕담을 하며 맛있는 음식을 먹고 세뱃돈을 주고받았다.

추석날에 우리 조상들은 햇과일과 햇곡식으로 음식을 장만해 차례를 지내고 조상들의 무덤을 찾아 성묘를 했다. 그리고 무덤 주위에 무성하게 자란 잡초를 베어 내고, 말끔하게 손질을 했다.

설날에 차례와 세배가 끝나면 온 가족이 둘러앉아 설 음식을 먹었다. 설 음식을 '세찬'이라고도 하는데, 대표적인 것이 떡국이다.

추석에는 농사를 짓고 수확을 해서 먹을 것이 풍요로웠다. 그래서 사람들은 ㉡"더도 말고 덜도 말고 늘 가윗날만 같아라."라는 말을 했다. 추석을 대표하는 음식은 뭐니 뭐니 해도 송편이다.

▲ 추석 음식이라 하면 떠오르는 것이 송편입니다. 송편은 멥쌀가루를 뜨거운 물로 반죽하여 소를 넣고 모양을 만들어 솔잎을 깔고 찐 떡입니다. 옛날에는 가족들이 다 같이 둘러앉아 송편을 빚었는데, 요즘에는 떡집에서 송편을 사 먹는 경우가 많아졌습니다.

● 풍년(豐풍성할 풍, 年해 년)
곡식이 잘 자라고 잘 여물어 보통 때보다 수확이 많은 해.

● 차례(茶차 차, 禮예절 례)
음력 매달 초하룻날과 보름날, 명절날, 조상의 생일 등의 낮에 지내는 제사.

정답과 해설 **9쪽**

1 이 글의 글쓰기 전략으로 알맞지 <u>않은</u> 것은 무엇인가요? (   )

① 단어가 생겨난 배경을 밝히고 있다.
② 구체적인 사례를 들어 화제를 설명하고 있다.
③ 인용의 방법으로 글쓴이의 생각을 드러내고 있다.
④ 화제의 뜻을 밝히는 방법으로 내용을 전개하고 있다.
⑤ 시간적 흐름에 따른 화제의 변화 과정을 소개하고 있다.

2 이 글의 내용과 일치하지 <u>않은</u> 것은 무엇인가요? (   )

① 설은 새해를 시작하는 첫날로 농사를 시작하는 일과 관련이 있다.
② 설 명절에는 아침을 조심스럽게 맞이하고 조상들께 차례부터 지냈다.
③ 추석은 농사를 끝내고 나서 잔치를 벌이며 조상들께 감사하는 날이다.
④ 추석 명절에는 웃어른께 절을 하고 덕담을 주고받으며 세뱃돈을 받았다.
⑤ 설 명절에는 온 가족이 둘러앉아 세찬을 먹었는데 대표적인 것이 떡국이다.

3 ㉠과 관련하여 보기 의 자료를 추가로 접했을 때의 반응으로 알맞지 <u>않은</u> 것은 무엇인가요? (   )

> 보기
>
> 우리 조상들이 하늘에 제사를 지냈던 일을 '제천 행사'라고 한다. 제천 행사는 삼국 시대 이전부터 국가의 중요한 행사로 치러졌다. 제천 행사에서 사람들은 논밭에 씨를 뿌린 후 농사가 잘되게 해 달라고 빌거나, 가을걷이를 한 뒤에 하늘에 감사하는 마음으로 제사를 지냈다. 또 밤낮을 가리지 않고, 떼를 지어 모여서 노래를 부르고 춤을 추었다. 제천 행사에서 집단으로 춤을 추며 부르는 노래는 많은 사람들이 화합하며 놀 수 있는 노래였다.

① 제천 행사는 삼국 시대 이전부터 치러졌군.
② 제천 행사는 집단을 단결시키는 기능도 했겠군.
③ 설날에도 하늘에 제사를 지낸다는 점에서 제천 행사의 하나로 볼 수 있군.
④ 제천 행사는 농사가 잘되게 해 달라고 빌면서 풍년을 기원하는 의미가 있군.
⑤ 제천 행사는 특정 시기에만 행해지다가 아무 때나 행해지는 것으로 바뀌었군.

4 사람들이 ⓒ처럼 말하는 이유로 가장 알맞은 것은 무엇인가요? (　　　)

① 추석이 한 해의 중간 시기이기 때문에

② 추석에는 먹을 것이 풍성해서 즐겁기 때문에

③ 추석에는 조상들의 무덤을 깨끗이 손질하기 때문에

④ 추석이 삼국 시대부터 전승되어 온 명절이기 때문에

⑤ 추석에는 모든 것을 조심스럽게 새로 시작하기 때문에

5 다음에서 설명하는 낱말의 관계에 해당하는 것에 ○표 하세요.

> 낱말의 뜻이 서로 반대되는 관계이다.

(1) 벗었다. : 입었다. (　　　)

(2) 베어 내고 : 잘라 내고 (　　　)

(3) 갈아입고 : 바꿔 입고 (　　　)

한줄요약

6 빈칸에 알맞은 말을 넣어 이 글의 핵심 내용을 한 문장으로 요약하세요.

우리나라의 대표적 명절인 설과 추석은 모두 [　　] 와 관련된 명절인데, 식구들의 건강과 행복을 기원하며 조상들께 [　　] 를 지냈던 설날을 대표하는 음식으로 떡국이 있고, 농사를 짓고 수확을 해서 먹을 것이 [　　] 로웠던 추석을 대표하는 음식으로 송편이 있다.

지문 속 필수 어휘

낱말의 뜻을 참고하여, 다음 문장의 빈칸에 들어갈 알맞은 낱말을 완성하세요.

❶ 학생 신분임을 고려하여 [신] [ㅈ] 한 태도가 필요하다.
　　　　　　　　　　　　매우 조심스러움.

❷ 직원들은 서로 새해 복 많이 받으시라고 [ㄷ] [담] 을 주고받았다.
　　　　　　　　　　　　　　　　　남이 잘되기를 비는 말.

❸ 차례를 지낸 세찬으로 즐겁게 식사를 마치고 [ㅅ] [묘] 에 나섰다.
　　　　　　　　　　　　　　　　　조상의 산소를 찾아가서 돌봄.

'부르다'의 다양한 의미를 알고 그 쓰임으로 적절한 것을 연결해 보세요.

'부르다'의 의미　　　　　　　　　　　　　　쓰임의 사례

❹ 무엇이라고 가리켜 말하거나 이 •　　　　• ㉠ 푸른 바다가 우리를 <u>부른다</u>.
름을 붙이다.

❺ 말이나 행동 따위로 다른 사람 •　　　　• ㉡ 그 가게에서는 값을 비싸게 <u>불렀</u>
의 주의를 끌거나 오라고 하다.　　　　　　　다.

❻ 값이나 액수 따위를 얼마라고 •　　　　• ㉢ 지나가는 친구를 큰 소리로 <u>불렀</u>
말하다.　　　　　　　　　　　　　　　　　다.

❼ 어떤 방향으로 따라오거나 동참 •　　　　• ㉣ 생일에 친구들을 집으로 <u>불렀다</u>.
하도록 유도하다.

❽ 청하여 오게 하다.　　　　•　　　　• ㉤ 사람들은 그를 뛰어난 천재라고
　　　　　　　　　　　　　　　　　　　　　　<u>부른다</u>.

만화가, 우라사와 나오키

어휘 수준 ★★★★★
글감 수준 ★★★★★
글의 길이 951자

일본에서 만화라는 장르는 문학이나 영화 못지않게 예술로 인정받는다. 그도 그럴 것이 웬만한 만화는 잘 만든 영화, 잘 쓰인 문학 작품의 수준을 훨씬 넘어서기 때문이다. 우라사와 나오키는 만화의 작품적 성취를 한층 더 높인 만화가 중 한 명이다. 그는 작품 안에서 철학적 문제를 다루는 것으로 유명하다.

우라사와 나오키의 작품을 몇 편 살펴보자. 그의 초기작 〈마스터 키튼〉은 주인공 마스터 키튼이 고고학을 활용해 갖가지 범죄를 해결하는 내용이다. 마스터 키튼은 인간의 욕심으로 인한 범죄를 증오하면서도 범죄에 빠져들 수밖에 없는 인간에게 안타까움을 느끼는 인물이다. 작가는 이 작품을 통해 악에 대한 성찰을 담아냈다. 〈몬스터〉는 연쇄 살인범 요한을 쫓는 의사 덴마의 이야기다. 작가는 마음에 상처를 입은 사람들을 치유하려는 덴마를 통해 인간에 대한 애정을 보여 주었다. 우라사와 나오키의 대표작으로 손꼽히는 〈20세기 소년〉은 지구 종말론을 실현하려는 사이비 종교 집단, 일명 '친구'에 맞서 싸우는 보통 사람들의 모습을 그린 SF 만화로, 일본 사회의 여러 문제들을 날카롭게 ⓐ드러내었다.

우라사와 나오키는 만화적 상상력을 활용해 ㉠그 시대의 사회상과 고민을 녹여 내었다. 또한 선과 악의 대결 구도를 통해 우리가 어떻게 살아가야 할지에 대해 고민하도록 유도하였다. 그의 작품을 통해 만화는 가볍고 유치하다는 편견이 완전히 깨졌다. 특히 〈몬스터〉나 〈20세기 소년〉은 누적 판매 수 2천만 부를 돌파함으로써 작품성을 인정받으며 흥행에도 성공했다. 철학적인 내용을 담은 무거운 만화도 대중들이 편하게 즐길 수 있다는 것을 증명한 것이다.

우라사와 나오키의 만화는 고전적인 면과 현대적인 면이 적절히 어울려 독자들의 흥미를 불러일으키고 있다. 깊이 있는 주제와 흥미로운 이야기, 마치 영화의 이미지를 종이에 옮겨 놓은 듯한 시각적인 장면 전환 등을 자랑하는 그는 일본 만화사의 한 획을 그은 작가로 평가받고 있다.

● 성찰(省살필 성, 察살필 찰)
자기의 마음을 반성하고 살핌.

● 흥행(興일 흥, 行다닐 행)
공연 상영 따위가 상업적으로 큰 수익을 거둠.

1 이 글의 내용 전개 방식으로 가장 알맞은 것은 무엇인가요? (   )

① 여러 대상에 대한 내용을 나열하고 있다.

② 여러 대상의 차이점을 중심으로 설명하고 있다.

③ 단어의 뜻을 명확히 밝혀 개념을 정의하고 있다.

④ 묻고 답하는 형식을 통해 대상의 특징을 전달하고 있다.

⑤ 설명하고자 하는 대상을 그것과 유사한 다른 사물에 빗대어 설명하고 있다.

2 이 글의 내용과 일치하지 <u>않은</u> 것은 무엇인가요? (   )

① 〈몬스터〉의 요한과 덴마는 서로 대립하는 인물이다.

② 〈마스터 키튼〉에는 악에 대한 인간적 성찰이 담겨 있다.

③ 〈몬스터〉와 〈20세기 소년〉은 작품성과 흥행을 모두 잡았다.

④ 〈마스터 키튼〉, 〈몬스터〉, 〈20세기 소년〉에는 철학적 고민이 담겨 있다.

⑤ 〈몬스터〉가 〈20세기 소년〉에 비해 일본 사회를 더 날카롭게 묘사하고 있다.

3 보기 의 ㉮~㉲ 중, 작품이 쓰였을 당시의 ㉠을 나타내는 소재가 <u>아닌</u> 것은 무엇인가요? (   )

> **보기**
>
> 이날이야말로 ㉮동소문 안에서 ㉯인력거꾼 노릇을 하는 김 ㉰첨지에게는 오래간만에도 닥친 운수 좋은 날이었다. 문안에(거기도 문밖은 아니지만) 들어간답시는 앞집 ㉱마나님을 ㉲전찻길까지 모셔다 드린 것을 비롯하여 행여나 손님이 있을까 하고 정류장에서 어정어정하며, 내리는 사람 하나하나에게 거의 비는 듯한 눈길을 보내고 있다가, 마침내 교원인 듯한 양복쟁이를 동광학교까지 태워다 주기로 되었다.
>
> – 현진건, 〈운수 좋은 날〉

① ㉮   ② ㉯   ③ ㉰

④ ㉱   ⑤ ㉲

4 이 글과 보기 를 읽고 난 후의 반응으로 알맞지 <u>않은</u> 것은 무엇인가요? (   )

> **보기**
>
> 〈20세기 소년〉의 내용은 다음과 같다. 미니 마트의 주인이 된 겐지는 우연히 어린 시절 친구들과 아지트에서 만들어 사용하던 상징을 보게 된다. 그 뒤 사회에서는 납치, 실종, 연쇄 살인 등 이상한 사건들이 일어나기 시작하는데, 그것은 자신을 '친구'라고 칭하는 사람이 이끄는 사이비 종교 집단에서 일으킨 것이다. 그들은 세계 전체를 파괴할 계획을 가지고 있다. 겐지는 이 사건들이 어린 시절 친구들과 함께 만들었던 시나리오와 같은 내용이라는 것을 깨닫고, 옛 친구들을 불러 모아 함께 싸우기로 한다.

① 우라사와 나오키의 만화관이 〈20세기 소년〉에도 반영되어 있군.

② 〈20세기 소년〉의 겐지는 〈몬스터〉의 덴마처럼 악과 맞서 싸우려 하는군.

③ 〈몬스터〉의 요한과 〈20세기 소년〉의 '친구'는 공통적으로 인간의 악을 상징하는군.

④ 〈마스터 키튼〉의 마스터 키튼과 같이 〈20세기 소년〉의 겐지는 '친구'에게 안타까움을 느끼고 있군.

⑤ 〈20세기 소년〉에서 사이비 종교 집단과 맞서 싸우는 보통 사람들은 겐지와 그의 옛 친구들을 가리키는군.

5 다음 중 ⓐ와 바꾸어 쓸 수 있는 말로 적절하지 <u>않은</u> 것은 무엇인가요? (   )

① 묘사하였다   ② 그려 내었다   ③ 판단하였다

④ 나타내었다   ⑤ 보여 주었다

6 빈칸에 알맞은 말을 넣어 이 글의 핵심 내용을 한 문장으로 요약하세요.

한줄 요약

우라사와 나오키는 〈마스터 키튼〉, 〈몬스터〉, 〈20세기 소년〉 등의 작품을 통해 만화의 작품적 [   ]를 높이고, 작품성을 인정받고 [   ]에 성공하여 무거운 만화도 편하게 즐길 수 있음을 증명하였다.

지문 속 필수 어휘

다음 문장을 읽고, ( ) 안에 공통으로 들어갈 낱말을 완성하세요.

❶
- 목표를 ( )하기 위해서는 계획을 잘 세워야 한다.
- 소원을 ( )한 순간은 정말 짜릿했다.

성	ㅊ

❷
- 작은 일에 ( )을 부리는 것은 어리석다.
- 지나치게 ( )을 부리면 탈이 나기 마련이다.

욕	ㅅ

❸
- 이 소설은 창작 당시의 ( )을 반영하고 있다.
- 그 작품에 담겨 있는 한국의 ( )을 살펴보았다.

ㅅ	ㅎ	상

다음 문장을 읽고, 두 낱말 중 알맞은 것을 찾아 ○표 하세요.

❹ 이 문제를 해결하기 위해 [갖가지 / 갖가지] 방법을 썼지만 결국 실패했다.

❺ 그는 사고 소식을 듣고 [안타카움 / 안타까움] 에 눈물만 흘렸다.

❻ 아들은 어머니를 [쫓아 / 좇아] 방에 들어갔다.

❼ 그 두 단체가 [맞서게 / 맞서게] 되면 경제 전체에 악영향을 미칠 것이다.

문화 차이, 어떻게 받아들일까

⏱ 12분 안에 풀어보세요.

어휘 수준 하 중 상 ★★★★★
글감 수준 ★★★★★
글의 길이 1,158자

나라마다 식사 문화에 차이가 있다. 가령 일본에서는 식사 과정에 숟가락을 거의 사용하지 않으며 밥그릇을 들고 식사를 하는 경우가 많다. 우리나라에서는 밥그릇을 들고 식사할 경우 이를 예절에 어긋난 것으로 여기지만, 일본에서는 오히려 밥그릇을 식탁에 내려 두고 먹는 것을 교양 없는 행동이라고 생각한다.

인류학자 타일러(Tylor)의 정의에 따르면, 문화란 '지식, 신념, 도덕, 관습을 포함해 인간이 사회의 구성원으로서 획득한 모든 능력과 습관'을 말한다. 그런데 만약 사회를 구성하는 다양한 집단들 간에 서로 다른 가치나 태도, 행동을 일관되게 보인다면 이때 우리는 둘 이상의 서로 다른 사회 공동체 간에 '문화 차이'가 나타난다고 말한다.

이러한 문화 차이를 받아들이는 태도는 크게 두 가지로 나뉜다. 첫 번째는 절대적 기준을 바탕으로 문화 간의 우열을 가려내고자 하는 태도이다. 먼저 자신이 속한 집단의 문화가 우월하다고 생각하고 타문화를 무시하는 '자문화 중심주의'가 있다. 또 이와는 반대로 자신이 속한 공동체의 문화를 우습게 생각하고, 타문화만을 숭상하는 '문화 사대주의'가 있다. '자문화 중심주의'와 '문화 사대주의'는 모두 문화의 고유성을 인정하지 않고 어느 한 문화가 어리석거나 못나다고 생각하는 태도이다.

[A]
두 번째는 다양한 문화를 폭넓게 이해하려는 태도이다. 즉 각 문화 공동체가 지닌 삶의 방식, 환경, 역사 등을 고려하여 그 문화의 고유한 가치를 인정하고자 하는 것이다. 이를 '문화 상대주의'라고 하는데, 이 관점은 문화 간 우열 관계가 존재한다는 선입견에서 벗어나 다른 문화를 자신의 문화와 마찬가지로 존중하고 이해하려고 노력한다. 또한 각 사회의 문화는 그 사회의 필요에 의해서 만들어진 것으로 보고, 그 어떤 문화도 나름의 존재 이유가 있음을 인정하고자 한다.

최근 현대 사회에서는 스마트폰과 SNS 등 다양한 소통 매체의 발달로 인해, 서로 다른 문화 간의 공유가 실시간으로 이루어지고 있다. 이러한 소통을 통해 문화 차이가 점차 줄어들 것이라는 낙관적 전망이 제시되기도 하지만, 여전히 많은 학자들은 역사적·지역적 차이에서 비롯하는 국가 간 문화 차이가 현실적으로 그리 쉽게 줄어들지는 않을 것으로 보고 있다. 이러한 현실 상황 속에서 문화를 바라보는 다양한 견해를 폭넓게 이해하고, 자문화는 물론 타문화까지 존중하는 태도를 가지는 것이 중요하다.

● **우열**(優뛰어날 우, 劣못할 열)
나음과 못함.

● **낙관적**(樂즐길 락, 觀볼 관, 的과녁 적)
① 인생이나 사물을 밝고 희망적인 것으로 보는. 또는 그런 것.
② 앞으로의 일 따위가 잘되어 갈 것으로 여기는. 또는 그런 것.

1 이 글의 표현 방식으로 가장 알맞은 것은 무엇인가요? (   )

① 문화가 변화되는 과정을 시간의 흐름에 따라 소개하고 있다.
② 문화라는 특정한 개념을 비유적 표현을 사용하여 설명하고 있다.
③ 나라마다 지니고 있는 문화의 고유한 특성을 순서대로 제시하고 있다.
④ 문화 차이가 발생하는 원인을 구체적 나라의 사례를 들어 설명하고 있다.
⑤ 문화 차이를 받아들이는 태도를 크게 두 가지 유형으로 나누어 설명하고 있다.

2 이 글을 읽고 짐작할 수 있는 내용으로 알맞지 <u>않은</u> 것은 무엇인가요? (   )

① 현대 사회에는 서로 다른 다양한 문화가 함께 존재하고 있다.
② 사회 구성원이 갖고 있는 신념이나 도덕의 차이는 문화 차이의 발생으로 이어질 수 있다.
③ 문화 간 우열을 가르는 절대적 기준을 인정하느냐에 따라 문화 차이를 받아들이는 태도가 달라진다.
④ 현대 사회를 살아가는 사람들은 자문화와 타문화를 객관적으로 바라보고 이해하려는 태도를 가져야 한다.
⑤ 현대 사회에서는 다양한 소통 매체의 발달로, 문화 차이로 인한 사회적 부작용을 완전히 해소할 수 있게 되었다.

3 [A]의 관점이 구체적으로 나타난 것을 보기 에서 모두 골라 기호를 쓰세요. (   )

보기

㉮ 마오리족이 서로 코를 부딪치며 인사를 나누는 것은 그 사회가 지니고 있는 고유한 풍습이 반영된 결과로 이해할 수 있겠군.
㉯ 서양인들이 방에서도 신발을 신은 채 생활하는 것은 우리나라와 다른 난방 방식 때문에 발생하는 문화 차이로 이해할 수 있겠군.
㉰ 인도인들이 도구를 사용하지 않고 손으로 직접 밥을 먹는 것은 위생적인 측면에서 바람직하지 않으므로 수저를 사용하도록 권장해야겠군.
㉱ 중국인들은 생선의 한쪽 면을 다 먹고 나서 젓가락으로 생선의 몸통을 뒤집지 않는 습관을 지니고 있다고 해. 이 동작이 배가 뒤집어지는 모습을 떠올리기 때문이라고 하는데, 이는 비과학적인 생각이므로 반드시 지킬 필요는 없겠군.

4 다음 사실에서 추론한 내용으로 알맞은 것에 ○표 하세요.

> • 자신이 속한 집단의 문화가 우월하다고 생각하면서 다른 집단의 문화를 낮추어 본다.
> • 다른 문화의 고유성을 인정하지 않고 자신이 속한 집단의 문화를 받아들일 것을 강요한다.

(1) 문화의 상대성을 부정하고 특별히 우월한 문화가 존재한다고 생각한다. (　　)

(2) 절대적 기준을 바탕으로 문화 간의 우열을 가리는 것은 불가능하다고 생각한다.

(　　)

5 이 글을 통해 보기 를 이해한 내용으로 가장 알맞은 것은 무엇인가요? (　　)

> 보기
>
> 　우리나라에서는 어떤 사람이 재채기를 해도 주변 사람들이 별 반응을 보이지 않지만, 한때 서양에서는 재채기를 하는 순간 사람의 영혼이 빠져 나간다고 생각했기 때문에 지금도 재채기를 한 사람에게 '신의 축복이 함께 하길 바란다.'라고 말해 준다. 또한 서양 사람들은 대화를 나눌 때 상대방이 자신과 눈을 마주치지 않으면 이를 자신을 무시하는 행동으로 생각하지만, 우리나라에서는 나이가 어린 상대방이 자신과 눈을 똑바로 계속 마주치며 대화하면 예의 없는 행동으로 생각한다.

① 국가 간의 문화 차이를 구성원들의 일상생활 속에서는 쉽게 발견하지 못하겠군.

② 각 나라의 문화 차이는 서로를 깊게 이해하며 하나의 방식으로 통일하면 되겠군.

③ 서양 사람들의 문화적 환경 등을 고려하여 우리와 다른 삶의 방식을 이해해야겠군.

④ 서양에서는 나이가 많은 사람에게 예의를 갖추는 것보다 개인의 개성을 더 중요시하는군.

⑤ 서양에서 누군가 재채기를 할 때 '신의 축복이 함께 하길 바란다.'고 말해 주는 풍습은 우리나라의 전통 문화 속에서도 발견할 수 있겠군.

한줄
요약

6 빈칸에 알맞은 말을 넣어 이 글의 핵심 내용을 한 문장으로 요약하세요.

문화 차이를 받아들이는 태도는 문화 간의 □□ 을 가려내려는 '문화 사대주의'와

다양한 문화를 폭넓게 이해하려는 '문화 □□□□ '로 나뉘는데, 문화 차이를 이

해하고 자문화는 물론 타문화까지 폭넓게 인정하는 태도가 필요하다.

지문 속 필수 어휘

낱말의 뜻을 참고하여, 다음 문장의 빈칸에 들어갈 알맞은 낱말을 완성하세요.

❶ 그렇게 무례한 행동은 　예　ㅈ　에 어긋나는 일이다.

　　　　예의에 관한 모든 절차나 질서

❷ 두 사람의 국어 실력은 　ㅇ　열　을 가리기가 어렵다.

　　　　나음과 못함.

❸ 우리는 　자　ㅁ　ㅎ　중심적인 편견에서 벗어나야 한다.

어떠한 사람이 속한 나라나 민족의 문화를, 다른 나라나 민족의 문화에 상대하여 이르는 말.

❹ 우리 팀은 이번 경기에서 승리를 　낙　ㄱ　하고 있다.

　　　　앞으로의 일 따위가 잘되어 갈 것으로 여김.

다음 문장을 읽고, (　　) 안에 공통으로 들어갈 낱말을 완성하세요.

❺
- 인도는 소를 소중히 여기며 특별히 (　　)하는 나라이다.
- 학문을 (　　)하는 태도를 바탕으로 학업에 정진해 보자.

　숭　ㅅ

❻
- 모든 (　　)을 버리고 사물을 대하는 태도가 중요하다.
- 그릇된 (　　)에 사로잡힌 그가 결국 우리의 일을 망쳤다.

　ㅅ　ㅇ　견

❼
- 사람들의 다양한 개성을 (　　)해야 한다.
- 가까운 친구일수록 서로 (　　)이 필요하다.

　ㅈ　중

고인돌

12분 안에 풀어보세요.

어휘 수준 ★★★★★
글감 수준 ★★★★★
글의 길이 1,117자

본격 독해 훈련

　고인돌은 우리나라 청동기 시대의 대표적인 무덤 양식으로, 큰 돌을 '고여(괴어)' 놓았다고 하여 붙인 이름이다. 고인돌은 땅 밑에 판석으로 무덤방을 만들어 인간의 주검을 안치한 뒤 땅 위에 고임돌을 낮게 놓은 상태에서 덮개돌을 얹거나, 아니면 땅 위에 판석 3~4매를 고임돌로 세워 돌방을 만들고 주검을 놓은 뒤 그 위에 덮개돌을 얹는다. 이와 같은 방식으로 만들어진 고인돌은 기본적으로 돌널무덤에서 발전한 돌무덤이다.

　고인돌은 크게 두 가지 형태로 나눌 수 있다. 하나는 한강 이북에 많이 퍼져 있는 북방식 고인돌로, 땅 위에 판석으로 된 굄돌을 길게 나란히 세우고 한쪽을 막은 다음 대형의 천장돌을 덮고 한쪽 문 벽을 막은 형태이다. 그리고 다른 하나는 한강 이남에 많이 퍼져 있는 남방식 고인돌로, 지하에 상자형으로 무덤방을 만들고 주검을 묻은 다음 서너 개의 괴석을 올려놓거나, 아니면 작은 돌을 깐 후에 천장돌로 덮은 형태이다. 이 두 형태의 고인돌은 주로 퍼져 있는 지역에 따라 구분되었으나, 최근의 조사 결과에 의하면 북한 지역에서도 남방식 고인돌이 발견되고 있으며, 한강 이남에서도 북방식 고인돌이 발견되고 있다고 한다.

　우리나라 고인돌은 동북아시아 고인돌 문화를 대표한다. 그중에서도 제주도 고인돌은 초기 철기 시대의 고인돌보다 발전된 형태로서 우리나라의 다른 지역에서는 찾아볼 수 없는 독특한 형식이다. 우선 제주도 고인돌은 대부분 단독으로 자리한다. 예외적으로 고인돌이 모여 있다 할지라도 수십에서 수백 미터의 일정한 간격을 유지하고 있다. 또한 제주도 고인돌은 만드는 방식도 매우 독특하다. 바닥에 네 개의 기둥 돌을 놓고 그 위에 덮개돌을 얹어 만들었다. 그리고 덮개돌 윗면에는 여러 개의 홈을 파 놓았는데, 이 홈은 다산과 풍요를 의미한다.

　현재 제주도에 남아 있는 고인돌의 수는 120여 기이다. 제주도의 고인돌이 우리나라에서 가장 늦은 시기까지 만들어졌음을 고려하면 남아 있는 수가 그리 많지 않은 편이다. 그 까닭은 제주도 고인돌의 재료가 현무암이어서 다른 지역의 고인돌에 비해 깨지기 쉽고, 고인돌이 있던 지역에 마을이 생겨서 고인돌이 많이 훼손되었기 때문이다. 그러므로 세계적 문화유산으로 가치를 인정받는 제주도 고인돌을 보존하려는 노력이 더욱 필요하다고 할 수 있다.

● **판석**(板널빤지 판, 石돌 석)
널돌. 널판같이 뜬 돌.

● **안치**(安편안 안, 置둘 치)
상(像), 위패, 시신 따위를 잘 모셔 둠.

● **덮개돌**
고인돌에서 굄돌이나 받침돌 위에 올려진 큰 돌. 북방식에서는 돌방의 천장을 이루며, 남방식에서는 아래 구조를 보호한다.

● **돌널무덤**
깬 돌이나 판돌을 잇대어 널을 만들어서 쓴 무덤. 주로 청동기 시대에 썼다.

● **홈**
물체에 오목하고 길게 팬 줄.

● **다산**(多많을 다, 産낳을 산)
① 아이 또는 새끼를 많이 낳음.
② 물품을 많이 생산함.

1 이 글의 내용과 일치하지 <u>않은</u> 것은 무엇인가요? (   )

① 고인돌은 돌널무덤의 영향을 받았다.

② 최근 북한 지역에서 남방식 고인돌이 발견되었다.

③ 제주도 고인돌의 덮개돌에 있는 홈은 다산과 풍요의 의미가 담겨 있다.

④ 제주도 고인돌은 다른 지역의 고인돌에 비해서 깨지기 쉬운 암석으로 만들어졌다.

⑤ 북방식 고인돌은 지하에 무덤방을 만들어 주검을 묻은 뒤 서너 개의 괴석을 올려 놓았다.

2 이 글의 내용 전개 방식으로 알맞지 <u>않은</u> 것은 무엇인가요? (   )

① 대상을 만드는 방법과 과정을 밝히고 있다.

② 현상이 나타나게 된 이유를 설명하고 있다.

③ 대상이 분포되어 있는 지역을 제시하고 있다.

④ 전문가의 말을 인용하여 글쓴이의 생각을 뒷받침하고 있다.

⑤ 대상을 기준에 따라 나누어서 각각의 특징을 설명하고 있다.

3 이 글을 읽은 후에 보기 의 ㈎, ㈏에 대해 이해한 내용으로 알맞지 <u>않은</u> 것은 무엇인 가요? (   )

보기
㈎   ㈏

① ㈎보다 ㈏가 최근에 만들어진 고인돌이군.

② ㈎에는 문 벽이 있는 반면, ㈏에는 괴석이 있네.

③ ㈏는 ㈎와 달리 주검을 묻은 무덤방이 지하에 있겠군.

④ ㈎와 ㈏는 주로 분포하는 지역을 기준으로 구분한 것이겠군.

⑤ ㈎와 ㈏ 모두 기본적으로 돌널무덤에서 발전한 돌무덤이겠군.

4 이 글과 보기를 읽고 추론한 내용으로 알맞은 것에 ○표 하세요.

> 보기
> • 우리나라 고인돌은 동북아시아 고인돌 문화를 대표한다.
> • 제주도 고인돌은 우리나라의 다른 지역에서는 찾아볼 수 없는 형식이다.

(1) 우리나라는 동북아시아에서 다양한 고인돌들이 많이 퍼져 있는 나라이다.

(   )

(2) 제주도 고인돌은 남방식을 중심으로 하는 고인돌의 특징을 지니고 있다.

(   )

+ 수능연결

'추론'이란 알고 있는 내용을 바탕으로 새로운 내용을 미루어 생각하는 것을 말합니다. 추론을 할 때는 제시문의 특정 내용 또는 여러 내용을 종합하여, 이를 바탕으로 새롭게 이끌어 낼 수 있는 내용을 떠올려 봅니다.

> 나비를 있는 그대로 온전하게 받아들일 수 있었기 때문에 가능했다. 만물과 조화롭게 합일한다는 '물아일체'로 호접몽 이야기를 끝맺는 까닭이 여기에 있다.

18. 윗글을 읽고 추론한 내용으로 적절하지 않은 것은?

① 불 꺼진 지 ___ 추론 ___ 음의 소유자라면 만물과 자유롭게 소통하겠군.
② 참된 자아 ___ 계를 맺으려면 감각적 체험을 배제해야 하겠군.
③ 마음을 바깥 사물에 빼앗긴다는 것은 참된 자아를 잊는다는 것과 같겠군.
④ 편협한 자아를 잊는 것은 타자와의 상 ___

⑤ 장자가 꿈속에서 나비가 되어 자신조 ___
　　말이군.

> 수능에는 지문의 내용을 근거로 새로운 내용을 이끌어 내는 문제가 출제돼요.

5 빈칸에 알맞은 말을 넣어 이 글의 핵심 내용을 한 문장으로 요약하세요.

한줄
요약

고인돌은 분포 지역에 따라 북방식 고인돌과 [　　　] 고인돌로 나뉘며, 다른 지역에서 찾아볼 수 없는 형식을 지니고 세계적 [　　　] 으로 가치를 인정받은 [　　　] 고인돌은 남아 있는 수가 많지 않으므로 보존하려는 노력이 필요하다.

지문 속 필수 어휘

다음 문장을 읽고, (　) 안에 공통으로 들어갈 낱말을 완성하세요.

❶
- 자식이 일곱이나 되니 어머니는 아이를 (　　)한 편이다.
- 벼의 (　　)을 장려하는 농업 정책을 펼치고 있다.

| 다 | ㅅ |

❷
- 그때는 찬란한 (　　)의 꽃을 피우던 시기였다.
- 그곳에서 새로운 (　　)를 창조하는 기틀을 마련하였다.

| 문 | ㅎ |

❸
- 이곳에 아버지의 유골이 (　　)되어 있다.
- 독립 유공자의 유해를 국립묘지에 (　　)하였다.

| 안 | ㅊ |

❹
- 형의 사업은 최근 눈에 띄게 (　　)하고 있다.
- 기차가 개통된 뒤로부터는 읍내가 대체로 (　　)하였다.

| 발 | ㅈ |

다음 문장을 읽고, 두 낱말 중 알맞은 것을 찾아 ○표 하세요.

❺ 밥상을 상보로 [덥었다 / 덮었다].

❻ 무분별한 산업화로 자연이 [훼손 / 헤손] 되고 있다.

❼ 우리는 우리의 자랑스러운 전통문화를 고스란히 [보호 / 보존] 해야 한다.

❽ 그런 일은 친구 [로써 / 로서] 할 수 없는 일이다.

빅맥 지수

어휘 수준 ★★★★★
글감 수준 ★★★★★
글의 길이 1,006자

같은 물건을 다른 나라에서 구입한다고 했을 때, 같은 값을 지불해야 한다는 원칙을 ㉠'일물일가(一物一價)'라고 한다. 말 그대로, '일물' 즉 하나의 물건은 '일가' 하나의 값을 가진다는 것이다. 정말 그럴까? 우리가 맥도날드에서 '빅맥'을 4,300원에 구입하고 있다면, 미국에서도 4,300원으로 구입할 수 있는 것일까?

일물일가의 원칙을 바탕으로, 영국의 경제 주간지 〈이코노미스트〉는 매해 1월과 7월에 흥미로운 발표를 하고 있다. 각 나라의 맥도날드 매장에서 판매하는 빅맥의 가격을 통해 각국의 통화 가치의 수준을 비교하는 것이다. 맥도날드는 아프리카 대륙을 제외한 거의 모든 나라에 매장을 가지고 있으며, 빅맥을 판매하고 있다. 따라서 각국의 통화 가치가 적정하다면, 빅맥의 판매 가격은 일물일가의 원칙에 따라 모두 같아야 한다.

2016년으로 돌아가 보자. 당시 우리나라에서는 빅맥을 4,300원에 구입할 수 있었다. 4,300원으로 미국에서 빅맥을 구입할 수 있는지 알아보려면 4,300원을 미국 달러로 바꾸어 미국 매장에서 구입하면 된다. 4,300원을 미국 달러로 바꾸니 3.6달러였는데, 그것으로는 미국에서 빅맥을 구입할 수 없었다. 미국의 빅맥 가격은 당시에 5달러였기 때문이다. 이것은 미국이 우리보다 빅맥 지수가 높다는 것을 보여 주는 것이며, 우리나라의 통화 가치가 미국 달러에 비해 낮다는 것을 의미한다.

그렇다면 위와 같은 상황에서 우리 돈 4,300원이 얼마의 달러와 같은 값이어야 적정한 것이었을까? 빅맥 지수를 바탕으로, 우리 돈 4,300원은 미국 돈 5달러와 같고, 그로 인해 같은 값으로 같은 물건인 빅맥을 구입할 수 있어야 하는 것이다. 그러나 우리는 4,300원으로 5달러보다 적은 3.6달러를 바꾸었으므로 우리 돈의 가치가 낮게 평가되었음을 알 수 있다. 즉 빅맥 지수가 낮을수록 그 나라의 통화 가치도 낮게 평가되는 것이다.

이렇듯 매년 발표되는 빅맥 지수를 활용하면 다른 나라의 빅맥 가격뿐만 아니라, 각 나라의 통화 가치도 평가할 수 있다.

▲ 빅맥 지수는 1986년 영국의 주간지 〈이코노믹스〉가 처음 제시하였습니다. 나라별 통화 가치를 파악하기 위해 빅맥을 선택한 이유는 당시 세계적으로 동일한 물건을 판매하고 있었던 가장 큰 프랜차이즈가 맥도날드였고, 그곳의 대표 메뉴가 빅맥이었기 때문입니다.

● 통화(通통할 통, 貨재물 화)
한 나라에서 사용되는 화폐.

● 적정(適맞을 적, 正바를 정)
알맞고 바름.

● 지수(指가리킬 지, 數셈 수)
물가, 임금 등의 변화 사항을 알기 쉽게 나타낸 값.

1 이 글의 내용으로 적절하지 <u>않은</u> 것은 무엇인가요? (   )

① 맥도날드는 많은 나라에 매장을 가지고 있다.

② 맥도날드의 빅맥은 세계 모든 나라에서 판매되고 있다.

③ 빅맥의 가격이 각 나라의 통화 가치 기준이 되기도 한다.

④ 빅맥 가격과 각국의 통화 가치는 해마다 달라질 수 있다.

⑤ 빅맥 가격을 통해 우리나라 돈의 가치가 어떻게 평가되는지 알 수 있다.

[2~3] 이 글과 보기 를 바탕으로 통화 가치와 환율에 관한 두 물음에 답하세요.

> 보기
>
> · 2016년 미국인 A씨가 한국을 방문했습니다. A씨는 한국에서 빅맥을 사 먹으려고 합니다.
>
> · 2016년 빅맥 가격은 우리나라에서는 4,300원, 미국에서는 5달러였습니다.
>
> · 2016년 우리나라의 실제 환율은 1,200원으로, 미국의 1달러는 1,200원에 해당했습니다.

2 ㉠과 관련지어 보기 를 이해한 내용으로 알맞은 것을 모두 골라 기호를 쓰세요.

> ㉮ 한국의 맥도날드에서 A씨에게 3.6달러에 빅맥을 팔았다면 미국을 기준으로 삼아 ㉠의 원칙을 지켰기 때문일 것이다.
>
> ㉯ 미국의 빅맥 가격만을 아는 A씨가 ㉠의 원칙을 적용하여 한국에서 빅맥을 사 먹는다면 빅맥 가격으로 5달러에 해당하는 돈을 낼 것이다.
>
> ㉰ ㉠의 원칙이 아니라 각 나라의 실제 빅맥 가격을 생각한다면, A씨는 한국에서 5달러보다는 적은 돈을 내고 빅맥을 사 먹을 수 있을 것이다.

(   )

3   보기 의 상황에 대해 보인 반응으로 알맞은 것에 ○표 하세요.

(1) 2016년 환율을 고려할 때, 당시 미국에서 빅맥을 사려면 우리나라 돈으로 6,000원을 내야 했겠군.   (   )

(2) 빅맥 가격을 비교해 볼 때, 2016년 우리나라의 원화 가치는 미국의 달러 가치보다 높게 평가되었군.   (   )

4 이 글의 내용 전개 방식으로 적절한 것은 무엇인가요? (　　　)

① 특정 개념에 대해 자세히 소개하고 있다.

② 구체적 사례를 통해 주장을 뒷받침하고 있다.

③ 비교와 대조를 통해 상대의 생각을 비판하고 있다.

④ 시간의 흐름에 따라 대상의 변화 과정을 나열하고 있다.

⑤ 일상생활에서 볼 수 있는 익숙한 대상들을 종류별로 나누어 구분하고 있다.

5 다음은 2018년도 빅맥 지수입니다. 이 글과 그래프를 참고하여 (　　　) 안의 두 낱말 중 알맞은 것에 ○표 하세요.

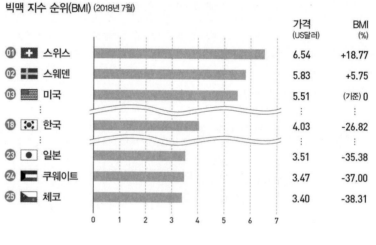

2018 빅맥 지수

빅맥 지수 순위(BMI) (2018년 7월)

순위	국가	가격(US달러)	BMI(%)
01	스위스	6.54	+18.77
02	스웨덴	5.83	+5.75
03	미국	5.51	(기준) 0
18	한국	4.03	-26.82
23	일본	3.51	-35.38
24	쿠웨이트	3.47	-37.00
25	체코	3.40	-38.31

미국을 기준으로 우리나라의 통화 가치는 (높게 / 낮게) 평가되었으며, 일본의 통화 가치는 우리나라보다 (높게 / 낮게) 평가되었음을 알 수 있다.

6 빈칸에 알맞은 말을 넣어 이 글의 핵심 내용을 한 문장으로 요약하세요.

한줄요약

□□□□의 원칙에 따르면 빅맥은 어느 나라에서나 가격이 같아야 하지만, 실제로 나라마다 그 가격이 다르므로 □□ 가격을 기준으로 각 나라의 □□ 가치를 비교할 수 있는데, 이것을 □□□라고 한다.

지문 속 필수 어휘

낱말의 뜻을 참고하여, 다음 문장의 빈칸에 들어갈 알맞은 낱말을 완성하세요.

❶ 고전 문학 작품은 오래 두고 읽을 만한 | 가 | 치 | 가 있다.

값, 값어치.

❷ 한국의 | ㅌ | 화 | 단위는 '원'이다.

한 나라 안에서 통용되고 있는 화폐.

문제 속 개념어

전개 방식 展 펼 전, 開 열 개, 方 모 방, 式 법 식

글을 쓰는 사람은 자신의 생각을 효과적으로 전달하기 위해 일정한 체계를 세우는데 이를 글의 전개 방식이라고 합니다.

문답	사람은 왜 태어나고 죽는가? 그것이 삶의 순리이기 때문이다. → 물음과 대답을 활용함.
예시	동아시아에는 여러 국가들이 있다. 예를 들어 한국, 일본, 중국 등이 있다. → 구체적인 예를 들어 대상을 설명함.
비교, 대조	한라봉과 귤은 같은 귤과의 과일이지만, 크기는 한라봉이 귤보다 더 크다. → 대상의 공통점과 차이점을 제시함.
인과	지구 온난화로 인해 빙하가 녹자, 북극곰들이 살아갈 터전이 사라지고 있다. → 원인과 그에 따른 결과를 설명함.

다음 문장을 읽고, 해당하는 내용 전개 방식과 연결해 보세요.

❸ 사과와 레몬은 모두 과일이지만, 사과는 빨갛고 레몬은 노랗다. •   • ㉠ 문답

❹ 밥을 너무 많이 먹었더니, 속이 좋지 않다 •   • ㉡ 예시

❺ 인생은 무엇인가? 아직 나는 그 해답을 찾지 못했다. •   • ㉢ 비교, 대조

❻ 서울에는 다양한 교통수단이 있다. 지하철, 버스가 그 예이다. •   • ㉣ 인과

이익을 만드는 교섭

⏱ **12** 분 안에 풀어보세요.

어휘 수준 ★★★★☆
글감 수준 ★★★★★
글의 길이 1,144자

목장의 소가 인근 옥수수밭에 들어가 농작물을 훼손하는 일이 벌어졌습니다. 이 일로 인해 목장주와 옥수수밭 주인인 농부 사이에 다툼이 발생하였다고 할 때, 이를 해결하는 방법으로 교섭이 유용합니다. 교섭은 서로 대화를 통해 주장을 조정하여 합의에 이르는 과정으로, 교섭 당사자 모두에게 이익이 될 수 있기 때문이지요.

[A] 목장주와 농부가 교섭하는 상황을 떠올려 보세요. 소들의 침입으로 농부는 20만 원의 손해를 보게 되었습니다. 그런데 목장 주위에 울타리를 치고 관리하는 데 16만 원이 들고, 옥수수밭 주위에 울타리를 치고 관리하는 데는 10만 원이 듭니다. 목장주가 농부에게 옥수수밭 주위에 울타리를 치게 해 주면, 목장 주위에 울타리를 치지 않아 남기는 6만 원의 반인 3만 원과 옥수수밭 주위의 울타리 관리 비용 10만 원을 합하여 13만 원을 주겠다고 제안하였습니다. 이러한 제안이 받아들여지면 농부는 울타리 비용 10만 원을 제외한 3만 원의 이익을 얻고, 목장주는 16만 원이 아닌 13만 원에 해결을 보았으므로 3만 원의 이익을 얻게 됩니다.

한편, 교섭을 위해 상대방에 대한 정보를 알아보고 대화할 공간을 마련해야 하는데, 이때 드는 총비용을 '거래 비용'이라고 합니다. 이 거래 비용은 교섭이 이루어지는 데 영향을 ㉠끼칩니다. 거래 비용이 교섭을 통해 얻는 이익보다 크면 교섭이 이루어지지 않습니다. 예를 들어 목장주와 농부 두 사람이 교섭을 통해 얻는 이익이 3만 원인데, 거래 비용으로 5만 원이 든다면 교섭은 이루어지지 않는 것이죠.

그런데 교섭을 위해 비용을 최대한 어느 정도까지 쓸 것인지에 대한 생각은 사람마다 다르므로, 이에 따라 교섭 가능성도 달라집니다. 예를 들어 목장주가 교섭을 위해 2만 원까지 거래 비용을 쓸 생각을 했고, 농부는 1만 원까지 거래 비용을 쓸 생각을 했는데, 실제 거래 비용이 1만 원만 든다면 교섭은 이루어지게 됩니다. 그러나 실제 거래 비용이 2만 원이 들게 된다면, 목장주와 달리 농부는 자신이 생각한 것보다 액수가 크므로 교섭을 하지 않을 것이고, 결국 문제 해결을 위한 교섭은 이루어지지 않게 됩니다. 이처럼 각자가 쓰려고 한 거래 비용의 최대치가 실제 거래 비용보다 적으면 교섭이 이루어지지만, 그 반대의 경우면 교섭은 이루어지지 않게 되고 분쟁은 결국 법을 통해 해결하게 됩니다.

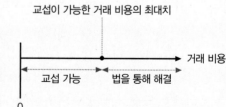

교섭이 가능한 거래 비용의 최대치

교섭 가능 | 법을 통해 해결 → 거래 비용

● **합의**(合합할 합, 意뜻 의)
서로 의견이 일치함. 또는 그 의견.

●**훼손**(毁헐 훼, 損덜 손)
헐거나 깨뜨려 쓰지 못하게 함.

● **교섭**(交사귈 교, 涉건널 섭)
어떤 일을 이루기 위하여 서로 의논하고 절충하는 것.

1 이 글에 대한 설명으로 적절한 것은 무엇인가요? (   )

① 특정 이론을 소개한 뒤 장단점을 평가하고 있다.

② 새로운 이론을 통해 기존의 주장을 반박하고 있다.

③ 구체적인 예시를 통해 관련 개념들을 설명하고 있다.

④ 묻고 답하는 방식을 활용하여 독자의 관심을 끌고 있다.

⑤ 시대적 흐름에 따라 개념이 변화되는 과정을 설명하고 있다.

2 이 글의 내용과 일치하지 <u>않는</u> 것은 무엇인가요? (   )

① 분쟁을 해결하기 위해 교섭이 활용될 수 있다.

② 거래 비용은 교섭을 위해 드는 모든 비용을 의미한다.

③ 법의 개입이 없다면 거래 비용은 일정하게 유지될 수 있다.

④ 대화를 통한 교섭은 거래하는 당사자 모두에게 이익이 될 수 있다.

⑤ 사람에 따라 교섭을 위해 사용하려는 거래 비용의 정도는 다를 수 있다.

3 이 글로 미루어 볼 때 보기 에서 '갑'과 '을'이 '교섭'에 성공할 수 있는 구간을 고른 것은 무엇인가요? (   )

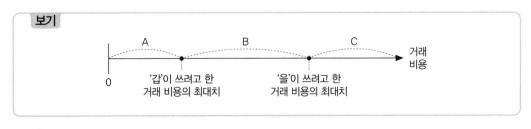

① A   ② B   ③ C

④ A, C   ⑤ B, C

4 보기 는 [A]의 상황에서 새로운 문제가 발생한 경우이다. 이 글을 바탕으로 보기 를 이해한 것으로 적절한 것은 무엇인가요? (　　　)

> **보기**
>
> 　이 지역에서는 올해부터 방목 제한제를 의무 적용하기로 하였다. 방목 제한제란 가축을 가두지 않고 풀어 기르는 것을 제한하는 제도이다. 이로 인해 목장주와 농부의 교섭은 취소되었고, 목장주는 16만 원을 들여 목장 주위에 울타리를 치고 관리하게 되었다.

① 창수: 목장주는 교섭보다는 방목 제한제를 더 좋아할 거야.
② 은정: 법적 해결이 교섭에 비해 손해가 될 수도 있음을 보여 주는 사례야.
③ 예지: 농부는 거래 비용이 많이 든다고 생각하여 방목 제한제를 반대할 거야.
④ 윤희: 목장주와 농부가 생각하는 거래 비용의 최대치가 달라 문제가 발생한 상황이야.
⑤ 경아: 거래 비용 때문에 교섭이 불가능하게 되면서 법을 통해 문제를 해결한 경우야.

5 문맥상 ㉠과 바꿔 쓰기에 적절하지 <u>않은</u> 것은 무엇인가요? (　　　)

① 준다　　　　　② 미친다　　　　　③ 가한다
④ 맡긴다　　　　⑤ 입힌다

한줄
요약

6 빈칸에 알맞은 말을 넣어 이 글의 핵심 내용을 한 문장으로 요약하세요.

　교섭은 서로의 의견을 조정하여 ☐☐에 이르는 과정으로, 거래 당사자 모두에게 ☐☐이 될 수 있는 방법이나, ☐☐☐☐의 정도에 따라 교섭의 가능성이 달라진다.

지문 속 필수 어휘

낱말의 뜻을 참고하여, 다음 문장의 빈칸에 들어갈 알맞은 낱말을 완성하세요.

❶ 쓰레기를 처리하는 [ㅂ | 용]이 늘어나고 있다.

어떤 일을 하는 데 드는 돈.

❷ 두 나라는 국경 때문에 여전히 [분 | ㅈ]하고 있다.

말썽을 일으키어 시끄럽고 복잡하게 다툼.

다음 문장을 읽고, ( ) 안에 공통으로 들어갈 낱말을 완성하세요.

❸
• 주인에게 폐를 ( ).
• 과학의 발전이 후세에 큰 영향을 ( ).

[ㄲ | ㅊ | 다]

❹
• 우리 둘이 함께 여행을 가려면 어느 정도의 ( )이 들까?
• 인터넷을 설치하는 데 약간의 ( )이 들었다.

[ㅂ | 용]

다음 문장을 읽고, 두 낱말 중 알맞은 것을 찾아 ○표 하세요.

❺ 거리의 가로수들이 자동차 매연과 먼지로 심각하게 [훼손 / 홰손]되고 있다.

❻ 그가 정리해 놓은 목록은 정보를 찾는 데 아주 [유용 / 이용]했다.

어휘 수준 ★★★★★
글감 수준 ★★★★★
글의 길이 938자

비싸서 산다, 베블런 효과

10분 안에 풀어보세요.

자본주의 사회에서 소비자는 가진 돈이 한정되어 있기 때문에 어떻게 하면 같은 돈으로 최대의 만족을 얻을 수 있을까 고민합니다. 이에 대해 경제학자 애덤 스미스는 '사람들은 자신의 생활 환경을 나아지게 하기 위해 합리적이고 실용적으로 경제 활동을 한다.'라고 말했습니다. 여기서 '합리적 소비'란 어떤 물건이 싸면 사려는 사람이 많아지고, 반대로 비싸지면 사려는 사람이 줄어드는 것을 말합니다. 이는 우리 일상에서도 쉽게 볼 수 있는 현상이지요.

그런데 미국의 사회·경제학자 베블런은 이와 반대되는 의견을 내놓았습니다. 가격이 오르는 물건에 대해서도 높은 수요가 발생할 수 있다고 주장한 것입니다. 어떻게 이것이 가능할까요? 소비자가 남들보다 돋보이고 싶은 마음에 높은 가격을 주고 기능이 비슷한 물건을 사는 경우가 있기 때문입니다. 이와 같이 어떤 물건의 가격이 높게 책정되어 있음에도 불구하고 특정 계층의 허영심 또는 과시욕으로 인해 그 물건을 찾는 사람들이 많아지는 비합리적 소비 현상을 '베블런 효과' 또는 '과시적 소비'라고 부릅니다.

애덤 스미스는 소비자가 상품을 구매할 때 다른 소비자들과 상관없이 그 상품의 실용적 측면을 보고 비용을 지불한다고 보았지만, 베블런은 개별 소비자들이 ㉠소비를 할 때 다른 소비자들이 소비하는 모습을 살피고 타인의 결정에 큰 영향을 받으며 소비하게 된다고 본 것입니다.

베블런 효과에 따르면 소비자는 싼 가격의 상품을 피하고 오히려 비싼 상품을 찾습니다. 과시적 소비를 하고자 하는 사람들은 다른 사람들이 소비하지 못하는 고가의 사치품을 소비하며 자신의 부와 사회적 지위를 드러내려고 하기 때문이지요. 하지만 자신이 가진 경제적 능력의 한계를 넘어서는 과시적 소비는 개인의 건전한 삶을 위협하고, 사회적 문제로까지 이어지는 경우가 많아 주의해야 합니다. 현재 우리가 살고 있는 사회에서도 베블런의 주장은 여전히 설득력 있게 다가오고 있습니다.

● **수요**(需쓰일 수, 要요긴할 요)
어떤 재화나 용역을 일정한 가격으로 사려고 하는 욕구.

● **책정**(策꾀 책, 定정할 정)
계획이나 방책을 세워 결정함.

1 이 글의 전개 방식에 대한 설명으로 알맞은 것은 무엇인가요? (   )

① 다양한 이론을 시간 순서대로 설명하고 있다.
② 인물의 주장이 변화되는 과정을 설명하고 있다.
③ 특정 이론의 문제점을 분석하여 설명하고 있다.
④ 반대되는 두 견해를 소개하며 그 차이점을 밝히고 있다.
⑤ 유사한 사례의 공통점을 바탕으로 자신의 주장을 내세우고 있다.

2 이 글에서 알 수 있는 내용으로 알맞지 <u>않은</u> 것은 무엇인가요? (   )

① 합리적 소비의 의미
② 베블런 효과의 의미
③ 베블런 효과가 나타나는 이유
④ 베블런 효과와 과시적 소비의 차이점
⑤ 과시적 소비로 인한 개인 차원의 문제

3 보기 를 바탕으로 추론한 내용으로 알맞은 것에 ○표 하세요.

> **보기**
> • 가격이 오르는 물건에 대해서 높은 수요가 발생할 수 있음.
> • 소비자들은 과시를 목적으로 상품을 사기도 함.

(1) 가격이 비싼 상품을 선호하는 이유는 주변의 다른 소비자를 의식하기 때문이다.
(　　)

(2) 상품의 가격이 오르는 것은 실용성이 뛰어난 상품을 사려는 사람들이 증가하기 때문이다.
(　　)

4 ⊙과 관계있는 효과를 보기 에서 모두 골라 기호를 쓰세요.

> **보기**
>
> ㉮ 프로도 경제 효과: 영화로 인해 부수적인 경제 이익을 얻게 되는 현상
> ㉯ 밴드왜건 효과: 사회적 유행에 따라 특정 물건에 대한 수요가 높아지는 현상
> ㉰ 스놉 효과: 다수의 다른 사람이 구매한 물건에 대한 구매 욕구가 떨어지는 현상
> ㉱ 빌바오 효과: 뛰어난 문화 환경이 도시의 발전에 긍정적 영향을 미치는 현상

(   )

5 이 글과 보기 를 함께 읽고 보인 반응으로 알맞지 <u>않은</u> 것은 무엇인가요? (   )

> **보기**
>
> 　베블런이 살았던 19세기에, 대대로 물려받은 재산을 가지고 생활하는 유한계급은 부러움의 대상이었다. 유한계급은 사치스러운 생활을 하면서 자신들의 부와 우월한 사회적 신분을 보여 주기 위한 무도회나 음악회를 자주 열었다. 어느 정도 부를 쌓은 상인 계층에서는 이러한 유한계급처럼 보이고 싶어서 그들의 소비 생활을 따라하며 무리한 지출을 하기도 하였다.
>
> • 유한계급: 생산 활동에 종사하지 아니하면서 소유한 재산으로 소비만 하는 계층.

① 애덤 스미스는 유한계급의 소비를 비합리적인 소비라고 보았겠군.
② 유한계급의 소비 생활은 베블런 효과를 뒷받침하는 근거가 되었겠군.
③ 상인 계층의 사람들에게 유한계급은 부러움의 대상이었겠군.
④ 다른 계층의 사람들이 유한계급의 소비 생활을 흉내 내기에는 경제적으로 무리가 따르기도 했겠군.
⑤ 유한계급이 다른 계층의 사람들을 무도회에 초대했다면 과시적 소비와는 전혀 다른 동기에서 이루어진 것이겠군.

한줄 요약

6 빈칸에 알맞은 말을 넣어 이 글의 핵심 내용을 한 문장으로 요약하세요.

가격이 비싼 상품일수록 사려는 사람이 늘어나는 [　　　] 효과는 주변 사람들을 의식한 허영심에서 생겨난 것으로, [　　　] 소비에 해당한다.

지문 속 필수 어휘

낱말의 뜻을 참고하여, 다음 문장의 빈칸에 들어갈 알맞은 낱말을 완성하세요.

❶ 면적이 일정하면 가로는 세로에 | ㅂ | 비 | ㄹ | 한다.

한쪽의 양이 커질 때 다른 쪽 양이 그와 같은 비로 작아지는 관계.

❷ 그의 이야기는 | ㅅ | 득 | ㄹ | 이 있어서 많은 사람들이 동의하였다.

상대편이 이쪽 편의 이야기를 따르도록 깨우치는 힘.

❸ 철수는 친구에게 무엇인가를 과시하고 싶은 | ㅎ | 영 | ㅅ | 이 들 때도 있었다.

자기 분수에 넘치고 실속이 없이 들뜬 마음.

❹ 그는 자신의 힘을 | ㄱ | 시 | 하듯 커다란 돌을 번쩍 들어올렸다.

자랑하여 보임.

다음 문장을 읽고, (   ) 안에 공통으로 들어갈 낱말을 완성하세요.

❺
- 우리 회사의 내년 예산을 미리 (   )해 두었다.
- 위험 수당이 비현실적으로 (   )되어 있다는 지적이 많다.

| ㅊ | 정 |

❻
- 대통령은 국민들에게 현실적 대안을 (   )하였다.
- 그가 학계에 (   )한 가설이 다른 학자에 의해 증명되었다.

| 제 | ㅅ |

❼
- 환경 파괴 문제가 인간의 생존을 (   )하고 있다.
- 살아 있는 생명을 (   )하는 행동을 하는 것은 옳지 않다.

| ㅇ | 협 |

최저 가격제와 최고 가격제

어휘 수준 ★★★★★ 하 중 상
글감 수준 ★★★★★
글의 길이 1,009자
본격 독해 훈련

🔟분 안에 풀어보세요.

2019년에 정부는 최저 시급이 8,350원이라고 발표했습니다. 최저 시급이란 시간당 지급받는 최소한의 임금으로, 이에 따르면 한 시간 동안 일을 한 근로자는 최소 8,350원 이상을 받을 수 있습니다. 정부가 이렇게 정해 놓은 이유는 근로자의 권리를 보호하기 위함이며, 이렇게 정부는 상황에 따라 임금이나 시장 가격을 통제합니다. 정부가 시장에서 실제 거래되는 가격을 규제하는 것을 가리켜 '가격 규제 정책'이라고 합니다. 정부의 가격 규제 정책은 ㉠최저 가격제와 ㉡최고 가격제로 구분할 수 있습니다.

먼저 최저 가격제의 사례를 알아볼까요. 어느 해 사과 풍년이 들어 평소 1,000원에 거래되던 사과 가격이 500원으로 떨어졌습니다. 사과를 팔고 1,000원을 받았던 농부는 500원의 손해가 날 것입니다. 심지어 사과 한 알을 재배하는 데 300원이 드는 상황이라면, 실제로는 200원의 이득밖에 얻지 못하는 것이지요. 이때 정부가 농민을 보호하기 위해 사과 가격을 최소 700원에 거래해야 한다고 법으로 통제하는 것이 바로 최저 가격제입니다.

최저 가격제에 따르면 시장에서 형성된 사과 가격은 500원이지만 소비자는 농부에게 최소 700원을 주고 사과를 사야 합니다. 따라서 소비자보다 생산자에게 이득이 되므로, 최저 가격제는 주로 생산자들을 보호하기 위해 시행됩니다.

이번에는 최고 가격제에 대해 알아볼까요. 어느 해 사과 농사가 잘 안 되어서 사과가 매우 귀해졌습니다. 평소 1,000원에 거래되던 사과는 2,000원에 거래되고 있습니다. 사과를 사려는 사람은 사과 가격이 두 배로 올라 사과를 사기 어려워질 것입니다. 이때 정부가 사과를 사려는 사람들, 즉 소비자를 보호하기 위해 사과 가격을 최고 1,300원 이상 받으면 안 된다고 법으로 통제하는 것이 최고 가격제입니다.

최고 가격제에 따르면 농부는 2,000원에 거래될 수 있는 사과 가격을 1,300원 이상 받을 수 없습니다. 즉, 생산자의 이득이 감소하는 대신 소비자의 이득이 증가하므로, 최고 가격제는 생산자보다 소비자에게 유리한 정책입니다.

● **시급**(時때 시, 給줄 급)
노동한 시간에 따라 지급되는 임금

1 **이 글의 내용 전개 방식으로 가장 적절한 것은 무엇인가요? (   )**

① 사례를 들어 서로 대비되는 경제 정책을 설명하고 있다.

② 경제 이론이 적용되지 않는 특별한 상황을 제시하고 있다.

③ 서로 상반되는 경제 정책을 통계 수치를 통해 분석하고 있다.

④ 일반적인 경제 현상에 대해 전문가의 견해를 인용하고 있다.

⑤ 우리나라와 다른 나라의 경제 정책의 차이점을 밝히고 있다.

+ 수능연결

분석이란 하나의 대상을 여러 부분으로 나누어 설명하는 것을 말합니다. 예를 들어 '꽃을 분석하면 꽃잎, 꽃받침, 암술, 수술로 나눠 볼 수 있다.'처럼 하나의 대상을 개별적인 요소나 성질로 나누어 설명할 때 자주 쓰이는 전개 방식입니다.

> 나아가 그는 목숨과 '의'를 함께 얻을 수 없다면 "목숨을 버리고 의를 취한다."라고 주장하여 '의'를 목숨을 버리더라도 실천해야 할 가치로 부각하였다.

17. 윗글에 대한 설명으로 가장 적절한 것은?   분석

　　① 맹자의 '의' 사상에 대한 사회적 통념을 비

　　② 맹자의 '의' 사상이 가지는 한계에 대해 분석하고 있다.

　　③ 맹자의 '의' 사상에 대한 상반된 관점ᅳ

　　④ 맹자의 '의' 사상이 가지는 현대적 의ᅳ

　　⑤ 맹자의 '의' 사상의 형성 배경과 내용ᅳ

수능에는 분석의 전개 방식을 제대로 이해하고 있는지 묻는 문제가 나와요.

---

2 **이 글을 통해 알 수 있는 내용으로 적절하지 않은 것은 무엇인가요? (   )**

① 정부가 공급과 수요의 상황에 따라 시장에 개입하기도 한다.

② 최저 가격제를 실시하면 상품의 가격은 시장 가격보다 낮아진다.

③ 정부가 시장에서의 거래 가격을 통제하는 것이 가격 규제 정책이다.

④ 최저 가격제는 생산자를, 최고 가격제는 소비자를 보호하기 위한 정책이다.

⑤ 최저 시급은 최소한의 임금이 정해져 있다는 점에서 최저 가격제로 볼 수 있다.

3 ㉠과 ㉡에 대한 설명으로 적절하지 <u>않은</u> 것은 무엇인가요? (　)

① ㉠은 소비자보다는 생산자에게 유리하다.

② ㉠은 일정 가격 이하로 거래할 수 없도록 하는 것이다.

③ ㉡은 생산자보다는 소비자에게 유리하다.

④ ㉡은 일정 가격 이상으로 거래하지 못하도록 하는 것이다.

⑤ ㉠과 달리 ㉡은 생산은 많은데 소비가 적었을 때 적용하는 것이다.

4 보기 에서 정부가 시행한 정책으로 적절한 것에 ○표 하세요.

> **보기**
>
> 　중학교 교복의 가격을 조사한 결과, A시는 28만 원에 판매하고 B시는 15만 원에 판매하여 가격 차이가 크게 났다. 그래서 정부는 시도별로 교복 생산, 유통 비용이 다른 점을 감안해 교복 가격의 상한선을 정했다. 교복 생산자들은 정부가 정한 가격보다 교복을 더 높은 가격으로 판매할 수 없게 되었다.
>
> • 상한선: 더 이상 올라갈 수 없는 한계선

(최저 가격제 / 최고 가격제)

한줄
요약

5 빈칸에 알맞은 말을 넣어 이 글의 핵심 내용을 한 문장으로 요약하세요.

　정부의 가격 규제 정책에는 크게 두 가지가 있는데, 상품을 일정 가격 이하로 거래할 수 없도록 하는 ☐☐☐☐와, 상품을 일정 가격 이상으로 거래할 수 없도록 하는 ☐☐☐☐가 있다.

지문 속 필수 어휘

다음 문장을 읽고, (　　) 안에 공통으로 들어갈 낱말을 완성하세요.

❶
- 현재 경기 (　　)이 매우 불리하다.
- 눈사태와 같은 돌발적인 (　　)에 대비해야 한다.

상	황

❷
- 기숙사에는 남녀의 방이 (　　)되어 있다.
- 열차의 좌석을 흡연석과 금연석으로 (　　)해 놓았다

구	분

❸
- 눈사태로 교통이 (　　)되었다.
- 이 곳은 학생만 출입할 수 있는 (　　) 구역이다.

통	제

❹
- 조선 시대에는 신문고 제도가 (　　)되었다.
- 현재 대학수학능력시험이 (　　)되고 있다.

시	행

다음 문장을 읽고, 두 낱말 중 알맞은 것을 찾아 ○표 하세요.

❺ 노동자들에게 수당을 [지급 / 지시] 하였다.

❻ 비싼 값에 거래 [되던 / 돼던] 티켓 가격이 내렸다.

❼ 그 학생은 공부 [박에 / 밖에] 모르는 모범생이다.

인상주의 회화

⏱ (10)분 안에 풀어보세요.

어휘 수준 ★★★★★ 하 중 상
글감 수준 ★★★★★
글의 길이 950자

　사진이 발명되기 전 사람들은 그림으로 기록을 남겼어요. 예를 들어 전쟁이 일어나면 화가가 직접 군대를 따라다니면서 전쟁의 모습을 그림으로 그렸지요. 하지만 19세기에 사진기가 등장하면서 변화가 일어납니다. 사진은 대상을 보이는 그대로 나타낼 수 있기 때문에 그림과는 비교도 할 수 없을 만큼 정확한 기록 수단인 것이지요. 화가들은 당황했어요. "그림은 이제 어떤 역할을 하지?" 이 때 한 무리의 화가들이 등장해 그림의 새로운 역할을 주장합니다. 그것이 바로 인상주의와 후기 인상주의 사조입니다.

　인상주의 화가들은 대상을 보고 자신이 받은 '인상'에 주목했어요. 사진이 사실적으로 기록하는 역할을 맡았으니 이제 그림은 좀 더 대상을 자유롭게 표현해야 한다고 생각했지요. 그들은 빛에 따라 시시각각 변화하는 대상의 느낌과 분위기를 종이 위에 표현하였습니다. 빠른 속도로 그림을 그리면서 뚜렷한 윤곽이나 고유의 형태보다는 색채를 중시하게 되었습니다. 이 과정에서 거친 붓자국과 물감의 흔적이 남는 경우가 많아졌어요. 이러한 인상주의를 대표하는 화가로는 모네를 꼽을 수 있습니다. 모네의 그림을 보면 사실적인 묘사에 더 이상 치중하지 않았음을 알 수 있어요. 하지만 모네 역시 대상을 '(　㉠　)' 표현했다는 점에서 그림의 기록적 기능, 즉 사실적 표현에서 완벽하게 ⓐ벗어난 화가는 아니었습니다.

　이어서 등장한 후기 인상주의 화가들은 인상주의에 영향을 받았습니다. 하지만 이들은 인상주의 화가와 달리 사실적 표현에서 완전히 벗어나 새로운 방식을 선보입니다. 후기 인상주의를 대표하는 화가 세잔은 '눈에 보이는 것'이 아닌 '아는 것'을 그려야 한다고 믿었습니다. 화가에게는 두 개의 눈이 필요하다면서요. 그는 전통적인 원근법에 따르는 것이 아니라 마음의 눈으로 바라본 세계를 종이 위에 표현했어요. 그 결과 색은 그리는 사람의 감정을 반영하게 되고, 물체의 형태와 공간 구성이 왜곡된 작품들이 탄생하게 되었습니다.

● **사조**(思생각 사, 潮밀물 조)
한 시대의 일반적인 사상의 흐름.

● **원근법**(遠멀 원, 近가까운 근, 法법 법)
일정한 시점에서 본 물체와 공간을 눈으로 보는 것과 같이 멀고 가까움을 느낄 수 있도록 평면 위에 표현하는 방법.

◀ 모네의 〈인상: 해돋이〉라는 작품이에요. 이 작품으로부터 인상주의가 시작되었다고 할 수 있죠. 어둠 속에서 해가 막 떠오르는 풍경을 담은 이 작품은 사물의 형상을 뚜렷하게 나타내지 않고, 빛과 그림자의 효과를 통해 그 인상을 전하고 있어요.

1 이 글의 특징으로 알맞지 <u>않은</u> 것은 무엇인가요? (　　　)

① 사진이 가진 한계점을 지적하고 있다.
② 두 미술 사조의 특징을 문단별로 설명하고 있다.
③ 인상주의가 등장하게 된 배경을 설명하고 있다.
④ 사진이 등장하기 전 그림의 역할을 설명하고 있다.
⑤ 대표적인 화가를 통해 미술 사조의 특징을 설명하고 있다.

2 ㉠에 들어갈 말을 추측한 내용으로 가장 알맞은 것은 무엇인가요? (　　　)

① 빠른 속도로 　　　　　　　② 자신이 해석한대로
③ 눈에 보이는 대로 　　　　　④ 사진처럼 사실적으로
⑤ 빛의 효과를 고려하여

3 이 글을 참고하여 보기 를 분석한 내용 중 알맞은 것에 ○표 하세요.

보기

　　위의 그림은 〈사과와 오렌지〉라는 세잔의 작품입니다. 왼쪽의 사과가 담긴 접시는 금방이라도 사과가 굴러떨어질 것처럼 비스듬히 기울어 있지만, 가운데의 오렌지가 담긴 접시는 반듯하게 놓여 있지요. 이는 하나의 시점으로만 대상을 바라보는 것에서 벗어나 보는 사람의 위치와 각도에 따라 달라지는 사물의 형태를 한 화면에 나타낸 것입니다.

(1) 세잔은 사과와 오렌지를 하나의 시점에서 바라보고 이를 그림으로 표현하였다.

(　　　)

(2) 사과와 오렌지를 하나의 눈이 아닌 두 개의 눈으로 보고 이를 평면에 표현하였다.

(　　　)

4 이 글의 내용과 일치하지 <u>않는</u> 것을 보기 에서 골라 기호를 쓰세요.

> **보기**
>
> ㉮ 세잔은 인상주의 화가들과 달리 사실적 표현에서 완전히 벗어났다.
>
> ㉯ 모네의 그림은 대상의 뚜렷한 윤곽, 고유한 형태보다 색채를 중시하였다.
>
> ㉰ 사진의 등장으로 인해 화가들은 그림의 새로운 역할을 찾게 되었다.
>
> ㉱ 후기 인상주의는 인상주의의 한계를 비판하고 그것을 극복하기 위해 등장하였다.

(   )

5 밑줄 친 말 중에서 ⓐ와 문맥상 의미가 가장 비슷한 것에 ○표 하세요.

⑴ 그는 종종 예의에 <u>벗어나는</u> 행동을 한다.   (   )

⑵ 우리는 분단 상황에서 <u>벗어나</u> 통일 조국을 이룰 수 있을까?   (   )

⑶ 그녀는 직장 상사의 눈에 <u>벗어나</u> 어렵게 회사 생활을 하고 있다.   (   )

6 빈칸에 알맞은 말을 넣어 이 글의 핵심 내용을 한 문장으로 요약하세요.

한줄
요약

 사진이 등장하면서 인상주의와 후기 인상주의는 [　　　] 표현을 거부하고, 대상을 보고 받은 [　　] 에 주목하고, 이중 시점을 통해 대상을 바라보는 등의 새로운 방식을 추구하였다.

지문 속 필수 어휘

다음 문장을 읽고, (　　) 안에 공통으로 들어갈 낱말을 완성하세요.

❶
- 그는 인간관계에서 첫인상을 무척 (　　　)하였다.
- 그녀는 외모를 (　　　)하는 최근의 세태에 비판적이다.

　　중　ㅅ

❷
- 그 배우는 연기가 정말 (　　　)적이다.
- 다른 사람에게 좋은 (　　　)을 주는 것이 중요하다.

　　ㅇ　상

❸
- 어제 본 영화는 너무 오락성에만 (　　　)되었다.
- 수비에 (　　　)하던 상대 팀이 후반에 들어서서 적극적인 공격에 나섰다.

　　치　ㅈ

❹
- 누군가가 광장에서 소리치자 사람들이 일제히 그를 (　　　)하였다.
- 내 동생은 개성이 강해 늘 (　　　)받는 아이였다.

　　주　ㅁ

다음 문장을 읽고, 두 낱말 중 알맞은 것을 찾아 ○표 하세요.

❺ 그의 그림은 전체적으로 밝은 [색채 / 색체] 를 사용하였다.

❻ 그녀는 연극 무대에서 주인공 [역활 / 역할] 을 맡아 하게 되었다.

❼ 미희는 인상이 [뚜렷하지 / 뚜렸하지] 않아 그녀를 처음 본 사람들은 기억하기 어렵다.

현악기의 탄생

어휘 수준 ★★★★★
글감 수준 ★★★★★
글의 길이 966자

현악기는 줄의 ⓐ진동으로 소리를 내는 악기를 말한다. 현악기의 '현(絃)'은 한자로 줄을 뜻한다. 우리가 잘 아는 바이올린과 비올라, 첼로, 콘트라베이스 등이 현악기에 속한다. 우리나라 전통 현악기로는 가야금, 거문고, 해금 등이 있다. 그렇다면 이 현악기는 어떻게 발명되었을까?

거센 바람이 불면 가느다란 나뭇가지가 윙윙 소리를 낸다. 활시위를 당겼다가 놓으면 휭 소리가 난다. 이러한 경험에서 진동의 ⓑ이치를 깨달은 원시인들은 이를 이용해 현악기를 만들기 시작했다. 최초의 현악기는 '악기'라기보다는 '장치'에 더 가까웠다. 현악기의 이름은 ㉠지상궁, 영어로는 그라운드 보(ground bow)이다.

지상궁은 가운데 굄목을 세우고 그 위로 섬유질이 강한 가느다란 식물 줄기나 동물의 질긴 장을 바싹 말린 것 등을 팽팽히 뻗쳐 양쪽 끝을 땅 위에 고정시킨 것으로, 이 줄을 튀기거나 뜯어서 소리를 냈다. 그러나 계속해서 연주하다 보면 굄목이 팽팽한 줄의 힘을 이기지 못해 굄목이 점점 땅을 파고들어가 줄이 느슨해지고 ⓒ음정이 낮아지다가 결국 소리다운 소리를 내지 못하게 되는 경우가 많았다.

따라서 당시 사람들은 팽팽한 줄이 좀 더 오래가고 휴대도 가능할 수 있는 방법을 궁리했다. 그리고 고민 끝에 양쪽으로 퍼진 나뭇가지나 속이 빈 나무통에 줄을 팽팽히 매는 방법으로 지상궁을 ⓓ개량했다. 개량한 악기는 팽팽한 줄을 지상궁보다 훨씬 오래 사용할 수 있었으며, 지금도 아프리카나 아시아, 남미 대륙 등에 이와 비슷한 형태의 원시적인 악기를 사용하는 부족이 있다.

오늘날 악기의 여왕이라고 불리는 바이올린도 현을 활로 진동시켜 소리를 낸다는 점에서 원시 시대의 현악기와 크게 다를 바 없다. 17~18세기 이탈리아 명장들이 만든 아마티, 스트라디바리, 과르네리, 과다니니 등 수십 억 원을 ⓔ호가하는 바이올린 역시 제작에 쓴 목재가 좋았다든가 겉에 칠한 니스의 조합에 비밀이 있었다는 등의 차이가 있을 뿐 기본 원리는 다른 제작품과 차이가 없다.

● **이치**(理다스릴 이, 致이를 치)
사물의 정당한 조리, 또는 도리에 맞는 취지.

● **굄목**(-木)
물건의 밑을 받쳐서 괴는 나무.

● **개량**(改고칠 개, 良좋을 량)
나쁜 점을 고쳐 좋게 함.

◀ 바이올린은 처음에는 세 개의 현을 가진 악기였지만, 16세기 중반에는 네 개의 현을 가진 오늘날의 모습이 되었습니다. 크기는 35.5cm 정도밖에 되지 않지만, 표현력이 풍부하고 다양한 음색을 연출할 수 있어 '악기의 여왕'이라고 불립니다.

1 이 글의 내용 전개 방식으로 가장 적절하지 <u>않은</u> 것은 무엇인가요? (   )

① 개념을 정의하며 글을 시작하고 있다.

② 물음을 통해 독자의 호기심을 자극하고 있다.

③ 대상의 제작 원리를 자세하게 설명하고 있다.

④ 대상의 종류를 여러 가지로 나열하여 제시하고 있다.

⑤ **주장**과 그에 대한 **반박**을 같이 실어 균형을 잡고 있다.

2 이 글의 내용과 일치하지 <u>않는</u> 것은 무엇인가요? (   )

① 첼로와 해금은 모두 현악기에 속한다.

② 지상궁은 오래 사용할수록 소리가 변형되었다.

③ 원시적인 형태의 현악기는 더 이상 사용하지 않는다.

④ 지상궁을 개량한 악기는 줄이 지상궁보다 훨씬 오래 갔다.

⑤ 바이올린과 지상궁은 비슷한 원리로 소리를 내는 악기이다.

3 ㉠에 대한 설명으로 적절하지 <u>않은</u> 것은 무엇인가요? (   )

① 휴대가 불가능하여 같은 자리에서 사용해야 한다.

② 사용할수록 굄목이 점점 땅을 파고들어간다.

③ 양쪽으로 펴진 나뭇가지나 속이 빈 나무통으로 만든다.

④ 팽팽함을 유지하기 위해 질기고 강한 줄을 사용해야 한다.

⑤ 바람이 불 때 나뭇가지에서 나는 소리와 활을 쏠 때 나는 소리 등에서 영감을 받아 만들어졌다.

4 이 글을 바탕으로 추론한 내용으로 적절하지 <u>않은</u> 것은 무엇인가요? (　　)

① 수찬 : 현악기의 줄이 느슨해지면 제대로 소리를 내지 못할 거야.

② 소희 : 바이올린의 가격은 원재료따라 올라가거나 내려갈 수 있어.

③ 채민 : 바람이 불 때 나뭇가지가 소리를 내는 이유는 진동 때문일 거야.

④ 세훈 : 지상궁의 어원을 볼 때 현악기는 아시아에서 가장 먼저 만들었을 거야.

⑤ 해훈 : 바이올린, 비올라, 가야금, 거문고 등의 현악기는 모두 줄의 진동으로 소리를 낼 거야.

5 다음 중 ⓐ~ⓔ의 뜻이 적절하지 <u>않은</u> 것은 무엇인가요? (　　)

① ⓐ 진동 : 흔들려 움직임.

② ⓑ 이치 : 사물의 정당한 조리. 또는 도리에 맞는 취지.

③ ⓒ 음정 : 높이가 다른 두 음 사이의 간격.

④ ⓓ 개량 : 나쁜 점을 고쳐 좋게 함.

⑤ ⓔ 호가 : 일정한 수나 한도 따위를 넘음.

한줄요약

6 빈칸에 알맞은 말을 넣어 이 글의 핵심 내용을 한 문장으로 요약하세요.

괌목과 식물 줄기, 동물의 장 등을 이용해 만들어진 [　][　]은 점차 [　][　]되어 현대의 현악기가 되었다.

지문 속 필수 어휘

낱말의 뜻을 참고하여, 다음 문장의 빈칸에 들어갈 알맞은 낱말을 완성하세요.

❶ 하프를 꺼내다가 끊어진 | ㅎ | 을/를 발견하고 소리를 질렀다.

현악기에서 소리를 내는 가늘고 긴 물건.

❷ 완성도로 볼 때 이 도자기는 | ㅁ | 장 | 의 작품임이 분명하다.

기술이 뛰어나 이름난 장인.

❸ 여러 개의 부품을 | 조 | ㅎ | 해서 노트북을 만들었다.

여럿을 한데 모아 한 덩어리로 짬.

❹ 죄를 지었으면 벌을 받는 것은 당연한 | ㅇ | ㅊ | 이다.

사물의 정당한 조리. 또는 도리에 맞는 취지.

문제 속 개념어

주장과 반박 主 주인 주, 張 베풀 장, 反 돌이킬 반, 駁 논박할 박

'주장'은 '자기의 의견이나 주의를 굳게 내세움.'을 뜻하고, '반박'은 '어떤 의견, 주장, 논설 따위에 반대하여 말함.'을 뜻합니다. 한 편의 글 안에서 먼저 하나의 의견을 제시한 후 그에 대한 반대 의견을 펼치며 '주장과 반박'이 모두 나타나는 경우도 있습니다.

동물 실험이 필요하다고 주장하는 사람들은 지금까지 동물 실험을 통해 신약 개발 등 많은 과학적 성과를 거두었다고 말한다. 동물 실험 덕분에 인간의 목숨을 구할 수 있었

주장하는 근거

다는 것이다. 하지만 동물 실험에 반대하는 사람들은 동물과 사람은 다르기에, 동물 실

반박하는 근거

험의 결과를 사람에게 적용하는 것은 무리가 있다고 반박한다.

어휘의 한계는 독해의 한계

● 다음 숫자 카드 중 물음표가 적힌 가운데 카드에 들어갈 숫자는 무엇일까요?

많은 친구들이 6이라고 생각했을 거예요. 맞아요!

그런데 여러분은 답이 6이라는 것을 어떻게 알았나요?

아마 앞뒤에 놓인 숫자 카드를 통해 숫자가 2씩 커지는 것을 보고

4와 8 사이에 6이 들어가야 한다고 짐작했을 거예요.

독해를 할 때도 마찬가지입니다.

모르는 단어가 나왔을 때는 앞뒤 맥락을 살펴서 뜻을 짐작할 수 있습니다.

마치 여러분이 물음표가 적힌 카드에 들어갈 숫자가 6이라는 것을

앞뒤의 맥락(숫자 2, 4, 8, 10)을 보고 맞힌 것처럼요!

자, 이번에는 다른 숫자 카드입니다.

● 다음 숫자 카드 중 물음표가 적힌 세 카드에 들어갈 숫자는 각각 무엇일까요? (,   ,   )

※ 이 문제의 답은 맨 아래(↓↓↓)에 있어요.

아까와는 달리 답을 찾기가 쉽지 않지요.
그 이유는 무엇일까요?
단서가 될 만한 수는 2와 22밖에 없는데, 가운데에 빈칸이 세 개나 있어서 어떤 숫자가 들어
갈지 짐작하기 어렵기 때문이에요.

숫자 카드 하나가 단어 하나라고 생각해 보세요.
만약 글을 읽을 때 모르는 단어가 딱 하나뿐이라면
맥락을 통해 그 뜻을 짐작하기가 쉬울 것입니다.
아까 여러분들이 4와 8 사이에 들어갈 숫자가 6이라는 것을 금세 알아챘던 것처럼요.
그런데 만약 글에 아는 단어가 거의 없고 모르는 단어 투성이라면,
글의 앞뒤 맥락을 살펴도 무슨 뜻인지 이해하기 어려울 거예요.
그래서 '**어휘의 한계가 독해의 한계**'라는 말을 하는 것입니다!

❝ 어휘를 많이 알면 글에 모르는 단어가 조금 나와도
그 뜻을 짐작하고 넘어갈 수 있어요.
어휘력이 풍부할수록 독해가 쉬워진답니다! ❞

답 7, 12, 17(맨 앞의 숫자에서 5씩 더하면 차례대로 2, 7, 12, 17, 22가 됩니다.)

영화의 미장센

어휘 수준 ★★★☆☆
글감 수준 ★★★☆☆
글의 길이 955자

⏱ **10**분 안에 풀어보세요.

　영화 속에서 주인공의 심정이 슬플 때 비가 내리는 장면을 본 적이 있나요? 이는 감독이 등장인물의 마음을 효과적으로 보여 주기 위해 넣은 장치입니다. 이렇듯 인물의 슬픈 표정, 쏟아지는 비 등 화면에 담긴 전체적인 시각 요소를 '미장센'이라고 합니다. 미장센은 원래 연극에서 등장인물의 배치, 역할, 조명, 의상 등의 계획이라는 말로 쓰였어요. 그러다가 영화에서 화면에 담긴 전체적인 시각 요소를 뜻하는 말로 확장되었습니다.

　미장센에는 등장인물의 분장과 의상뿐만 아니라 인물의 표정과 움직임까지 포함됩니다. 분장과 의상은 주로 배우들의 역할을 드러내고, 인물의 표정과 움직임은 그들의 감정이나 생각을 드러냅니다. 그리고 이것들은 더 나아가 영화의 분위기를 형성합니다.

　조명과 배경 역시 시각 요소로서 미장센에 해당합니다. 조명은 카메라 촬영을 하기 위해 빛을 비추는 것을 넘어 우울한 분위기, 신나는 분위기, 공포스러운 분위기 등 영화의 다양한 분위기를 ㉠<u>만듭니다.</u> 배경에는 영화 화면에 등장하는 움직이는 것을 제외한 모든 것들이 대상이 됩니다. 예를 들어 영화 장면에 등장하는 가로등, 주차된 차, 가게 이름 등이 포함됩니다.

　이와 같이 미장센은 영화 전체의 이미지를 좌우하는 데 중요한 역할을 합니다. 그러므로 감독은 미장센이 작품 내에서 조화를 이룰 수 있도록 작은 부분까지 관여하며 미장센의 요소들을 세밀하게 조절합니다. 분장, 의상, 인물의 표정과 움직임, 조명, 배경 등 화면에 보이는 요소들이 영화 속 상황과 인물의 심리를 잘 보여 줄 수 있도록 말이지요.

[A] ┌ 미장센을 이해할 때 주의해야 할 점은 미장센이 현실과 꼭 같은지를 판단할 필요가 없다는 것입니다. 영화는 현실을 반영한 이야기이지만, 꼭 현실을 있는 그대로 보여줄 필요는 없습니다. 따라서 영화를 볼 때는 영화의 미장센이 현실과 얼마나 똑같은지를 따지는 것보다는 미장센을 통해 감독이 전달하고 싶은 것 └ 이 무엇인지에 관심을 가지는 것이 바람직합니다.

● **좌우**(左왼쪽 좌, 右오른쪽 우)
어떤 일에 영향을 주어 지배함.

● **관여**(關관계할 관, 與더불 여)
어떤 일에 관계하여 참여함.

정답과 해설 19쪽

1 이 글의 중심 내용으로 가장 적절한 것은 무엇입니까? (   )

① 영화를 촬영하는 순서
② 영화 제작에 필요한 여러 요소들
③ 영화 속 등장인물의 분장과 의상
④ 여러 영화에 드러나 있는 미장센 요소
⑤ 미장센의 의미와 대상, 그리고 영화 속 역할

2 이 글의 내용과 일치하지 <u>않는</u> 것은 무엇입니까? (   )

① 미장센의 목표는 현실을 있는 그대로 보여 주는 것이다.
② 감독은 미장센이 한 작품에서 조화를 이루도록 관여한다.
③ 영화 속 등장인물이 머무는 배경도 미장센의 대상이 된다.
④ 조명은 촬영을 위한 빛의 조절뿐만 아니라 다양한 분위기도 만든다.
⑤ 미장센은 연극에서 쓰이던 말로, 영화에서 그 의미가 확장되었다.

3 [A]를 바탕으로 할 때, 보기 의 영화에 대한 반응으로 가장 적절한 것은? (   )

> 보기
>
> 영화 〈○○○〉을 보면 조선 시대에 큰 의견 차이를 보이며 당파 싸움을 했던 신하들이 각각 빨간색과 파란색의 옷을 입고 등장한다. 이러한 장면에 대해 역사학자들은 조선 시대의 관복을 사실적으로 나타내지 못했다고 비판하였다.

① 사실성보다는 허구성을 중시하였군.
② 감독의 의도보다 역사적 사실을 더 중요하게 여겼군.
③ 영화 속 인물의 관계를 단순하게 보여 주어 사실성을 높였군.
④ 사실적이지 않더라도 색채 대비를 통해 두 세력의 관계를 효과적으로 드러내었군.
⑤ 사실에 대한 정보를 정확하게 보여 주어 관객이 능동적으로 감상할 수 있게 하였군.

4 다음 중 ㉠과 바꿔 쓸 수 있는 말은 무엇인가요? (　　　)

① 제조합니다　　　② 장만합니다　　　③ 조성합니다

④ 모읍니다　　　⑤ 발견합니다

5 <u>보기</u> 의 영화에 나타난 미장센에 대해 이야기한 내용으로 적절하지 <u>않은</u> 것은?

(　　　)

> **보기**
>
> 　영화 〈다크 나이트〉는 범죄와 부패가 들끓는 고담시를 배경으로 한다. 영화에서 '조커'는 항상 광대 같은 얼굴 분장을 하고 등장하는데, 그러다 보니 관객은 물론 등장인물들조차 조커의 얼굴을 알지 못한다. 이것은 조커가 신원을 알 수 없는 인물이라는 특성을 분장으로 나타낸 것이다. 이와 비슷하게 '배트맨'도 가면을 써서 자신의 얼굴을 가린다. 하지만 배트맨의 정체는 조커와 달리 관객과 일부 등장인물에게는 공개되어 있다.

① '조커'의 얼굴 분장은 미장센에 포함되는군.

② '조커'의 분장은 인물의 역할과 특성을 암시하는군.

③ '배트맨'은 가면을 쓰고, '조커'는 분장을 하므로 미장센이 조화롭지 않다고 할 수 있군.

④ '배트맨'의 가면 때문에 인물의 표정을 알 수 없어서 표정과 관련된 미장센은 제한되겠군.

⑤ 고담시의 특징을 드러내기 위한 미장센으로 어둡고 우울한 분위기의 배경을 넣었겠군.

6 빈칸에 알맞은 말을 넣어 이 글의 핵심 내용을 한 문장으로 요약하세요.

한줄
요약

　미장센은 영화의 화면에 담긴 등장인물의 분장, 의상, 표정, 움직임, 조명, 배경 등 전체적인 ☐☐ 요소를 의미하며, 이러한 미장센을 통해 ☐☐이 전달하고자 하는 것이 무엇인지 생각해야 한다.

지문 속 필수 어휘

낱말의 뜻을 참고하여, 다음 문장의 빈칸에 들어갈 알맞은 낱말을 완성하세요.

❶ 그 방은 가구 ㅂ ㅊ 가 독특하였다.

사람이나 물건을 적당한 자리나 위치에 나누어 둠.

❷ 주인공을 맡은 소년은 ㅂ ㅈ 을 하여 실제보다 나이가 들어 보였다.

등장인물의 성격, 나이, 특징 따위에 맞게 배우를 꾸밈. 또는 그런 차림새.

❸ 그 소설은 인물에 대해 ㅅ ㅁ 하게 묘사하였다.

자세하고 빈틈없이 꼼꼼함.

❹ 도서관이 ㅎ ㅈ 되어 많은 학생들이 편리하게 공부할 수 있게 되었다.

범위, 규모, 세력 따위를 늘려서 넓힘.

다음 문장을 읽고, (   ) 안에 공통으로 들어갈 낱말을 완성하세요.

❺

- 쌀의 품질이 밥맛을 (   )한다.
- 어린 시기의 경험이 평생을 (   )할 만큼 중요하다.

ㅈ ㅇ

❻

- 남의 일에 함부로 (   )하지 마라.
- 사장님이 회사 경영에 깊숙하게 (   )하였다.

ㄱ ㅇ

❼

- 그 그림은 다양한 색이 (   )를 이루어 돋보였다.
- 과자는 단맛과 짭짤한 맛이 (   )를 이뤄 맛있었다.

ㅈ ㅎ

옛 그림 감상법

🕐**12**분 안에 풀어보세요.

어휘 수준 ★★★★☆ _{하 중 상}
글감 수준 ★★★★☆
글의 길이 1,073자

본격 독해 훈련

　　동양의 화가와 서양의 화가는 근본적으로 다른 관점에서 그림을 그렸다. 서양의 화가는 대상을 있는 그대로 표현하려고 한 반면, 동양의 화가는 그림에 담긴 문자적 의미를 전달하려고 했다. 그래서 동양화를 감상할 때에는 그 화가가 그림을 통해 전달하는 의미를 살펴보아야 하며, 이를 무시하고 구도나 색감, 기법 등과 같이 ⓐ서양화를 감상하는 관점에서 본다면 동양화를 제대로 이해할 수 없다. 이 때문에 동양에서는 예로부터 그림을 '본다'가 아닌 '읽는다'라고 하였다. 어떤 언어로 된 문장을 이해하기 위해서는 기본적으로 낱말의 뜻을 알아야 하듯이, 옛 그림에 담긴 의미를 알기 위해서는 먼저 그림에 표현된 소재들의 의미를 읽는 것이 중요하다. 옛 그림의 소재에 담긴 의미를 읽는 방법에는 크게 세 가지가 있다.

　　먼저 ㉠같은 발음의 다른 한자로 바꾸어 읽는 방법이다. 예를 들어 옛 그림에는 물고기 중 쏘가리가 자주 등장하는데, 이는 선조들이 쏘가리라는 물고기 자체를 좋아했기 때문이 아니라 쏘가리 궐(鱖) 자와 궁궐 궐(闕) 자가 음이 같기 때문이다. 쏘가리를 그려 넣어서 입궐(入闕), 즉 과거 시험에 합격하여 궁궐에 ⓐ들어가기 바란다는 뜻을 표현하는 것이다. 따라서 이러한 그림은 소재의 한자를 같은 음으로 된 한자로 바꾸어 읽어야 제대로 된 감상이 될 수 있다.

　　두 번째는 ㉡소재 자체가 가지고 있는 상징적 의미대로 읽는 방법이다. 예를 들어 수박이나 포도 등과 같이 씨앗이 많거나 열매가 주렁주렁 달린 과일은 자손을 상징하며, 이를 그려 넣어서 많은 자손이 생기기 바란다는 뜻을 표현하였다. 따라서 이러한 그림은 소재들이 상징하는 의미를 바탕으로 감상해야 한다.

　　세 번째는 ㉢그림 속 내용과 관련된 고전의 글귀를 떠올리며 읽는 방법이다. 예를 들어, 선비가 냇가에 발을 씻는 그림은 중국 초나라 시인인 굴원이 쓴 〈어부사〉에 '청랑의 물이 맑거든 갓끈을 씻(으면서 세상에 나아갈 준비를 하)고, 청랑의 물이 흐리면 (은둔하여) 발을 씻으리라.'라는 구절에서 가져온 것으로, 세상이 맑든 흐리든 그때마다 상황에 맞게 처신하라는 뜻을 나타내고 있다. 따라서 이러한 그림은 고전의 문구에 대한 이해가 있어야 제대로 된 감상을 할 수 있다.

● **구도**(構얽을 구, 圖그림 도)
그림에서 모양, 색깔, 위치 따위의 짜임새.

● **상징**(象코끼리 상, 徵부를 징)
추상적인 사물이나 관념 또는 사상을 구체적인 사물로 나타내는 일. 또는 그 사물. 예를 들면 '비둘기'라는 구체적인 사물로 '평화'라는 추상적인 관념을 나타내는 것 따위가 있다.

● **고전**(古옛 고, 典법 전)
오랫동안 많은 사람에게 널리 읽히고 모범이 될 만한 문학이나 예술 작품.

● **처신**(處곳 처, 身몸 신)
세상을 살아가는 데 가져야 할 몸가짐이나 행동.

1 이 글의 내용 전개 방식으로 가장 알맞은 것은 무엇인가요? (   )

① 옛 그림을 감상하는 방법을 나열하여 제시하고 있다.

② 옛 그림에 사용된 소재를 중심으로 동양화의 종류를 나누고 있다.

③ 옛 그림에서 문자적 의미가 중요하게 된 원인과 결과를 밝히고 있다.

④ 옛 그림의 배경이 되는 사상을 구체적인 사례를 통해 설명하고 있다.

⑤ 옛 그림에 담긴 동양과 서양의 관점을 구분한 후, 각각을 소개하고 있다.

╋수능연결

'나열'은 '죽 벌여 놓음. 또는 죽 벌여 있음.'이라는 뜻입니다. 하나의 주제에 대하여 몇 가지 특징을 늘어놓아 설명할 때 '나열'한다고 합니다. 나열하는 방식은 대등한 정보를 하나씩 설명하기 쉽습니다.

> 업적을 쌓으면 벼슬에 올라가 출세를 하며, 잘못을 저지르면 벌을 받고, 공로를 세우면 상을 받도록 해서 특혜와 불로소득을 감히 생각하지 못하도록 하는 것이 올바른 정치라고 주장하였다.

16. 윗글에 대한 설명으로 가장 적절한 것은?

① 욕망에 대한 다양한 ~~개하고 그 입장들을 비교하고 있다.~~

나열

② 욕망의 유형을 제시 ~~일정한 기준에 따라 분류하고 있다.~~

③ 욕망을 보는 상반된 견해를 **나열**하~~

수능에는 글쓴이가 화제를 어떤 방식으로 설명하고 있는지 파악하는 문제가 나와요.

④ 욕망이 나타나는 사례들을 제시하여 ~~

⑤ 욕망을 조절하는 여러 가지 방법을 노~~

2 다음 그림을 통해 화가가 전달하고 있는 의미가 <u>아닌</u> 것에 ○표 하세요.

이 그림은 신사임당이 그린 〈가지와 방아깨비〉로, 아홉 가지 소재가 그려졌다. 주렁주렁 열리는 '가지', 넝쿨 뻗는 '산딸기'와 '쇠뜨기', 알을 많이 낳는 '방아깨비'는 많은 자손을 뜻한다. 그리고 '개미'와 '벌'은 임금과 신하 간의 의리를, 허물을 벗고 하늘로 날아가는 '나비'와 '나방'은 높은 벼슬에 올라 포부를 펼치라는 뜻을 담고 있다. 한편, 갑(甲)은 과거 시험의 장원급제를 표현하는 말이기도 하여, 딱딱한 껍데기가 있어 갑충(甲蟲)이라 불리는 '무당벌레'를 통해 장원급제에 대한 바람을 드러낸다.

(1) 많은 자손이 생기기 바란다. (   ) (2) 높은 지위에 오르기 바란다. (   )

(3) 장원급제해 임금께 충성하라. (   ) (4) 오래오래 건강하게 장수하라. (   )

3 ⓐ와 같이 말한 까닭은 무엇인가요? (   )

① 동양화는 교훈을 주기 위한 목적으로 그려지기 때문이다.
② 동양화에는 화가가 쓴 글도 그림과 함께 들어 있기 때문이다.
③ 동양화는 회화적 요소보다 문자적 의미를 중요시하기 때문이다.
④ 동양화는 대상을 사실적으로 표현하는 데 중점을 두기 때문이다.
⑤ 동양화에는 화가보다는 감상자의 관점에 맞는 소재가 사용되기 때문이다.

4 ⊙~ⓒ과 관련지어 다음의 옛 그림을 감상하는 방법으로 알맞은 것에 ○표 하세요.

> ㉮ 석류 속에는 알이 많이 들어 있기 때문에 석류가 그려진 그림은 자식을 많이 낳으라는 뜻을 나타내었다.
> ㉯ 해오라기 사(鷺)의 음은 사(思)와 같아서 아홉 마리의 해오라기가 그려진 그림을 구사도(九思圖)라고 했는데, 이는 공자가 ≪논어≫에서 말한 군자가 항상 지켜야 할 아홉 가지 덕목을 그림으로 표현한 것이다.
> ㉰ '털의 빛깔이 흰 사슴'을 '백록(白鹿)'이라고 하는데, 이는 '온갖 복(福), 또는 많은 복록(福祿)'을 뜻하는 '백록(百祿)'과 발음이 같아, 흰 사슴이 그려진 그림은 온갖 복이 함께 하길 원한다는 뜻을 나타내었다.

(1) ㉮는 ⊙의 방법을 활용하여 그림에 담긴 의도를 파악하며 감상한다.   (   )
(2) ㉯는 ⊙과 ⓒ의 방법을 함께 활용하여 그림의 의미를 파악하며 감상한다.

(   )
(3) ㉰는 ⊙과 ⓒ의 방법을 활용하여 소재의 의미를 파악하며 감상한다.   (   )

5 빈칸에 알맞은 말을 넣어 이 글의 핵심 내용을 한 문장으로 요약하세요.

한줄
요약

동양화에 담긴 문자적 의미를 파악하며 감상하는 방법으로는 같은 [   ]의 다른

한자로 바꾸어 읽는 방법, 소재 자체의 [   ]적 의미를 읽는 방법, 그림과 관련된

[   ]의 글귀를 떠올리며 읽는 방법 등이 있다.

지문 속 필수 어휘

다음 문장을 읽고, (　　) 안에 공통으로 들어갈 낱말을 완성하세요.

❶
- 그들은 하나의 사물을 다른 (　　　)으로 바라보았다.
- 도덕적 (　　　)에서 보면 그의 행동은 칭찬받을 만하다.

｜ㄱ｜점｜

❷
- 이 문제는 뾰족한 해결 (　　　)이 없다.
- 버려진 박스를 다시 활용할 (　　　)을 찾아보자.

｜방｜ㅂ｜

❸
- 속세를 떠나 깊은 산속에서 (　　　)을 하려고 한다.
- 그는 집에서 나오지 않으며 (　　　)에 가까운 생활을 했다.

｜ㅇ｜둔｜

❹
- (　　　)을 잘해야 사람들에게 사랑받는다.
- 이런 때일수록 눈치껏 (　　　)을 해야 곤란을 겪지 않는다.

｜처｜ㅅ｜

다음 문장을 읽고, 두 낱말 중 알맞은 것을 찾아 ○표 하세요.

❺ 날씨가 ［ 맑든 흐리든 / 맑던 흐리던 ］ 상관하지 않고 여행을 갈 것이다.

❻ 부모는 자식이 행복하기를 항상 ［ 바라고 / 바래고 ］ 있다.

❼ 지금 이 문제는 ［ 단순히 / 단순이 ］ 넘길 문제가 아니다.

미세 먼지 마스크의 원리 ─

⏱**10**분 안에 풀어보세요.

이제 미세 먼지는 계절에 관계없이 우리의 건강을 위협하는 무서운 적이 되었다. 실내에서라면 외부 공기를 ㉠차단하거나 공기 청정기를 사용할 수 있지만, 외출해야 한다면 아직까지는 미세 먼지 마스크 외에 별다른 방지 대책이 없다.

미세 먼지 마스크는 주로 부직포와 같은 재질로 ㉡제작된다. 일반 섬유는 섬유의 짜임새가 직각으로 ㉢교차되어 있지만, 미세 먼지 마스크를 만드는 섬유는 짜임새가 무질서하게 얽혀 있다. 따라서 일반 섬유의 짜임새보다 틈이 더 작아 일반 마스크가 걸러 낼 수 없는 아주 작은 크기의 먼지까지 걸러 낼 수 있다.

하지만 미세 먼지 마스크의 핵심 기술은 역시 정전기를 활용한 필터에 있다. 정전기는 말 그대로 정지 상태에 있는, 멈춰 있는 전기이다. 전기가 멈춰 있으므로 평소에는 전기를 느낄 수 없지만, 물체가 닿게 되면 전기가 통하면서 그 물체를 끌어당기게 된다. 미세 먼지 마스크에는 이런 정전기를 섬유 조직에 입힌 정전 필터가 사용되는데, 이 정전 필터의 정전기가 미세 먼지를 붙잡아 섬유 조직에 붙임으로써 미세 먼지가 코나 입으로 들어가는 것을 막는다. 따라서 정전 필터를 만들 때에는 정전기를 ㉣균일하게 섬유 조직에 입히고, 안정적으로 오래 유지하는 것이 중요하다.

미세 먼지 마스크에는 'KF80', 'KF94', 'KF99' 등의 표시가 되어 있는데, 여기서 KF는 '한국 필터(Korea Filter)'를 뜻한다. KF80은 평균 지름이 $0.6\mu m$(마이크로미터)인 크기의 입자를 80% 이상, KF94와 KF99는 평균 지름이 $0.4\mu m$인 크기의 입자를 각각 94%, 99% 이상 걸러 낼 수 있음을 뜻하는 식품의약품안전처의 인증 표시이다.

하지만 이런 미세 먼지 마스크라도 하루 정도 사용한 후에는 ㉤폐기해야 한다. 필터에 미세 먼지가 많이 붙을수록 호흡이 어려워져서 마스크의 성능이 떨어지기 때문이다. 또 세척해서 쓰는 것도 좋지 않다. 마스크가 물에 젖으면 필터 안쪽 부분의 정전기가 모두 사라지고 섬유의 짜임새도 무너져서 마스크가 제 기능을 하지 못하게 되기 때문이다.

● **필터**
액체나 기체 속의 이물질을 걸러 내는 장치.

● **재질**(材재목 재, 質바탕 질)
재료가 가지는 성질.

● **입자**(粒낟알 립, 子아들 자)
물질을 구성하는 미세한 크기의 물체. 소립자, 원자, 분자, 콜로이드 따위를 이름.

1 '미세 먼지 마스크'에 대한 설명으로 알맞지 <u>않은</u> 것은 무엇인가요? (   )

① 주로 실외에서 사용한다.
② 정전기를 이용한 필터가 사용된다.
③ 미세 먼지를 차단하는 역할을 한다.
④ 짜임새가 직각으로 얽혀 있는 섬유로 만든다.
⑤ 미세 먼지가 많이 붙을수록 성능이 떨어진다.

2 '정전 필터'에 대해 다음과 같이 표현할 때 빈칸에 들어갈 알맞은 말은 무엇인가요?

(   )

> 정전 필터는 (   )와/과 같은 존재이다.

① 목적지를 알려 주는 이정표   ② 진행 방향을 바꾸는 반환점
③ 외부의 침입을 막는 보호막   ④ 무엇이든 빨아들이는 블랙홀
⑤ 원하는 곳에 빨리 가는 지름길

3 다음은 '미세 먼지 마스크'의 구조입니다. 이 중 정전기를 이용해 미세 먼지를 붙잡아 두는 곳은 어디인가요? (   )

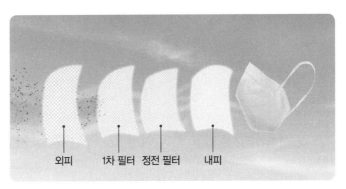

외피   1차 필터   정전 필터   내피

① 외피   ② 1차 필터   ③ 정전 필터
④ 내피   ⑤ 입에 닿는 마스크 부분

4 '미세 먼지 마스크'를 올바르게 사용한 사람의 이름을 쓰세요.

> • 성우: 미세 먼지 마스크는 너무 비싸. 그래서 나는 한 번 사용한 미세 먼지 마스크를 빨아서 다시 사용해.
> • 지연: 일반 마스크나 미세 먼지 마스크나 모양은 비슷해. 그래서 나는 일반 마스크를 미세 먼지 마스크로 사용해.
> • 호준: 미세 먼지 마스크를 오래 사용하면 숨쉬기 힘들어지더라고. 그래서 나는 매일 새로운 미세 먼지 마스크를 착용해.
> • 민서: 미세 먼지 마스크라도 불편하면 안 되잖아. 그래서 나는 오래 착용해서 내 얼굴에 익숙해진 미세 먼지 마스크만 사용해.

(   )

5 ⊙~⊚과 대응되는 것으로 알맞지 <u>않은</u> 것은 무엇인가요? (   )

① ⊙: 막거나   ② ⓛ: 만들어진다

③ ⓒ: 엇갈려   ④ ⓔ: 바르게

⑤ ⓜ: 버려야

6 빈칸에 알맞은 말을 넣어 이 글의 핵심 내용을 한 문장으로 요약하세요.
<한줄요약>

미세 먼지를 막는 미세 먼지 마스크는 [| |]를 이용한 필터를 사용하여 만들며, 이 필터가 성능을 유지할 수 있는 기간인 [|] 정도만 사용하는 것이 좋다.

지문 속 필수 어휘

낱말의 뜻을 참고하여, 다음 문장의 빈칸에 들어갈 알맞은 낱말을 완성하세요.

❶ 지구 온난화 | ㅂ | ㅈ | 를 위해 세계 여러 나라들이 노력하고 있다.

　　　　어떤 일이나 현상이 일어나지 못하게 막음.

❷ 우리나라 체조 선수가 | 안 | ㅈ | ㅈ | 으로 착지하여 높은 점수를 받았다.

　　　　바뀌어 달라지지 아니하고 일정한 상태를 유지하게 되는. 또는 그런 것.

❸ 아버지께서 저녁 식사 때 썼던 그릇들을 모아 | 세 | ㅊ | 하셨다.

　　　　깨끗이 씻음.

문제 속 개념어

고유어와 한자어의 대응 對 대할 대, 應 응할 응

우리말에는 한자어가 많습니다. 이런 한자어 중에는 고유어와 비슷한 뜻을 가지고 있어서
서로 바꾸어 쓸 수 있는 것도 많습니다. 이것을 고유어와 한자어의 대응이라고 하는데, 고유
어 하나에 한자어 여러 개가 대응하는 것이 일반적입니다.

고치다	① 못된 버릇을 고쳤다. → 교정하다	② 행사 계획을 고치다. → 변경하다
	③ 해진 구두를 고치다. → 수리하다	④ 낡은 제도를 고치다. → 개혁하다

밑줄 친 '가다'와 바꾸어 쓸 수 있는 말을 찾아 쓰세요.

이동하다	작동하다	발생하다	입학하다

❹ 벽에 걸린 시계가 잘 <u>간다</u>.　　　　　　　　　　(　　　　　　)

❺ 나는 집에서 나와 정류장으로 <u>갔다</u>.　　　　　　(　　　　　　)

❻ 유치원에 다니는 동생은 곧 초등학교에 <u>간다</u>.　(　　　　　　)

❼ 손해가 <u>가는</u> 장사를 하려고 하는 사람은 없다.　(　　　　　　)

비행기가 나는 원리

어휘 수준 ★★★★★
글감 수준 ★★★★★
글의 길이 1,011자

하 중 상

가 하늘을 나는 것에 대한 인간의 욕망은 오랜 시간 전부터 시작되었고 현대에는 어렵지 않게 비행기를 타고 세계 곳곳을 누빌 수 있게 되었다. 이처럼 인간의 오랜 소망을 가능하게 해 준 비행기는 어떠한 원리로 나는 것일까? 비행기가 나는 원리를 이해하기 위해서는 '양력, 중력, 항력, 추진력'에 대해 알아야 한다.

나 '양력'이란 유체 속을 운동하는 물체에 운동 방향과 수직 방향으로 작용하는 힘을 가리킨다. 비행기의 날개를 살펴보면 위는 볼록하고 아래는 평평한데, 이 날개 모양을 따라 공기가 흐르면서 날개의 위아래에 압력의 차이가 생긴다. 날개의 위아래에 있는 유체의 속도가 변화하기 때문이다. 이때 생기는 힘인 양력은 비행기를 위로 띄우는 데에 중요한 역할을 한다.

다 '중력'은 지구가 물체를 지구 중심 방향으로 끌어당기는 힘을 가리키는데, 비행기 역시 중력의 영향을 받는다. 양력과 중력은 서로 반대 방향으로 작용하는데, 이 때문에 양력의 크기와 중력의 크기를 비교하여 양력이 더 크면 비행기가 위로 올라가게 되고, 중력이 더 크면 비행기가 내려오게 되며, 둘이 같으면 수평 비행을 할 수 있게 된다.

라 한편, '항력'은 비행기의 비행을 방해하는 힘을 가리킨다. 양력을 위해 비행기 몸체에 날개를 만들면 그에 따라 부딪히는 공기의 저항은 더 커지게 된다. 그 공기의 저항이 바로 항력이다. 그래서 비행기를 만드는 사람은 날개를 만들 때 항력의 최소화를 고민한다. 비행기의 날개 윗부분이 곡선인 이유는 이러한 항력을 최소화하기 위한 방법이라고 볼 수 있다.

마 '추진력'은 엔진 등의 동력에 의해 나아가는 힘을 가리킨다. 추진력은 항력 때문에 나아가지 못하는 비행기를 앞으로 나아갈 수 있게 만들어 준다. 비행하기 전의 비행기에는 양력이 거의 없기 때문에 비행 전에는 오로지 추진력만으로 비행기를 움직여야 한다.

바 비행기를 띄우는 주된 힘은 분명히 양력이다. 하지만 양력의 힘만으로는 비행기가 뜨는 이유를 설명할 수 없다. 즉 네 가지 힘이 복합적으로 상호 작용하면서 비행기가 높은 하늘을 비행할 수 있게 되는 것이다.

● **유체**(流흐를 류, 體몸 체)
기체와 액체를 아울러 이르는 말.

● **동력**(動움직일 동, 力힘 력)
어떠한 물체를 움직이게 하는 힘.

1 가~바의 표현 방식으로 적절하지 <u>않은</u> 것은 무엇인가요? (   )

① 가는 의문형 문장을 통해 글쓴이의 추측을 드러내고 있다.

② 나는 원인과 결과의 관계를 통해 원리를 설명하고 있다.

③ 다는 두 대상을 비교하면서 나타나는 현상에 대해 설명하고 있다.

④ 나~마에는 대상의 의미를 설명하는 문장이 드러나고 있다.

⑤ 바는 나~마에 드러난 요소들이 상호작용하여 나타나는 현상에 대해 설명하고 있다.

2 이 글의 내용으로 알맞지 <u>않은</u> 것은 무엇인가요? (   )

① 양력과 중력이 같으면 비행기는 수평 비행을 한다.

② 비행기 몸체에 날개를 더하면 그만큼 항력이 더 커진다.

③ 추진력은 항력에 더해져 비행기를 나아갈 수 있게 한다.

④ 비행기 날개의 위아래 유체의 속도가 변화하면 압력의 차이가 생긴다.

⑤ 비행기 날개의 위아래 모양이 다르기 때문에 유체의 속도가 변화한다.

3 보기 는 나에 대한 설명입니다. 이 글과 〈보기〉를 읽고 생각한 내용으로 알맞으면 ○, 알맞지 않으면 ×표 하세요.

> 보기
>
> '베르누이의 원리'란 유체의 속도가 빨라지면 압력이 낮아지고, 속도가 늦어지면 압력이 높아진다는 것이다. 비행기 날개의 윗부분은 유체의 속도가 빠르고, 비행기 날개의 아랫부분은 유체의 속도가 느리다.

(1) 비행기에 양력이 작용하는 이유는 날개의 윗부분은 압력이 낮고, 아랫부분은 압력이 높기 때문이다.   (   )

(2) 비행기의 양력은 비행기의 날개 모양에 영향을 받지 않는다.   (   )

4 다음 A~D는 이 글에 나오는 힘 중 어떤 힘을 가리키는지 쓰세요.

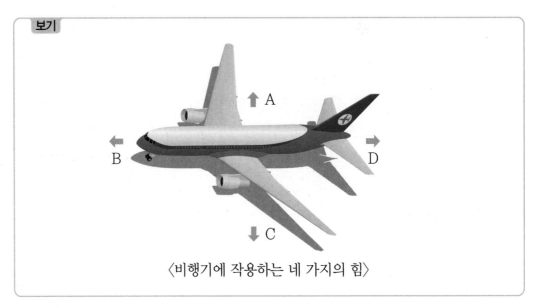

〈비행기에 작용하는 네 가지의 힘〉

(1) A: (2) B:

(3) C: (4) D:

5 ▨의 내용과 일치하면 ○, 일치하지 않으면 ×표 하세요.

(1) 추진력은 비행기의 비행 전에만 영향을 미치는 힘이다.   (   )

(2) 비행기가 정지해 있을 때는 운동하는 상태가 아니므로 작용하는 양력이 없다.

(   )

한줄
요약

6 빈칸에 알맞은 말을 넣어 이 글의 핵심 내용을 한 문장으로 요약하세요.

☐력, ☐력, ☐력, ☐☐력의 복합적 상호 작용을 통해 비행기는 날 수

있다.

지문 속 필수 어휘

다음 문장을 읽고, (　　) 안에 공통으로 들어갈 낱말을 완성하세요.

❶
- 그의 눈빛은 (　　　)으로 활활 불타올랐다.
- 그는 성공하려는 (　　　)이 너무 커서 문제이다.

욕	ㅁ

❷
- 수학은 (　　　)를 알아야 쉽게 풀 수 있다.
- 지금부터 로봇이 움직이는 (　　　)를 알아보자.

ㅇ	리

❸
- 멈춰라! (　　　)하면 쏜다!
- 적군이 끈질기게 (　　　)하고 있어 우리 군의 피해가 크다.

저	ㅎ

❹
- 인터넷의 발달은 사용자 사이의 (　　　)을 증가시켰다.
- 아이와 엄마의 (　　　)은 아이의 정서 발달에 중요하다.

ㅅ	ㅎ
작	용

다음 문장을 읽고, 두 낱말 중 알맞은 것을 찾아 ○표 하세요.

❺ ⎡ 오랫 / 오랜 ⎤ 가뭄 끝에 비가 내렸다.

❻ 시곗바늘이 이미 한 시를 ⎡ 가르치고 / 가리키고 ⎤ 있었다.

❼ 당근의 ⎡ 윗부분 / 위부분 ⎤ 은 잘라내야 한다.

❽ 강물에 배를 ⎡ 띠워라 / 띄워라 ⎤.

사람을 대신한다, 언택트 기술

어휘 수준 ★★★★★ (하 중 상)
글감 수준 ★★★★★
글의 길이 1,013자

본격 독해 훈련

10분 안에 풀어보세요.

가 현대인의 소비 방식이 나날이 달라지고 있다. 이전에는 소비를 위해 사람과 사람이 얼굴을 마주하는 '대면'이 필요했다면 이제는 굳이 얼굴을 마주하지 않고도 소비가 이루어지고 있다. 인공 지능, 로봇, 사물 인터넷(IoT), 빅 데이터 등과 같은 기술들이 여러 소비 방식에 적용되면서 사람 대 사람이라는 기존의 방식이 완전히 바뀌고 있는 것이다. 사람이 없는 서비스 즉, '무인(無人) 서비스'가 새로운 소비 방식으로 떠오르고 있으며, '㉠언택트(Un-tact) 기술'이라는 신조어가 등장했다.

나 '언택트 기술'이란 사람과 사람의 접촉을 뜻하는 '컨택트(Contact)'라는 단어에 그러한 접촉을 지운다는 의미인 'Un-'이 합쳐진 것으로, 무인 서비스 기술을 포함하는 개념이다. 공급자나 서비스 제공자가 소비자와 만나는 것을 대신하는 기술이 생활 곳곳에 확산되는 현상을 의미하는 '언택트'는 간단히 말해 현대인에게 사람의 도움을 대신해 주는 기술이다.

다 요즈음에는 햄버거를 주문할 때에도 직원과 얼굴을 마주하지 않아도 된다. 유명 프랜차이즈 패스트푸드점에 가 보면, 직원을 찾는 대신 자동화 기계를 통해 주문부터 결제까지 가능하다. 드론 등의 기계를 통한 무인 배달 시스템 역시 점차 상용화되고 있다. 이런 것들이 모두 언택트 기술인 것이다.

라 그렇다면 오늘날 언택트 기술이 이렇게 주목받는 이유는 무엇일까? 첫 번째는 비용을 아낄 수 있다는 점이다. 사람 대신 기계를 활용함으로써 기업 입장에서는 인건비를 아낄 수 있다. 두 번째는 풍부한 정보를 쉽게 얻을 수 있다는 점이다. 대면 서비스에서 소비자가 사람을 통해 얻을 수 있는 정보는 한정적이지만 오늘날에는 스마트폰을 활용하여 언제든 손쉽게 풍부한 정보를 얻을 수 있기 때문이다. 마지막은 사람을 마주하면서 느끼는 피로감을 덜 수 있다는 점이다. 오늘날 소셜네트워크시스템(SNS) 등을 통해 대면하지 않고도 타인과 쉽게 연결될 수 있는 현대인들은 직접 대면해야 하는 인간관계에 피로감을 느끼고 있다. 따라서 언택트 기술은 현대인에게 더욱 매력적으로 다가올 수밖에 없다.

● **상용**(常항상 상, 用쓸 용)
일상적으로 씀.

정답과 해설 23쪽

1 이 글에 나타난 글쓰기 방식으로 적절한 것은 무엇인가요? (   )

① 단계적인 순서에 따라 대상의 한계점을 지적하고 있다.

② 전문가의 견해를 인용하여 주장에 신뢰성을 높이고 있다.

③ 핵심 개념의 의미를 제시하여 독자의 이해를 돕고 있다.

④ 대상을 기준에 따라 구분하고, 그 특성을 설명하고 있다.

⑤ 고정 관념을 벗어나 대상을 새롭게 바라보고 있다.

+ 수능연결

'전문가'란 학자 또는 연구관처럼 어떤 분야에 상당한 지식과 경험을 가진 사람을 말합니다. "해양 생물학 교수는 랍스터와 같은 갑각류도 고통을 느낀다는 연구 결과를 발표했다."와 같이 전문적인 지식을 가지고 있는 사람의 주장을 인용하면 글의 신뢰성을 높이는 효과가 있습니다.

> 하지만 오히려 이로 인해 수동적인 역할에 머물렀던 감상자가 작품 해석에 능동적으로 참여하게 되고, 작품 역시 다양한 해석의 가능성이 열리게 되었다.

21. 윗글의 서술 방식으로 가장 적절한 것은?

① 통시적 관□□□□□□고 있다.

② 상반된 견□□□□□□□□

③ 전문가의 견해를 인용하여 대상의 특성을 설□

④ 질문을 던짐으로써 대상에 대한 독자의 관심□

⑤ 객관적 자료를 활용하여 대상과 관련한 이론□

전문가의 견해를 인용

수능에는 글쓴이가 전문가의 견해를 인용하여 어떤 효과를 거두고 있는지 이해하는 문제가 나와요.

2 가 ~ 라 에서 다룬 내용으로 적절하지 <u>않은</u> 것은 무엇인가요? (   )

① 가 : 언택트 기술이라는 신조어의 등장 배경

② 나 : 언택트 기술의 개념

③ 다 : 언택트 기술의 사례

④ 라 : 언택트 기술이 주목받는 이유

⑤ 라 : 언택트 기술의 장점과 단점

3 이 글의 내용과 일치하면 ○, 일치하지 않으면 ×표 하세요.

(1) 현대의 소비 방식이 과거와 달라지고 있다. ( )

(2) 현대인들은 대면해야 하는 인간관계에 피로감을 느끼고 있다. ( )

(3) 언택트 기술은 빠른 구매를 통해 소비자에게 즉각적인 만족을 제공한다. ( )

4 ㉠에 대해 추론한 내용으로 알맞지 <u>않은</u> 것은 무엇인가요? ( )

① ㉠은 대면 서비스를 대신하는 기술이라고 할 수 있다.

② ㉠이 발달해도 소비자와 공급자의 대면은 피할 수 없을 것이다.

③ 기업 입장에서는 ㉠을 통해서 인건비를 아낄 수 있을 것이다.

④ ㉠의 발달은 현대인들이 대면에서 느끼는 피로감을 줄여 줄 수 있을 것이다.

⑤ ㉠을 선호하는 것으로 보아 오늘날 소비자는 정보에 대한 접근성을 중시함을 알 수 있다.

한줄
요약

5 빈칸에 알맞은 말을 넣어 이 글의 핵심 내용을 한 문장으로 요약하세요.

현대인의 새로운 소비 방식으로 주목받고 있는 ☐☐☐ ☐☐은 사람의

☐☐을 대신해 주어 비용 절감, 정보에 대한 높은 접근성, 대면에 대한 피로감을

감소시키는 장점이 있다.

지문 속 필수 어휘

낱말의 뜻을 참고하여, 다음 문장의 빈칸에 들어갈 알맞은 낱말을 완성하세요.

❶ 이 게임은 오류가 있으므로 더 이상 피해가 ㅎ 산 되지 않게 조치를 취해야 합니다.

흩어져 널리 퍼짐.

❷ 스마트폰이 사람들에게 상 ㅇ 화되면서 사람들의 일상생활 중 많은 부분에 변화가 생겨났다.

일상적으로 씀.

❸ 나는 사람들로부터 ㅈ ㅁ 을 받는 것이 두렵다.

관심을 가지고 주의 깊게 살핌. 또는 그 시선.

❹ 휴대폰이 인터넷에 ㅇ ㄱ 되어 있으면 언제든 필요한 정보를 손쉽게 찾을 수 있다.

사물과 사물, 또는 현상과 현상이 서로 이어지거나 관계를 맺음.

❺ 빠르게 변화하는 사회의 모습을 표현하기 위한 ㅅ ㅈ ㅇ 가 늘어나고 있다.

새로 생긴 말

다음 문장을 읽고, 두 낱말 중 알맞은 것을 찾아 ○표 하세요.

❻ 물건값을 [결재 / 결제] 할 때에는 금액을 꼼꼼히 확인하는 습관을 들여야 한다.

❼ 이유는 알 수 없지만 그는 이웃과의 [접촉 / 접속] 을 꺼리는 것 같아 보인다.

❽ 공장을 기계화하면서 [인껀비 / 인건비] 를 대폭 줄일 수 있었다.

인체를 이용한 식별 기술 ——

어휘 수준 ★★★★☆
글감 수준 ★★★★☆
글의 길이 1,001자

⏱ **10**분 안에 풀어보세요.

얼굴 인식을 통해 휴대 전화의 잠금 장치를 해제해 본 적이 있나요? 이렇게 사람의 몸 일부분을 이용해 그 사람이 누구인지 파악하는 기술을 '인체 식별 기술'이라고 합니다. 이 기술이 가능한 이유는 사람마다 다른 사람과 구별되는 특징이 있기 때문입니다. 인체 식별 기술 중에 널리 쓰이는 것으로 지문 인식 기술, 정맥 인식 기술, 홍채 인식 기술 등이 있습니다.

지문 인식 기술은 사람의 손가락에 있는 지문을 이용한 인식 기술입니다. 주민등록증 뒷면에서 볼 수 있는 엄지손가락의 지문처럼, 지문은 오랫동안 신분을 증명하는 수단으로 사용되어 왔습니다. 촬영된 지문은 잡티 등을 제거한 다음 얇은 선으로 만들고, 곡선의 모양을 데이터로 저장하여 활용합니다. 하지만 지문이 닳아 없어진 상태가 되거나 땀이 흐르는 채로 지문 인식을 시도하면 오류가 발생할 확률이 높습니다.

정맥 인식 기술은 손등이나 손목에 있는 혈관 모양을 이용한 인식 기술입니다. 정맥 인식 시스템은 인증 장치 아래에 손등을 갖다 대면 적외선 카메라가 사람마다 다른 손등 정맥의 혈관 모양을 촬영하여 데이터를 확보한 다음 저장한 내용과 비교하는 방식으로 작동합니다.

홍채 인식 기술은 사람의 눈에서 중앙의 검은 눈동자를 둘러싸고 있는 홍채의 무늬를 이용해 본인을 구별하는 기술입니다. 눈을 보면 제일 가운데에 눈동자가, 그 둘레에 인종마다 조금씩 다른 색을 띠는 홍채가 있고, 그 바깥에

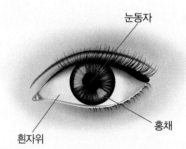

눈동자
홍채
흰자위

는 흰자위가 있습니다. 색소가 들어 있는 얇은 막인 홍채는 눈동자의 크기를 조절하는 근육으로 구성되어 있는데, 이 근육이 오그라들거나 느슨해지면서 눈동자가 커지거나 작아져 밖에서 눈으로 들어오는 빛의 양이 조절됩니다. 매체에 따르면 한 사람의 홍채에는 266개의 측정 가능한 고유의 특징이 있다고 합니다. 같은 사람이라도 좌우 홍채의 형태가 다르고, 일란성 쌍둥이의 경우라도 서로 다른 특징을 지니며, 특별한 상처가 나지 않는 한 평생 동안 그 형태가 쉽게 변하지 않습니다. 그래서 ㉠홍채 인식 기술은 지문이나 얼굴 인식보다 신뢰성이 높다고 평가받고 있습니다.

● **혈관**(血피 혈, 管대롱 관)
혈액이 흐르는 관 동맥, 정맥,
모세 혈관으로 나눔.

● **고유**(固굳을 고, 有있을 유)
본래부터 가지고 있는 특유한 것

1 이 글에서 설명하지 <u>않은</u> 내용은 무엇인가요? (   )

① 인체 식별 기술의 의미
② 인체 식별 기술의 종류
③ 지문 인식 기술의 단점
④ 홍채 인식 기술의 단점
⑤ 정맥 인식 시스템의 작동 방법

2 이 글을 읽고 알 수 있는 내용이 <u>아닌</u> 것은 무엇인가요? (   )

① 휴대 전화의 잠금 장치에도 인체 식별 기술이 사용된다.
② 지문 인식 기술은 엄지손가락 지문의 곡선 모양을 데이터로 저장한다.
③ 정맥 인식 기술은 지문 인식 기술보다 신뢰성이 높아 더 다양하게 쓰인다.
④ 정맥 인식 기술은 손등의 정맥 모양을 적외선 카메라로 촬영하여 인식한다.
⑤ 지문 인식 기술은 오래전부터 식별의 수단으로 사용해 오던 지문을 활용한 것이다.

3 ㉠의 근거로 들기에 적절하지 <u>않은</u> 것은 무엇인가요? (   )

① 동일인의 경우에도 좌우 홍채의 패턴이 다르다.
② 일란성 쌍둥이의 경우라도 서로 다른 특징을 지닌다.
③ 특별한 외상이 없는 한 평생 동안 형태가 변하지 않는다.
④ 한 사람의 홍채에는 측정 가능한 고유의 특징이 266개나 된다.
⑤ 홍채가 오그라들거나 느슨해지면서 눈으로 들어오는 빛의 양이 조절된다.

4 지문 인식 시스템에 오류가 발생하는 원인으로 알맞은 것은 무엇인가요? (　　　)

① 가짜 지문을 만들어내기 쉽기 때문이다.
② 인종마다 그 형태와 특성이 다르기 때문이다.
③ 땀이나 이물질이 묻었을 경우 식별이 어렵기 때문이다.
④ 지문의 곡선이 줄어들거나 늘어나는 것이 영향을 끼치기 때문이다.
⑤ 사람마다 지문 곡선의 갈라진 점이나 이어진 점, 끝점 등이 다르기 때문이다.

5 ⓐ~ⓒ에 대한 설명으로 옳지 <u>않은</u> 것은 무엇인가요? (　　　)

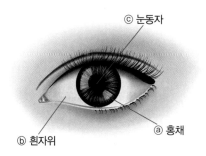

ⓒ 눈동자
ⓑ 흰자위
ⓐ 홍채

① ⓐ는 색소가 들어 있는 얇은 막이다.
② ⓐ는 사람마다 다르며 쉽게 변하지 않는다.
③ ⓒ는 눈의 제일 가운데에 있는 검은색 부분이다.
④ ⓑ는 인종마다 다른 색을 띤다.
⑤ ⓐ는 오그라들거나 느슨해지면서 ⓒ의 크기를 조절한다.

6 한줄 요약

빈칸에 알맞은 말을 넣어 이 글의 핵심 내용을 한 문장으로 요약하세요.

인체를 활용한 식별 기술은 □□ 인식 기술, □□ 인식 기술, □□ 인식 기술 세 가지가 있으며, 다른 사람과 구별되는 개인의 고유한 특징을 바탕으로 한다.

지문 속 필수 어휘

낱말의 뜻을 참고하여, 다음 문장의 빈칸에 들어갈 알맞은 낱말을 완성하세요.

❶ 그들의 행동이 잘못되었다는 것을 ⟨ㅇ ㅅ⟩하고 반성하기 시작했다.
사물을 분별하고 판단하여 아는 일.

❷ ⟨ㅅ ㄷ⟩과 방법을 가리지 말고 그 일을 꼭 해내야 한다.
목적한 바를 이루기 위한 방법.

❸ 이번 발명은 국내에서 최초로 ⟨ㅅ ㄷ⟩되었다.
어떤 것을 이루어 보려고 계획하거나 행동함.

다음 문장을 읽고, (   ) 안에 공통으로 들어갈 낱말을 완성하세요.

❹
- 컴퓨터 프로그램에 (   )가 발생하였다.
- 친구는 자신의 (   )를 인정하지 않고 막무가내로 우기고 있다.

⟨ㅇ ㄹ⟩

❺
- 운영자가 (   )해 주지 않으면 회원으로 가입할 수 없다.
- 공식 기관에서 (   )을 받은 기업 제품이 쓸 만하다.

⟨ㅇ ㅈ⟩

❻
- 가격 경쟁력을 (   )해야 살아남을 수 있다.
- 도서관에서 자료를 충분히 (   )할 수 있었다.

⟨ㅎ ㅂ⟩

❼
- 한강의 오염도를 (   )하였다.
- 간호사는 온도계로 체온을 (   )하였다.

⟨ㅊ ㅈ⟩

배경지식, 독일까 약일까

배경지식이란 우리가 어떤 일을 할 때, 이미 머릿속으로 알고 있는 지식을 말합니다.
흔히 배경지식이 많으면 독해를 잘할 수 있다고 하지요.

예를 들어 여러분이 갯벌에 관한 글을 읽는다고 생각해 보세요.
시커먼 진흙 위를 걸을 때마다 발이 쑥쑥 빠지는 갯벌의 모습이 떠오르지 않나요.
그런데 여러분은 실제로 갯벌에 가 본 적이 있나요?
물론 가 본 친구도 있지만 안 가 본 친구도 있을 거예요.
그런데 갯벌의 모습은 어떻게 알았나요?
아마 텔레비전에서 갯벌이 나오는 모습을 보았거나 책에서 갯벌 사진을 보았을 거예요.
이미 갯벌에 대한 정보를 알고 있기 때문에 갯벌에 대한 글을 쉽게 이해할 수 있는 거예요.
이렇게 글을 읽을 때 여러분들이 이미 알고 있는 정보
즉, 배경지식을 활용하면 내용을 이해하는 데 큰 도움이 돼요.

그래서 독해를 할 때 배경지식이 많으면 좋다고 합니다.

자, 그렇다면 배경지식은 독해에 도움만 될까요?

아니죠~. **배경지식은 때로 독해에 독이 되기도 합니다.**

• 다음 선분 세 개 중에 어떤 것이 가장 길어보이나요?

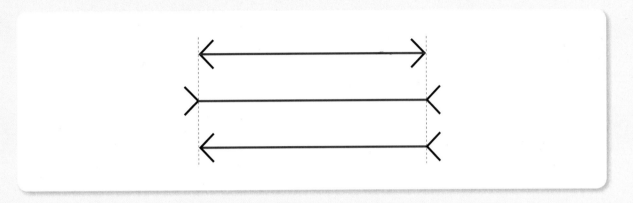

아마도 가운데에 있는 선분이 가장 길어 보일 것입니다.

하지만 실제로 재 보면 저 선분들의 길이는 모두 같습니다.

무엇이 여러분을 헷갈리게 만들었나요?

바로 선분 양 끝에 있는 검정색 화살표입니다. 안쪽을 향해 있는 검정색 화살표(> <)는 선분이 더 길어 보이게 하고, 바깥쪽을 향해 있는 화살표(< >)는 선분이 짧아 보이게 합니다.

배경지식은 때로 선분 양끝에 있는 검정색 화살표처럼 여러분을 헷갈리게 만듭니다.

독해란 자로 직접 선분의 길이를 재 보는 것처럼, 글에 나와 있는 내용을 있는 그대로 이해하는 것입니다.

배경지식을 활용하면 검정색 화살표 때문에 실제 선분의 길이가 다 다르다고 착각한 것처럼, 실제 글에 나와 있는 내용을 오해할 우려가 있습니다.

이런 함정에 빠지지 않으려면 답을 고를 때 글의 내용을 하나하나 확인해 봐야 합니다.

이렇듯 배경지식은 독해에 약이 되기도 하고 독이 되기도 합니다.

> **"**글을 읽을 때는 갯벌의 모습을 상상하듯 배경지식을 활용하고,
> 답을 고를 때는 선분의 실제 길이를 재 보듯
> 글의 내용을 정확히 확인해야 한다는 사실을 꼭 기억하세요!**"**

영어 조기 교육, 바람직할까

10분 안에 풀어보세요.

어휘 수준 ★★★★★
글감 수준 ★★★★★
글의 길이 1,092자

조기 교육이란 대체로 3~4세 아동을 대상으로 유아의 지적 잠재력을 이른 시기에 개발하거나 훈련하는 것을 말한다. 요즘에는 첫돌부터 영어책을 읽어 주고, 3~4세부터 영어 조기 교육을 본격적으로 시키려는 부모들이 늘고 있다. 과연 이러한 영어 조기 교육은 바람직할까?

[A]
유아를 대상으로 언어 프로그램을 연구하고 있는 이○○ 교수는 외국어는 어릴 때 시작할수록 모국어에 가깝게 구사할 수 있다고 주장한다. 인간이 충분히 듣고 말할 수 있게 하는 '두뇌 기반 학습'이 2~3세에 활성화되기 때문이다. 오랜 세월 타지역을 떠돌던 유대인들은 대부분 현재 살고 있는 곳의 언어와 자신들의 언어인 히브리어까지 두 개의 언어를 구사할 수 있다고 한다. 유대인 부모들은 아이가 2세가 되는 시기부터 히브리어를 본격적으로 가르치는데, 그 방식은 아이가 잠자기 전 히브리어로 된 책을 읽어 주거나, 식사할 때 히브리어로 기도를 하며 자연스럽게 생활 전반에 히브리어가 스며들게 하는 것이다. 이는 바람직한 언어 조기 교육의 대표적인 예라고 볼 수 있다.

[B]
반면, 우○○ 교수는 외국어는 만 6세 이후인 초등학교 때 배우는 것이 가장 효과적이라고 주장한다. 그는 영어 유치원을 다닌 어린이들과 사교육 없이 공동 육아 시설을 다닌 어린이들을 대상으로 창의력을 비교하는 연구를 하였다. 그 결과 공동 육아 시설을 다닌 어린이들이 더 풍부한 상상을 할 수 있는 것으로 나타났다. 우 교수는 이 연구를 바탕으로 3~4세에는 사고가 발달할 시기이고, 언어가 사고를 촉진해 주기 때문에 3~4세부터 낮은 수준의 영어를 배우게 된다면 아이들의 사고 수준도 역시 낮아진다는 결론을 내렸다. 만 0세에서 3세까지는 감정과 정서의 뇌가 빠르게 발달하고, 그 후 만 6세까지는 종합적인 창의력이 발달하며, 만 12세까지는 언어를 포함한 학습 능력이 가장 왕성하게 발달한다. 그렇기 때문에 우 교수는 만 6세 이후인 초등학생 때 외국어를 배우는 것이 가장 효과적이라고 주장하였다.

배워 두면 언젠가는 도움이 될 것이라는 기대 속에 너도나도 일찍 시작하려는 영어 교육. 하지만 부모의 욕심 때문에 다시는 돌아오지 않을 아이의 유년 시절에 진정으로 필요한 것을 놓치고 있지는 않은지 한 번쯤 돌아보는 지혜가 필요하다.

● **잠재력**(潛잠길 잠, 在있을 재, 力힘 력)
겉으로 드러나지 않고 속에 숨어 있는 힘.

● **모국어**(母어미 모, 國나라 국, 語말씀 어)
자기 나라의 말.

● **촉진**(促재촉할 촉, 進나아갈 진)
다그쳐 빨리 나아가게 함.

1 이 글의 내용과 일치하는 것은 무엇인가요? (   )

① 요즘 대부분의 부모들은 영어 조기 교육을 시킨다.

② 12세부터는 언어를 포함한 학습 능력이 가장 왕성하게 발달한다.

③ 유대인 부모들은 자녀들이 일상생활 속에서 언어를 습득하게 한다.

④ 대부분의 유대인 아이들은 두 개의 언어를 모국어처럼 구사할 수 있다.

⑤ 3~4세부터 시작하는 외국어 조기 교육은 창의력 발달에 긍정적인 영향을 준다.

2 이○○ 교수와 우○○ 교수가 공통적으로 동의하는 것은 무엇인가요? (   )

① 영어 조기 교육은 바람직하다.

② 영어 교육은 6세 이후부터 시작해야 한다.

③ 영어 교육은 적절한 시기에 하는 것이 효과적이다.

④ 영어 유치원보다 공동 육아 시설이 언어 학습에 효율적이다.

⑤ 두뇌 기반 학습은 3~4세에 활성화된다.

3 [A]와 [B]에 쓰인 표현 방식으로 적절한 것을 보기 에서 모두 골라 빈칸에 기호를 쓰세요.

> 보기
>
> ㉠ 학자의 연구 결과를 인용하고 있다.
>
> ㉡ 핵심 어휘의 개념을 정의 내리고 있다.
>
> ㉢ 연령에 따른 발달 단계별 특징을 나열하고 있다.
>
> ㉣ 내용과 관련된 실제 성공 사례를 근거로 제시하고 있다.

[A]	[B]

4 보기를 읽고 난 후 이○○ 교수와 우○○ 교수가 나눈 대화 내용으로 알맞지 <u>않은</u> 것은 무엇인가요? (   )

> **보기**
>
>   영어 조기 교육의 목적은 아이가 어릴 때 영어를 친숙하게 접하는 환경을 만들어 주어, 자라서 영어 교육을 받을 때 부담감이나 거부감 없이 영어를 받아들이도록 하는 데 있습니다. 이를 위해 어릴 때 부모와 아이가 함께 영어 동요 부르기, 영어 동화책 읽기, 쉬운 영어 회화 나누기 등 생활 속에서 자연스럽게 영어를 접하는 것이 중요합니다.

① 이 교수: 2~3세부터 부모가 적당한 환경을 만들어 주면 영어 교육이 성공적이겠네요.

② 우 교수: 만 0세~3세까지는 감정의 뇌가 빠르게 발달하니 감정을 자극하기 쉬운 모국어 교육이 외국어 교육보다 더 중요합니다.

③ 이 교수: 아이들이 영어에 거부감을 갖지 않도록 만 6세가 되었을 때 영어 교육을 시작하는 것이 좋겠습니다.

④ 우 교수: 맞습니다. 만 6세가 되기 전까지는 외국어 교육보다 모국어를 바탕으로 창의력을 키울 수 있는 교육이 이루어져야 합니다.

⑤ 이 교수: '두뇌 기반 학습'이 시작되는 시기에 생활 속에서 접한 영어는 자연스럽게 듣고 말하는 능력을 키워 줄 수 있다는 것을 잊고 있으시군요.

5 다음 낱말들의 관계로 알맞은 것에 ○표 하세요.

영어	언어

(1) 뜻이 서로 비슷한 낱말이다.　　　　　　　　　　(　　　)

(2) 뜻이 서로 반대되는 낱말이다.　　　　　　　　　(　　　)

(3) 한 낱말의 뜻이 다른 낱말에 포함된다.　　　　　(　　　)

6 빈칸에 알맞은 말을 넣어 이 글의 핵심 내용을 한 문장으로 요약하세요.

> 한줄
> 요약

영어 [　　] 교육을 시키려는 부모들이 늘고 있는데, 부모의 욕심 때문에 아이의 유년 시절에 진정으로 필요한 것을 놓치지 않는지 돌아보는 [　　]가 필요하다.

지문 속 필수 어휘

다음 문장을 읽고, (　　) 안에 공통으로 들어갈 낱말을 완성하세요.

❶
- 우리는 (　　　)를 아끼고 사랑해야 한다.
- (　　　)는 한 인간의 첫번째 언어이다.

ㅁ	ㄱ	어

❷
- (　　　) 문제로 고민하는 맞벌이 부부가 많다.
- 요즘 아버지들은 적극적으로 (　　　)에 참여한다.

ㅇ	아

❸
- 주입식 교육으로는 (　　　)을 키울 수 없다.
- 선생님은 아이들이 (　　　)을 키울 수 있도록 도와줘야 한다.

ㅊ	ㅇ	력

❹
- 사건을 (　　　)에 수습해야 한다.
- 암은 (　　　)에 발견해야 치료하기 쉽다.

ㅈ	ㄱ

다음 문장을 읽고, 두 낱말 중 알맞은 것을 찾아 ○표 하세요.

❺ 지금부터 [훈련 / 훌련] 을 조금씩 시키겠다.

❻ 새 정부는 세금을 [낫게 / 낮게] 매겼다.

❼ 선생님께서는 우리에게 정직하게 살라고 [가르쳐 / 가르켜] 주셨다.

❽ 당신의 목소리를 [듯고 / 듣고] 싶다.

음성 언어와 문자 언어

10분 안에 풀어보세요.

어휘 수준 ★★★★★
글감 수준 ★★★★★
글의 길이 1,010자

우리는 언어로 이루어진 세계에서 생활하고 있다. 책을 읽고 친구와 이야기하는 것뿐 아니라, 간판을 보고 노래를 부르는 것 모두 언어 활동으로 볼 수 있다. 우리가 의식하지 못할 뿐이지, 사실 우리는 아침에 눈을 떠서 잠자리에 들 때까지 언어와 함께 생활하고 있는 셈이다.

언어 활동은 기본적으로 말하고 듣고 읽고 쓰는 네 가지로 분류된다. 이 중에서 말하기와 듣기는 '음성 언어'를 사용하는 언어 활동이고, 읽기와 쓰기는 '문자 언어'를 사용하는 언어 활동이다. 음성 언어와 문자 언어는 모두 언어로서 일정한 기능을 담당하지만, 소리와 문자라는 특성 때문에 여러 가지 면에서 다르다.

음성 언어와 문자 언어의 특성을 이해하기 위해서는 우선 음성과 문자의 속성에 대해 알아야 한다. 음성은 소리이기 때문에 귀로 듣는 행위에 의존한다. 또한 소리이기 때문에 말하고 듣는 그 순간 그 장소에만 존재하고 곧바로 사라진다. 반면에 문자는 기록이기 때문에 눈으로 보는 행위에 의존하고, 오랜 기간 동안 보존이 가능하며, 그 기록을 가지고 다른 곳으로 이동할 수도 있다.

음성 언어는 소리의 속성 때문에 말하는 이와 듣는 이가 대면한 상태에서 사용한다. 말하는 이와 듣는 이가 마주 보고 있기 때문에 손짓이나 억양, 몸짓, 표정, 어조 등 부수적인 표현 방법을 활용하기도 하고, 듣는 이의 반응을 참고하면서 강조하거나 반복해서 말하기도 한다.

반면에 문자 언어는 특별한 상황이 아닌 경우에는 말하는 이와 듣는 이가 마주 보고 있는 상태에서는 사용하지 않는다. 따라서 문자 언어를 사용할 때는 음성 언어에 비해 전달하려는 의미를 보다 정확하게 표현해야 한다. 왜냐하면 문자 언어는 오직 문자만을 ㉠통해 의미를 전달하고 전달받을 수 있기 때문이다. 하지만 그렇기 때문에 음성 언어에 비해 문자 언어는 오랜 시간이 지나도, 멀리 있는 곳에도 의미를 전달할 수 있다. 이러한 사실을 통해 과거의 문화를 이해하는 측면에서는 음성 언어보다 문자 언어가 더 중요한 역할을 한다는 것을 알 수 있다.

음성 언어와 문자 언어는 여러 가지 점에서 다른 성격을 지니고 있으며, 이 둘은 서로 부족한 부분을 보충하는 역할을 한다. 그러므로 일상생활에서는 이 둘의 특성을 고려하면서 상황에 맞게 적절히 활용하여야 한다.

● **속성**(屬무리 속, 性성품 성)
사물의 특징이나 성질.

● **대면**(對대할 대, 面낯 면)
서로 얼굴을 마주 보고 대함.

● **부수적**(附붙을 부, 隨따를 수, 的과녁 적)
주된 것이나 기본적인 것에 붙어서 따르는. 또는 그런 것.

1 이 글의 내용과 일치하지 <u>않는</u> 것은 무엇인가요? (　　)

① 음성 언어 활동에는 말하기와 듣기가 있다.
② 우리의 생활은 언어와 밀접하게 관련되어 있다.
③ 억양, 몸짓, 표정, 어조 등은 음성 언어와 함께 활용한다.
④ 어떤 상황에서든지 음성 언어보다 문자 언어가 중요한 역할을 한다.
⑤ 먼 과거의 일들을 정확히 아는 것은 문자 언어를 통해서만 가능하다.

2 이 글에 쓰인 전개 방식으로 가장 알맞은 것은 무엇인가요? (　　)

① 대상들의 특징을 대조하여 자세하게 설명하고 있다.
② 결과에 대한 원인을 체계적으로 분석하여 나열하고 있다.
③ 구체적인 예들을 제시하여 용어에 대한 이해를 돕고 있다.
④ 일반적인 생각에서 오류를 발견하여 새로운 주장을 소개하고 있다.
⑤ 대상을 이루고 있는 구성 요소와 대상의 변화 과정을 설명하고 있다.

3 이 글을 바탕으로 보기 를 읽고 난 후의 반응으로 알맞지 <u>않은</u> 것은 무엇인가요? (　　)

> **보기**
>
> 우성: 정재야, 밥 먹었니? / 정재: ⋯⋯.
> 우성: (손으로 밥 먹는 시늉을 하면서) 밥 먹었어?
> 정재: 아, 미안. 음악 듣고 있느라고 못 들었어. 먹었지. 지난 수업 때 필기한 공책 가져왔어?
> 우성: (정재에게 공책을 주면서) 응. 여기.
> 정재: (공책을 넘기며) 너, 이 문장 무슨 뜻인지 이해되니?
> 우성: 글쎄, 어제 수업 시간에 선생님께서 말씀하실 때는 이해한 것 같았는데, 필기한 문장을 오늘 다시 보니 무슨 뜻인지 잘 모르겠어.
> 정재: 아무래도 내일 공책을 가져가서 선생님께 이 문장의 의미를 여쭤봐야겠어.

① 우성과 정재는 얼굴을 마주한 상태에서 음성 언어를 사용하고 있어.
② 우성은 음성 언어를 사용하면서 부수적인 표현 방법을 함께 활용하고 있어.
③ 정재가 이해하지 못한 문장의 의미를 내일 선생님께 여쭤봐야겠다고 한 데서 보존이 가능한 문자 언어의 특성을 확인할 수 있어.
④ 우성과 정재가 공책에 적혀 있는 문장의 의미를 잘 모르겠다고 한 데서 음성 언어에 비해 문자 언어가 더 이해하기 어렵다는 사실을 확인할 수 있어.
⑤ 우성이 어제 선생님께서 말씀하실 때는 문장의 뜻을 이해한 것 같았는데 오늘 다시 보니 무슨 뜻인지 잘 모르겠다고 한 데서 말한 순간 곧바로 사라지는 음성 언어의 특성이 드러나는군.

4 다음 사실에서 짐작할 수 있는 내용으로 알맞은 것에 ○표 하세요.

> • 음성 언어와 문자 언어는 소리와 문자라는 특성 때문에 여러 측면에서 다른 점이 있다.
> • 과거의 문화를 이해하는 측면에서는 음성 언어보다 문자 언어가 더 중요한 역할을 한다.

(1) 음성 언어는 문화 전달 기능을 전혀 하지 못하고 있다. ( )

(2) 문자 언어는 시간과 공간의 한계를 뛰어넘을 수 있다는 장점을 지니고 있다.
( )

5 다음 밑줄 친 말 중 ⊙과 가장 유사한 의미로 쓰인 것은 무엇인가요? ( )

① 이 길은 바다로 향하는 길과 <u>통해</u> 있다.
② 그는 그녀와 취미에서 <u>통하는</u> 면이 있다.
③ 이번 사고를 <u>통해</u> 많은 사람들이 아픔을 겪었다.
④ 그는 현미경을 <u>통해</u> 미생물을 관찰하는 것을 좋아한다.
⑤ 빨래가 잘 마르려면 바람이 잘 <u>통하는</u> 곳에 두어야 한다.

한줄요약

6 빈칸에 알맞은 말을 넣어 이 글의 핵심 내용을 한 문장으로 요약하세요.

귀에 의존하는 [ ] 언어는 말하고 듣는 그 순간에만 존재하다가 곧바로 사라

지고 [ ]인 표현 방법과 함께 활용하는 반면, 눈에 의존하는 문자 언어는

오랜 기간 동안 [ ]이 가능하고 기록을 다른 곳으로 [ ]할 수 있다.

지문 속 필수 어휘

다음 문장을 읽고, (　　) 안에 공통으로 들어갈 낱말을 완성하세요.

❶
- 도서관에서 책을 유형별로 (　　　)하는 작업은 중요하다.
- 우편물을 지역별로 (　　　)하고 있다.

분 ㄹ

❷
- 신비성은 종교의 (　　　) 가운데 하나이다.
- 대중문화는 일반적으로 상업성이라는 (　　　)을 띤다.

속 ㅅ

❸
- (　　　) 문헌에서 원하는 정보를 찾았다.
- 그의 말을 (　　　)하여 대책을 세우기로 하였다.

ㅊ 고

❹
- 한 (　　　)만을 보고 어떤 것이 좋다 나쁘다 할 수 없다.
- 이 문제는 여러 (　　　)에서 고민한 후에 결정하는 것이 좋겠다.

ㅊ 면

다음 문장을 읽고, 두 낱말 중 알맞은 것을 찾아 ○표 하세요.

❺ 그는 그녀와 [대면 / 직면] 하는 것이 무척이나 힘들었다.

❻ 먹는 양이 증가하면 [보수적 / 부수적] 으로 쓰레기의 양도 많아진다.

❼ 화초의 특성에 [맡게 / 맞게] 실내 온도를 조절해야 한다.

한국어의 특징

어휘 수준 ★★★★★ 하 중 상
글감 수준 ★★★★★
글의 길이 1,227자

본격 독해 훈련

12분 안에 풀어보세요.

가 소희와 수찬이가 패스트푸드점에 간 상황에서 소희가 "나는 치킨버거. 너는?"이라고 수찬이에게 묻자, 수찬이가 "나도 치킨버거야."라고 대답하였다. 여기서 우리말 "나도 치킨버거야."라는 문장은 논리적이지 못한 것처럼 ㉠보인다. 그러나 이 문장에서 '나도'는 '내가 먹고 싶은 것도'의 의미로 사용된 것이다. 이와 같이 우리말에서 문장의 일부를 생략하여 표현할 수 있는 것은 당시 상황을 설명할 때 필요한 내용인 '누가'와 '무엇' 외에는 의미를 주고받는 데에 크게 중요하지 않다는 인식이 언어에 반영되었기 때문이다. 이렇듯 한국인은 상황에 따라 문장의 일부를 생략하기도 하고, 긴 표현을 아주 짧게 줄이기도 하는데, 그래서 한국어를 '상황 중심 언어' 또는 '상황 의존적 언어'라고 한다.

나 한 가지 예를 더 살펴보자. 찬바람이 부는 겨울에 어떤 사람이 방문을 열어 놓고 방 안으로 들어오는 상황에서, 한국인들은 "문 좀 닫고 들어와."라고 말한다. 곰곰이 생각해 보면, 이 문장 역시 앞뒤 문맥이 맞지 않는 표현이다. 사람이 어떻게 문을 닫고 문 안으로 들어올 수 있겠는가? 외국인이 이런 말을 듣는다면 이상하게 생각할 수 있을 것이다. 그런데 한국인들은 이런 표현을 아주 자연스럽게 받아들이고 이해한다. 한국인들이 이렇게 표현하는 것은 이 상황에서 '누군가가 들어오는 것'보다 '문을 닫는 것'이 더 중요하다고 생각하기 때문이다. 중요한 내용을 문장의 앞에 두어 강조하려는 심리가 드러난 것이고, 나아가 언어 습관으로 굳어진 것이다.

다 다음 대화에서 물음에 대한 답변인 "예."와 "아니요."의 의미가 한국어와 영어에서 서로 다르다는 것은 많이 알려져 있다.

> ㄱ. "이것은 연필입니까?" / "예."   ㄴ. "이것은 연필입니까?" / "아니요."
>
> ㄷ. "이것은 연필이 아닙니까?" / "예."   ㄹ. "이것은 연필이 아닙니까?" / "아니요."

ㄱ과 ㄴ은 한국어와 영어에서 의미의 차이가 없다. 그러나 ㄷ과 ㄹ의 경우에는 다르다. ㄷ의 "예."는 한국어에서는 "예, 연필이 아닙니다."의 의미이고, 영어에서는 "예, 연필입니다."의 의미이다. ㄹ의 "아니요."는 한국어에서는 "아니요, 연필입니다."의 의미이고, 영어에서는 "아니요, 연필이 아닙니다."의 의미이다. 이와 같이 한국어와 영어에서 부정의 의미가 담긴 물음에 대한 답변의 의미가 다른 것은 영어에서는 물음과 상관없이 답변하는 사람이 객관적으로 판단한 사실에 따라 답변하기 때문이고, 한국어에서는 답변하는 사람이 묻는 사람의 질문에 대응한 답변을 하기 때문이다.

● **반영**(反돌이킬 반, 映비칠 영)
다른 것에 영향을 받아 어떤 현상이 나타남. 또는 어떤 현상을 나타냄.

● **객관적**(客손 객, 觀볼 관, 的과녁 적)
자기와의 관계에서 벗어나 제삼자의 입장에서 사물을 보거나 생각하는. 또는 그런 것.

● **대응**(對대할 대, 應응할 응)
어떤 일이나 사태에 맞추어 태도나 행동을 취함.

1 이 글의 내용과 일치하지 <u>않는</u> 것은 무엇인가요? (   )

① 우리말은 긴 표현을 간략하게 줄여서 표현할 수 있다.

② 우리말은 상황에 따라 중요하지 않은 내용은 생략하기도 한다.

③ 우리말은 중요한 내용을 문장의 앞에 두어 강조하여 표현하기도 한다.

④ 우리말과 영어는 부정 표현이 담긴 의문문에 대한 "예."라는 답변의 의미가 서로 다르다.

⑤ 우리말은 문장의 일부를 지나치게 생략하여 표현하므로 논리적이지 못하다.

2 밑줄 친 말 중 ㉠과 **문맥적 의미**가 가장 비슷한 것은 무엇인가요? (   )

① 저 멀리 해가 뜨는 것이 <u>보인다</u>.

② 눈치가 <u>보여서</u> 도저히 못 살겠다.

③ 나는 그가 굉장히 불쌍해 <u>보였다</u>.

④ 건물 사이로 구름이 걷히는 것이 <u>보였다</u>.

⑤ 나는 이번 일로 가족들에게 큰 손해를 <u>보였다</u>.

+ 수능연결

'문맥적 의미'란 지문의 맥락 속에서 어휘가 갖는 의미를 말합니다. 똑같은 어휘라도 글의 내용에 따라 그 뜻은 서로 다를 수 있답니다. 예를 들어 '개성이 살아 있다.'에서 '살다'는 본래 가지고 있던 색깔이나 특징 따위가 그대로 있거나 뚜렷이 나타나다.'의 뜻입니다. 반면 '그는 백 살까지 살았다.'에서 '살다'는 '생명을 지니고 있다.'의 의미로 쓰였습니다. 따라서 글의 내용을 정확히 이해하기 위해서는 어휘의 문맥적 의미를 바르게 구분하는 것이 중요합니다.

그렇더라도 기술적 도구로 여겨졌던 사진을 예술 행위의 수단으로 활용한 스타이컨의 창작열은 참으로 본받을 만하다.

30. ㉡의 **문맥적 의미**와 가장 가까운 것은?

① 이 소설가는 ~~~~~~~~~~~~~~명하다.

② 아궁이에 불 ~~~~~~~~~~~넣어라

③ 어제까지도 살아 있던 손목시계가 그만 멈춰 버~

④ 흰긴수염고래는 지구에 살고 있는 동물 중 가장~

⑤ 부부가 행복하게 살려면 서로를 존중하고 사랑하~

문맥적 의미

수능에는 글의 흐름을 고려하여 단어의 의미가 어떻게 쓰였는지 파악하는 문제가 출제됩니다.

3 이 글은 어떤 질문에 대한 답변으로 볼 수 있을까요? (　　)

① 한국인의 언어 습관에는 어떤 문제점이 있나요?

② 외국인은 한국어의 문법에 대해 어떻게 생각할까요?

③ 외국인이 어려워하는 한국어의 문법 요소는 무엇일까요?

④ 세계적으로 한국어가 높이 평가되는 이유는 무엇일까요?

⑤ 한국어로 의견이나 생각을 표현하는 방식에는 어떤 특징이 있을까요?

4 이 글을 바탕으로 보기 의 ⓐ~ⓔ를 평가한 내용으로 알맞지 <u>않은</u> 것은 무엇인가요?

(　　)

> **보기**
>
> (수찬이가 소희의 책을 빌려 가서 돌려주지 않은 상황이다.)
>
> 소희: 수찬아, 잠깐 이리 와 봐. / 수찬: ⓐ왜?
>
> 소희: ⓑ꼼짝 말고 이리 와 봐. / 수찬: 왜 그러는데?
>
> 소희: 너 지난번에 내 책 빌려 갔잖아. 내 책 안 줄 거야?
>
> 수찬: ⓒ응, ⓓ줄 건데. 아직 다 못 읽었어. 혹시 필요해?
>
> 소희: ⓔ아니, 언제쯤 받을 수 있을지 궁금해서 물어봤어.

① ⓐ와 같이 짧게 줄여도 의미가 전달되니 "왜 부르는데?"와 같이 길게 표현하지 않아도 되겠어.

② ⓑ는 중요한 내용을 강조하려다 보니 앞뒤 문맥이 맞지 않는 표현이 쓰였다고 할 수 있어.

③ 우리말에서 빌려 간 책을 돌려줄 것이라는 의미를 전달하려면 ⓒ와 같이 대답하면 안 돼.

④ 빌려 간 책을 돌려줄 것이라는 자신의 생각을 강조하기 위해 다른 내용을 생략하고 ⓓ와 같이 표현했나 봐.

⑤ ⓔ를 보면 한국어와 영어에서 답변의 의미가 달라질 수 있으니 주의해야겠어.

5 빈칸에 알맞은 말을 넣어 이 글의 핵심 내용을 한 문장으로 요약하세요.

한줄
요약

상황 중심 언어인 한국어는 상황에 따라 중요하지 않은 내용을 [　　]하거나 긴

표현을 짧게 줄이기도 하고, [　　]한 내용을 문장의 앞에 두어 강조하기도 하며,

묻는 사람의 [　　]에 대응하는 답변을 하는 특징이 있다.

지문 속 필수 어휘

낱말의 뜻을 참고하여, 다음 문장의 빈칸에 들어갈 알맞은 낱말을 완성하세요.

❶ 그는 무언가를 결정할 때 항상 다른 사람들의 의견을 최대한 ㅂ 영 하려고 노력한다.

다른 것에 영향을 받아 어떤 현상을 나타냄.

❷ 그녀는 친구들에게 지나치게 ㅇ ㅈ 적 인 경향이 있다.

무엇에 기대는 성질이 있는, 또는 그런 것.

❸ 어떤 상황이 와도 빠르게 대 ㅇ 할 수 있도록 매뉴얼을 마련해 두어야 한다.

어떤 일이나 사태에 맞추어 태도나 행동을 취함.

❹ 아무리 좋게 생각해 보려 해도 상 ㅎ 이 너무 나쁘게만 보였다.

일이 되어 가는 과정이나 형편.

❺ 그 단체는 역사에 대한 인 ㅅ 이 부족하다.

사물을 분별하고 판단하여 앎.

❻ 현실을 정확하게 ㅍ 단 하는 냉철한 이성이 필요하다.

사물을 인식하여 논리나 기준 등에 따라 판정을 내림.

다음 문장을 읽고, 두 낱말 중 알맞은 것을 찾아 ○표 하세요.

❼ 그와 나는 그 일에 대한 생각이 [다르다 / 틀리다].

❽ 그의 말이 거짓이라는 사실이 [들어나자 / 드러나자] 모두들 큰 충격을 받았다.

❾ 복잡한 절차는 [생략 / 생냑] 하기로 하자.

혼종어, 피진과 크레올

10분 안에 풀어보세요.

어휘 수준 ★★★★★ _{하 중 상}
글감 수준 ★★★★★
글의 길이 1,045자

푸른 바다 한가운데 떠 있는 하와이는 미국에 속한 섬입니다. 영어를 주로 사용하지요. 하지만 영어를 안다고 해서 하와이에서 쉽게 대화를 할 수 있는 건 아닙니다. 미국 본토에서 쓰는 영어와 많이 다르기 때문이에요. 예를 들어 하와이 사람들은 '할 수 없다.'라고 할 때 "아이 캔트 두 잇(I can't do it.)"이라고 말하는 대신 "노 캔(No can.)"이라고 말하곤 합니다. 미국인조차 쉽게 이해할 수 없는 이 표현은 '피진'의 대표적인 사례입니다. 피진이란 각자 다른 언어를 쓰는 사람들이 만나 대화를 하기 위해 만든 제3의 언어, 즉 혼종어를 의미해요. 하와이의 경우 19세기 말부터 한국, 일본, 중국, 필리핀 등 저마다 다른 언어를 사용하는 노동자들이 모여들었는데, 그들이 서로 소통하기 위해 각자의 언어를 섞은 자신들만의 독특한 언어를 탄생시켰습니다. 따라서 문법과 어휘가 매우 간략하고 제한적이며 발음은 원래 단어와 다르게 변형되어 있지요.

그렇다면 피진은 하와이에만 있을까요? 아닙니다. 다른 언어를 쓰는 사람들끼리 만나는 세계 곳곳에서 발생합니다. 보통 다른 언어를 쓰는 사람들끼리 무역을 비롯해 상업적인 거래가 많은 지역에서 발달하게 되지요. 그러니까 피진은 공통점이 없는 두 언어가 섞이면서 생긴 모든 혼종어를 통틀어 부르는 말이에요.

피진을 사용하는 사람들은 각자 모국어를 가지고 있으며 피진은 누구에게도 모국어가 아닙니다. 그저 임시로 쓰는 언어일 뿐이지요. 그렇기 때문에 대화를 할 때만 사용할 뿐 문학 작품에 쓰이거나 학교에서 배워야 하는 언어로 여기지 않습니다.

그러나 세월이 지나고 피진을 계속 사용하면 상황이 변합니다. 언어가 오랫동안 사용되다 보면 어느 세대에 이르러 혼종어 자체를 모국어로 삼는 세대가 출현하게 됩니다. 혼종어를 모국어로 삼은 세대! 혼종어가 어느 세대의 모국어가 된다면 그건 피진이 아니라 크레올이라고 합니다. 피진과 크레올은 혼종어라는 점에서는 동일합니다. 하지만 크레올은 피진과 다르게 체계적인 문법 구조를 가지고 있고 문학 언어로서도 버젓이 사용됩니다. 오늘날 전 세계에는 수십 가지의 크레올이 존재한답니다.

● 피진(pidgin)
두 개의 언어가 섞여서 된 보조적 언어. 피진 잉글리시(중국의 상업 영어) 따위가 있다.

● 혼종어(混섞을 혼, 種씨 종, 語 말씀 어)
서로 다른 언어에서 유래한 요소의 결합으로 이루어진 단어.

● 체계적(體몸 체, 系맬 계, 的과녁 적)
일정한 원리에 따라서 낱낱의 부분이 짜임새 있게 조직되어 통일된 전체를 이루는. 또는 그런 것.

1 **이 글의 내용 전개 방식으로 알맞은 것은 무엇인가요?** (   )

① 두 대상을 비교한 뒤 우열을 가리고 있다.

② 서로 상반되는 두 대상의 장단점을 분석하고 있다.

③ 통계 자료를 활용하여 두 대상의 공통점을 소개하고 있다.

④ 구체적인 예를 들어 대상에 대해 알기 쉽게 설명하고 있다.

⑤ 실제 사례를 제시하여 두 대상의 부정적인 면을 강조하고 있다.

2 **이 글에 나타나 있지 <u>않은</u> 내용은 무엇인가요?** (   )

① 피진과 크레올의 특성

② 피진과 크레올의 공통점

③ 피진과 크레올의 차이점

④ 피진과 크레올에 대한 전망

⑤ 하와이에서 피진이 생겨난 배경

3 **이 글을 통해 알 수 있는 내용으로 알맞지 <u>않은</u> 것은 무엇인가요?** (   )

① 피진은 모국어에 비해 어휘 수가 적다.

② 피진은 상업적인 거래가 많은 곳에서 발달되었다.

③ 피진이나 크레올은 여러 언어를 바탕으로 형성되었다.

④ 피진에 비해 크레올은 문법적으로 체계적인 형태를 지니고 있다.

⑤ 피진과 크레올은 모국어가 지닌 문법 체계를 그대로 따르고 있다.

4 이 글을 바탕으로 보기 를 이해한 내용으로 가장 알맞은 것은 무엇인가요? (　　　)

> **보기**
>
> 　한국에 사는 외국인은 자신들의 집에서는 그들의 모국어를 사용하지만 한국인이나 다른 나라 사람들과 대화할 때에는 독특한 언어를 사용합니다. 예를 들어 어떤 외국인의 "아이 스쿨(school) 고(go)입니다."라는 말은 한국인들에게 낯설게 들릴 것입니다. 하지만 이런 언어에 익숙한 외국인들은 서로 아무런 불편 없이 의사소통을 합니다.

① 한국에 거주하는 외국인들에게 한국어는 새로운 모국어가 되었군.

② 외국인들에게 한국어는 피진에서 크레올의 단계로 발전하는 중이군.

③ 외국인들은 한국어에 쓰이는 단어의 뜻을 완전히 다르게 사용하고 있군.

④ 영어의 문장 순서를 바탕으로 한국어의 어휘를 사용하여 뜻을 전달하고 있군.

⑤ 한국어에 외국어의 언어적 요소가 합쳐져 의사소통이 가능하다면 피진이 될 수 있겠군.

5 이 글을 읽은 학생의 반응으로 가장 알맞은 것은 무엇인가요? (　　　)

① 언어의 규칙은 점차 사라진다.

② 언어는 시간이 흐르면 변화한다.

③ 언어에는 각 국가의 특징이 담겨 있다.

④ 언어를 통해 다른 사람의 생각을 변화시킬 수 있다.

⑤ 세상에 존재하는 사물을 모두 언어로 표현할 수는 없다.

한줄요약

6 빈칸에 알맞은 말을 넣어 이 글의 핵심 내용을 한 문장으로 요약하세요.

　　□□ 은 각자 다른 언어를 쓰는 사람들이 만나 대화를 하기 위해 만든 제3의 언어로, □□ 을 모국어로 삼는 사람들이 생기면 □□□ 이 된다.

지문 속 필수 어휘

다음 문장을 읽고, (　　) 안에 공통으로 들어갈 낱말을 완성하세요.

❶
- 국어 시간에 (　　)을 배웠다.
- 도대체 (　　)을 따져 가며 사는 사람이 어디 있을까?

ㅁ	법

❷
- 그 물건은 심하게 (　　)되어 원래 형태를 찾아볼 수 없다.
- 서양 문물의 유입으로 우리의 전통문화가 (　　)되었다.

ㅂ	형

❸
- 박물관이 세워진 내력을 (　　)하게 들려주었다.
- 보고서의 내용을 (　　)하게 정리해 주십시오.

간	ㄹ

❹
- 그 물건이 비싼 값에 (　　)되었다.
- 그 기업은 여러 은행과의 (　　)를 일시에 중단하였다.

ㄱ	래

다음 문장을 읽고, 두 낱말 중 알맞은 것을 찾아 ○표 하세요.

❺ 일부 교포 2세들은 [외국어 / 모국어]를 배우기 위해 방학이면 우리나라를 찾아온다.

❻ 지금까지 이런 [사례 / 사례]가 없었기 때문에 어떻게 처리할지 모르겠다.

❼ 그는 큰 죄를 짓고도 [버젓이 / 버젓이] 대중 앞에 나섰다.

열대성 저기압

어휘 수준 ★★★★★
글감 수준 ★★★★★
글의 길이 1,011자

본격 독해 훈련

⏱**12**분 안에 풀어보세요.

　여름철이 되면 우리나라에 태풍이 기승을 부립니다. 그런데 미국에서는 허리케인이, 방글라데시에서는 사이클론이 몰려온다는 소식을 뉴스에서 보기도 합니다. 태풍, 허리케인, 사이클론은 어떻게 다른 것일까요? 셋 모두 강한 비와 바람을 몰고 오는 열대성 저기압이라는 공통점을 갖지만, 어느 곳에서 만들어지기 시작했느냐에 따라 그 이름이 달라집니다.

　먼저 우리에게 익숙한 태풍은 북서 태평양 필리핀 가까운 바다에서 발생해 동아시아, 동남아시아, 미크로네시아 일부에 영향을 주는 열대성 저기압을 말합니다. 우리나라는 태풍의 영향권에 위치하기 때문에 매년 직접적인 영향을 받습니다. 허리케인은 북대서양, 태평양 북동부인 카리브해 인근에서 시작해 북아메리카 쪽으로 이동하기 때문에 주로 미국과 캐나다에 집중됩니다. 마지막으로 사이클론은 인도양, 남태평양에서 시작해 인도, 방글라데시, 호주 등 다양한 지역에 상륙합니다.

　그렇다면 우리나라에서는 태풍 외의 열대성 저기압을 볼 수 없을까요? 그렇지 않습니다. 드문 경우시만, 초대형 허리케인 중에는 북아메리카로 향하지 않고 자연적 흐름을 거슬러 다른 곳에 상륙하는 경우도 있기 때문입니다. 대표적인 예로 2006년 발생한 허리케인 '이오케(IOKE)'가 있습니다. 이오케는 북중태평양에서 발생해 특이하게도 북서태평양으로 이동했습니다. 일반적인 허리케인의 이동 경로와 다르게 우리나라를 비롯한 아시아 지역에 직접적인 영향을 끼쳤지요. 하지만 ㉠발생지를 기준으로 종류를 구분하는 원칙에 따라, 태풍이 아닌 허리케인으로 불립니다.

　열대성 저기압은 그 종류가 무엇이든 공통적으로 강한 바람과 엄청난 강수량으로 큰 피해를 가져옵니다. 반면 짧은 기간에 대류를 순환시키기 때문에 지구의 위아래 사이의 온도 균형을 맞추고, 바다 생태계를 활성화시키는 긍정적인 효과도 있습니다. 즉 열대성 저기압은 두 얼굴을 가진 자연의 모습이라고 할 수 있지요. 열대성 저기압은 피할 수 없는 자연의 법칙이기 때문에 피해를 최대한 줄이고 순기능을 살리는 방안을 ⓐ사회 제도적으로, 또 ⓑ개인적으로도 찾아야 합니다.

● **카리브해**
남아메리카 대륙 북해안, 중앙아메리카 동해안과 서인도제도에 둘러싸인 대서양의 내해.

● **대류**(對대답할 대, 流흐를 류)
기체나 액체에서, 물질이 이동함으로써 열이 전달되는 현상.

1 이 글의 내용으로 알맞지 <u>않은</u> 것은 무엇인가요? (   )

① 우리나라는 보통 태풍의 영향권 안에 있다.

② 일반적으로 허리케인은 피해 지역의 범위가 가장 넓다.

③ 태풍, 허리케인, 사이클론은 모두 강한 비바람을 동반한다.

④ 열대성 저기압의 명칭이 달라지는 이유는 발생 위치 때문이다.

⑤ 열대성 저기압은 단기간에 대류를 순환시켜 긍정적 효과를 가져온다.

2 이 글의 전개 방식으로 적절한 것은 무엇인가요? (   )

① 중심 소재의 원리에 대해 설명하고 있다.

② 두 대상 간의 공통점을 위주로 설명하고 있다.

③ 하나의 주장을 제시하고, 이를 반박하고 있다.

④ 중심 소재를 제시하고, 그것을 분류하여 설명하고 있다.

⑤ 중심 소재의 문제점을 소개하고 해결 방법을 제시하고 있다.

3 이 글을 읽은 학생이 보기 를 읽고 떠올린 생각으로 적절하지 <u>않은</u> 것은 무엇인가요?

(   )

보기

　지구 온난화로 바다가 더 뜨거워지면 태풍이 발생하기 좋은 상태가 된다. 특히 태풍 발생 초기에 뜨거워진 해수면으로부터 더 많은 에너지를 공급받게 되면 태풍의 힘은 더 세진다. ○○연구팀이 지구 온난화의 원인인 온실가스 배출 상황이 현재처럼 유지된다는 가정 하에, 태풍이 앞으로 어떤 모습으로 변할지 예측 분석했다. 그 결과, 태풍 발생 횟수는 5% 더 증가하는 것으로 나타났다. 또한 그 강도도 17%나 상승하는 것으로 나타났다.

① 태풍 발생 초기에 해수면은 뜨겁겠구나.

② 해수면의 온도는 태풍의 힘에 영향을 주는구나.

③ 태풍 강도가 세지는 것은 피할 수 없는 자연의 법칙이겠구나.

④ 지구 온난화는 결국 태풍 발생 횟수와 강도를 증가시키는구나.

⑤ 온실가스 배출을 줄인다면 태풍의 발생 횟수는 감소할 수 있겠구나.

4 열대성 저기압에 대응하는 방식을 ⓐ와 ⓑ로 분류했을 때, 성격이 <u>다른</u> 하나를 고르세요. (　　)

① 정전에 대비해 비상용 랜턴, 촛불, 배터리 등을 준비한다.
② 하천 근처에 주차된 자동차를 안전한 곳으로 이동시킨다.
③ 날아갈 위험이 있는 지붕이나 간판은 미리 단단히 묶어 놓는다.
④ 창문이 깨지는 것을 방지하기 위해 신문지와 테이프를 창문에 붙인다.
⑤ 재난대책재해본부를 24시간 운영하여 재해 위험 요소를 수시로 확인한다.

5 ㉠을 원칙으로 정한 이유로 가장 적절한 것은 무엇인가요? (　　)

① 자연재해를 효율적으로 대비하기 위해서
② 열대성 저기압의 순기능을 활용할 수 있도록 하기 위해서
③ 수많은 열대성 저기압들을 크기에 따라 체계적으로 정리하기 위해서
④ 열대성 저기압의 원인은 모두 다 같은 과학적 원리에 의한 것이기 때문에
⑤ 열대성 저기압이 이동 경로를 예외적으로 벗어나는 경우가 종종 있기 때문에

6 빈칸에 알맞은 말을 넣어 이 글의 핵심 내용을 한 문장으로 요약하세요.

한줄
요약

열대성 저기압은 [　　　]에 따라 세 가지의 종류로 나뉘며, 공통적으로 강한 비와 바람을 동반하기 때문에 피해를 줄이기 위한 [　　]을 찾아야 한다.

지문 속 필수 어휘

다음 문장을 읽고, (　　) 안에 공통으로 들어갈 낱말을 완성하세요.

❶
- 모기는 여름에 (　　　)을 부린다.
- 연말 연시에는 추위가 (　　　)을 부려 감기가 유행한다.

ㄱ	ㅅ

❷
- 병사들은 무리하지 않고 적진에 (　　　)하는 작전을 펼쳤다.
- 이번 태풍은 내일 오후 부산에 (　　　)할 것이다.

ㅅ	ㄹ

❸
- 성형은 중독이라는 부작용도 낳지만, 자존감의 상승이라는 (　　　)도 있다.
- 그는 과학 기술이 인류에 끼친 (　　　)을 강조한다.

ㅅ	ㄱ	능

다음 문장을 읽고, 두 낱말 중 알맞은 것을 찾아 ○표 하세요.

❹ 그는 마음이 아파서 소리를 지르고 울게 〔 됐다 / 됬다 〕.

❺ 그러한 행위는 자연의 흐름을 〔 거스르는 / 거슬르는 〕 것이다.

❻ 우리는 약속 시간에 〔 마추어 / 맞추어 〕 그곳에 도착하였다.

❼ 새로 산 모자는 디자인이 〔 특이 / 특히 〕 하다.

일회용품

(10)분 안에 풀어보세요.

2016년 통계청 자료에 따르면 우리나라 사람들의 연간 플라스틱 소비량은 98.2kg으로 세계 1위를 차지했다. 우리나라 국민 1인당 연간 비닐봉지 사용량은 무려 420장에 달했는데, 이는 우리나라의 일회용품 소비량이 심각한 수준임을 구체적 수치로 보여 준다. 많은 이들이 편리하다는 이점과 당장 눈에 보이는 부정적 영향이 없다는 이유로 일회용품 사용의 심각성을 깨닫지 못하고 있다. 하지만 ㉠하루가 다르게 늘어나는 일회용품 폐기물 처리는 결코 간단한 문제가 아니다.

일회용품 폐기물은 주로 땅에 매립하거나 불에 태우게 된다. 재활용이 되는 경우도 있지만 여전히 올바른 분리수거가 되지 않는 경우도 있으며, 분리수거가 잘 되었다고 해도 모두 재활용이 될 수 있는 것은 아니다. 비닐은 다양한 이물질이 달라붙어 재활용되기 힘들고, 플라스틱은 그 종류가 5만 가지나 되어 재활용이 쉽지 않기 때문이다. 일회용품을 태우면 이산화탄소, 다이옥신 등의 대기오염 물질이 배출된다. 또한 매립된 플라스틱과 비닐은 썩지 않고 땅을 오염시키는데, 그나마 일회용품을 매립할 땅도 서서히 고갈되고 있는 형편이다.

[A] ┌ 한국해양과학기술원에 따르면 우리가 일상적으로 먹고 있는 굴, 바지락 등의 조개류에서 미세 플라스틱이 검출되었다고 한다. 조개류에서 발견된 미세 플라스틱은 크기가 5mm 이하로, 대부분 폴리에틸렌(PE)으로 구성되어 있었다. 폴리에틸렌은 비닐봉지부터 세제나 우유 용기와 같은 플라스틱 병, 종이컵 코팅 등 많은 일회용품에서 사용된다. 우리가 매일 사용하고 쉽게 버렸던 일회용품이 └ 어느 순간 우리의 식탁 위로 되돌아오고 있는 것이다.

환경부가 발표한 일회용품을 줄이는 실천 방법은 간단하다. 예컨대 사무실에서 일회용 컵과 페트병 사용을 줄이고 다회용품을 사용하는 것이다. 또한 일회용 우산 비닐 대신 우산빗물제거기를 사용하고, 비닐 봉투 대신 에코백이나 상자를 사용하는 것이다. 우리가 개발한 도구의 문제점을 인식하고, 자발적이고 능동적인 실천 의지를 갖는 것이 가장 중요하다.

● **매립**(埋묻을 매, 立자리 립)
쓰레기나 폐기물을 모아서 파묻음.

● **고갈**(枯마를 고, 渴목마를 갈)
어떤 일의 바탕이 되는 돈이나 물자, 소재, 인력 따위가 다하여 없어짐.

● **다회용품**(多많은 다, 回돌아올 회, 用쓸 용, 品물건 품)
여러 번 사용하는 물품.

정답과 해설 **30쪽**

1 이 글에 쓰인 표현 방식으로 적절하지 <u>않은</u> 것은 무엇인가요? (   )

① 일회용품 사용의 부작용을 제시하였다.

② 일회용품의 사용 실태를 객관적 수치로 제시하였다.

③ 일회용품 폐기물 처리의 어려움을 유형별로 설명하였다.

④ 일상에서 일회용품을 줄이는 방법을 단계적으로 제시하였다.

⑤ 일회용품이 인간의 건강을 위협하는 구체적 사례를 제시하였다.

2 이 글에서 제시한 ㉠의 이유가 <u>아닌</u> 것은 무엇인가요? (   )

① 분리수거가 올바로 실천되지 않는 경우도 있기 때문이다.

② 비닐은 이물질로 오염되면 재활용 처리가 어렵기 때문이다.

③ 플라스틱의 종류가 매우 다양하여 재활용이 쉽지 않기 때문이다.

④ 일회용품을 불에 태우기 위한 시설을 설치하는 비용이 많이 들기 때문이다.

⑤ 매립된 일회용품은 쉽게 썩지 않고, 매립할 공간도 넉넉하지 않기 때문이다.

3 보기 를 통해 추론한 내용으로 알맞은 것에 ○표 하세요.

> 보기
> • 우리나라 사람들의 연간 플라스틱 소비량은 98.2kg으로 세계 1위를 차지함.
> • 우리나라 국민 1인당 연간 비닐봉지의 사용량은 420장에 달함.

(1) 우리나라의 바쁜 현대인들에게 일회용품은 편리한 도구이다.   (   )

(2) 우리나라 사람들은 일회용품을 지나치게 많이 소비하고 있다.   (   )

4 [A]를 읽고 나타낸 반응으로 가장 적절한 것을 보기 에서 한 가지 골라 기호를 쓰세요.

> **보기**
>
> ㉮ 바다에서 플라스틱이 눈에 보이지 않게 잘게 분해되었다니 다행이구나.
>
> ㉯ 미세 플라스틱은 5mm 이하이므로 신체에 직접적으로 영향을 주진 않겠구나.
>
> ㉰ 우리가 버린 일회용품이 해양 생물이나 인간에게 부정적 영향을 미칠 수 있겠구나.

(   )

5 글쓴이의 입장에서 보기 를 읽고 보일 수 있는 반응으로 가장 알맞은 것은 무엇인가요? (   )

> **보기**
>
> 환경부는 2019년 1월 1일부터 '자원의 절약과 재활용 촉진에 관한 법률' 자원재활용법 시행 규칙 개정에 따라 대형 마트와 165㎡ 이상의 슈퍼마켓에서 비닐봉지 사용이 전면 금지된다고 밝혔다. 지금까지는 비닐봉지를 무료로 제공하는 것만을 금지했지만, 앞으로는 비닐봉지 자체를 쓰지 못하도록 관련 규정이 더 강화된 것이다.

① 실생활에서 많이 쓰이는 비닐에 대한 재활용 지원이 확대되겠군.

② 비닐봉지의 사용 자체가 금지되면 많은 소비자들의 생활이 불편해지겠군.

③ 제도적인 방안을 통해 일회용품의 사용을 보다 효과적으로 억제할 수 있겠군.

④ 일회용 포장재를 줄이고 친환경 포장재를 개발하기 위해서 많은 자원이 필요하겠군.

⑤ 환경부가 비닐봉지 사용을 억제하는 것은 일회용품의 장점을 이해하지 못하는 것이군.

한줄요약

6 빈칸에 알맞은 말을 넣어 이 글의 핵심 내용을 한 문장으로 요약하세요.

[　][　][　][　]의 사용은 우리의 환경과 건강을 위협하므로, 자제하려는 자발적이고 능동적인 의지가 필요하다.

지문 속 필수 어휘

낱말의 뜻을 참고하여, 다음 문장의 빈칸에 들어갈 알맞은 낱말을 완성하세요.

❶ 일회용품을 [매 | 립]하는 것은 환경오염의 주범이다.
　　　　쓰레기나 폐기물을 모아서 파묻음.

❷ 쓰레기 [배 | 출]을 줄이고자 쓰레기 종량제를 실시하였다.
　　　　안에서 밖으로 밀어 내보냄.

❸ 인간의 무분별한 개발로 한정된 자원이 [고 | 갈]되고 있다.
　　　　　　어떤 일의 바탕이 되는 돈이나 물자, 소재, 인력 따위가 다하여 없어짐.

❹ 주민들이 먹는 식수에서 오염 물질이 [검 | 출]되었다.
　　　　　　어떤 요소나 특성을 검사하여 찾아냄.

다음 문장을 읽고, (　　) 안에 공통으로 들어갈 낱말을 완성하세요.

❺
- 이 음식점은 음식이 다양하다는 (　　　)이 있다.
- 모둠활동은 협동심을 기를 수 있다는 (　　　)이 있다.

[이 | 점]

❻
- 우리의 사진이 들어간 달력을 (　　　)하기로 했다.
- 이 작품을 (　　　)하기 위해서는 많은 시간이 필요하다.

[제 | 작]

❼
- 시민들이 환경 보호에 (　　　)으로 참여하고 있다.
- 학급을 위한 봉사에 지원하려고 (　　　)으로 손을 들었다.

[자 | 발 | 적]

온실 효과의 빛과 그림자

12분 안에 풀어보세요.

어휘 수준 ★★★★★
글감 수준 ★★★★★
글의 길이 1,038자

'온실 효과'는 대기 중의 수증기와 이산화탄소 등이 온실의 유리처럼 작용하여 지구 표면의 온도가 높아지는 것을 말합니다. 이 온실 효과에 가장 크게 기여하는 것이 바로 수증기입니다.

수증기가 온실 효과에 어떤 역할을 하는지 이해하기 쉽도록 사막과 열대 지방의 숲을 상상해 볼까요? 뜨거운 태양빛이 내리쬐는 한낮의 사막은 기온이 섭씨 영상 40~50도를 넘나듭니다. 그러나 밤이 되면 기온이 크게 내려가 심지어 영하의 온도로 뚝 떨어지기도 합니다. 낮 동안 열을 공급해 주던 태양이 사라져 버렸기 때문이지요. 그런데 열대 지방의 숲은 밤이 되어도 기온이 떨어지지 않습니다. 태양이 사라졌지만 계속 열이 공급되기 때문입니다. 한낮에는 수증기가 태양의 열을 흡수해 있다가 밤이 되어 다시 차분히 가라앉으면서 가지고 있던 열을 밖으로 내놓습니다. ㉠따라서 공기 중에 수증기가 많은 지역에서는 태양이 없는 밤이 되어도 기온이 떨어지지 않고 유지될 수 있는 것이지요.

만약 대기 중에 수증기가 없다면 지구의 온도는 큰 폭으로 요동치며 평균 온도 또한 매우 낮을 것입니다. 현재 지구의 평균 온도는 섭씨 영상 15도 정도인데 ㉡만약 수증기의 온실 효과가 없다면 평균 온도가 섭씨 영하 20~40도이며, 낮에는 뜨겁고 밤에는 얼어붙을 정도로 추울 것입니다. ㉢아마도 생물이 살아가기에는 매우 힘든 상황일 거예요. ㉣그러나 온실 효과 자체는 지구상에서 생물들이 살아가는 데 없어서는 안 될 매우 중요한 현상입니다.

종종 언론 매체를 통해 이산화탄소의 온실 효과로 인한 지구 온난화가 지구촌 곳곳에 환경 재앙을 일으킨다는 보도가 나옵니다. 그런데 정작 문제의 핵심은 온실 효과 자체에 있는 것이 아니고 이산화탄소에 있습니다. 대기 중의 이산화탄소 농도가 증가하면서, 수증기에 의한 온실 효과에 이산화탄소의 온실 효과가 더해진 것이 그 원인이지요. 많은 동식물은 물론 인간도 급작스럽게 바뀌는 기후 패턴에 적응하지 못해 큰 어려움을 겪고 있습니다. ㉤이러한 급변하는 기후 패턴의 충격을 줄이기 위해서는 대기 중으로 방출되는 이산화탄소의 양을 조금이라도 줄이기 위한 우리 모두의 노력이 필요합니다.

● 패턴(pattern)
일정한 형태나 양식 또는 유형.

1 이 글에 사용된 설명 방식을 보기 에서 모두 골라 기호를 쓰세요.

> ㄱ. 용어의 개념을 정의하고 있다.
> ㄴ. 대상들을 대조하며 설명하고 있다.
> ㄷ. 이론 간의 공통점을 제시하고 있다.
> ㄹ. 기준에 따라 대상을 세분화하고 있다.
> ㅁ. 가정을 통해 나타날 현상을 추측하고 있다.

(　　　　　　)

2 이 글을 통해 답을 찾을 수 <u>없는</u> 것은 무엇인가요? (　　)

① 열대지방의 낮과 밤의 온도 변화
② 온실 효과에 가장 기여하는 성분
③ 사막에서 낮과 밤의 온도 차이가 큰 이유
④ 온실 효과로 인해 나타난 환경 재앙의 구체적 사례
⑤ 급작스럽게 바뀌는 기후 패턴을 줄이기 위한 방법

3 이 글과 보기 를 읽은 학생이 보인 반응으로 적절하지 <u>않은</u> 것은 무엇인가요?

(　　)

> 보기
> 　우리가 하고 있는 오해 중의 하나는 온실 기체가 지구에서 우주로 나가는 복사 에너지를 감소시켜서 지구 온난화가 일어난다고 생각하는 것이다. 그러나 현재 지구 온난화가 일어나는 것은 대기 중에 붙잡혀 있는 에너지의 양 자체가 증가한 데 그 이유가 있다. 이는 인구가 증가하고 산업화가 진행되면서 온실 기체의 양이 과거에 비해 늘어난 것이 원인이다.

① 지구의 온도는 수증기와 온실 기체의 양과 관련이 있군.
② 온실 기체의 양을 줄인다면 지구 온난화 문제를 해결할 수 있겠군.
③ 지구에 온실 기체의 양이 늘어나면 지구가 가지고 있는 에너지의 총량이 늘어나게 되는군.
④ 지구에서 발생되는 에너지의 양이 지구 밖으로 나가는 에너지의 양보다 적다면 지구의 온도는 내려가겠군.
⑤ 이산화탄소가 대기 중에 있는 온실 기체를 지구 밖으로 내보내지 못하게 하는 것이 지구 온난화의 주원인이군.

4 이 글을 읽고 추론한 내용으로 가장 적절한 것은 무엇인가요? (　　　)

① 열대 지방의 숲은 사막에 비해 밤에 기온이 더 떨어지겠군.

② 기후 패턴이 바뀌는 정도가 너무 빠르더라도 동식물에는 영향을 주지 못하겠군.

③ 이산화탄소의 농도는 온실 효과에 큰 영향을 주지는 않는군.

④ 사막 지역은 낮에 높은 온도로 땅이 데워졌기 때문에 밤에도 높은 온도를 유지하겠군.

⑤ 사막의 습도가 열대 지방의 습도와 비슷해진다면 밤낮의 기온차가 줄어들 수 있겠군.

5 문맥을 고려할 때 ㉠~㉤의 쓰임이 어색한 것은 무엇인가요? (　　　)

① ㉠　　　　　② ㉡　　　　　③ ㉢　　　　　④ ㉣　　　　　⑤ ㉤

6 빈칸에 알맞은 말을 넣어 이 글의 핵심 내용을 한 문장으로 요약하세요.

한줄
요약

지구 온난화는 [　　　][　　]에 의한 온실 효과에 [　][　][　][　][　]의 온실 효과가 더해져 생긴 문제이다.

지문 속 필수 어휘

낱말의 뜻을 참고하여, 다음 문장의 빈칸에 들어갈 알맞은 낱말을 완성하세요.

❶ 그는 세계 평화에 [기][ㅇ]한 공로로 노벨 평화상을 수상하였다.

　　　　　도움이 되도록 이바지함.

❷ 잘못된 소비 [패][ㅌ]을 바로잡아 낭비를 줄여야 한다.

　　　　일정한 형태나 양식 또는 유형.

다음 문장을 읽고, (　　) 안에 공통으로 들어갈 낱말을 완성하세요.

❸
- 쌀과 물이 수재민들에게 충분히 (　　)되지 못하고 있다.
- 전기 (　　)을 중단하자 수족관의 물고기들이 떼죽음을 당하였다.

[공][ㄱ]

❹
- 이렇게 적은 수입으로 어떻게 생계를 (　　)하라는 건지 모르겠다.
- 아름다운 몸매를 (　　)하기 위해서는 규칙적인 운동을 해야 한다.

[유][ㅈ]

❺
- 배가 좌우로 심하게 (　　)했다
- 적군의 포성이 천지를 (　　)했다.

[요][ㄷ]

❻
- 운동을 많이 하면 열이 몸 밖으로 (　　)된다.
- 자연 상태에서도 적은 양의 방사능이 외부에 (　　)된다.

[ㅂ][출]

새집 증후군

어휘 수준 ★★★★★ 하 중 상
글감 수준 ★★★★★
글의 길이 1,033자

    새로 지은 집으로 이사를 가거나 새로 생긴 가게에 갔을 때 눈이 따갑고 목이 칼칼해진 경험이 있을 것이다. 심한 경우에는 기침이 나고 머리가 어지럽거나 피부가 가려워지기도 하는데, 이렇게 새 건물에 들어갔을 때 건강에 이상이 나타나는 현상을 '새집 증후군'이라고 한다.

    새집 증후군이 처음 나타난 것은 1970년대였다. 세계 경제가 악화되면서 에너지를 절약하기 위해 건물의 외벽에 단열 처리를 하거나 창문을 이중창으로 바꾸고 기계 장치로 냉난방과 습도를 조절했다. 이로 인해 건물 밖으로 새어 나가는 열은 줄어들었지만 공기가 통하지 않아 사람들의 건강에 이상이 생기기 시작하였다.

    이와 같은 질병에 대해 조사한 세계보건기구(WHO)는 1984년 '실내 공기질 조사'라는 보고서를 발표했는데, 이 조사에 따르면 새로 짓거나 보수를 한 건물의 30% 이상에서 생활하는 사람들에게 이러한 질병이 나타났다.

    ⟦   ㉠   ⟧ 어떻게 해야 새집 증후군 현상을 해결할 수 있을까? 실내 공기가 교체되지 않고 오랜 시간 머무르게 되면 오염 물질의 농도가 높아지기 때문에 공기를 순환시킬 수 있는 '환기'가 꼭 필요하다. 또한 휘발성이 강한 오염 물질의 화학적 특성을 이용하여 새집 증후군을 일으키는 물질 대부분을 없앨 수 있는 좋은 해결책이 있는데, 그것은 바로 집을 굽는 방법, 즉 '베이크 아웃(Bake Out)'이다. 베이크 아웃을 하려면 먼저 실내에서 밖으로 통하는 창문과 문을 모두 닫되 새로 구입한 가구의 서랍과 문짝을 모두 열어 놓고 7시간 이상 보일러를 가동하여 실내 기온을 35~40도로 유지한다. 그러면 가구, 벽지, 바닥재에서 휘발성이 강한 오염 물질들이 다량으로 방출되는데, 이후 1시간 동안 환기를 하면서 오염 물질을 밖으로 내보낸다. 이 과정을 5회 이상 반복해야 하는데, 이때 반드시 기억해야 할 것은 고온 상태를 유지한 후에 창문을 열 때, 되도록 숨을 참고 순식간에 모든 창문을 열고 나오는 것이다. 새집 증후군을 피하기 위해서 하는 베이크 아웃인데 들어가서 천천히 구석구석 살피고 나온다면 애써 방출시킨 오염 물질을 고스란히 다 마시게 되기 때문이다.

● **휘발성**(揮휘두를 휘, 發일어날 발, 性 성질 성)
보통 온도에서 액체가 기체가 되어 날아 흩어지는 성질.

● **방출**(放놓을 방, 出날 출)
밖으로 내보냄.

1 이 글에서 내용을 전개한 방식으로 적절하지 <u>않은</u> 것은 무엇인가요? (   )

① 새집 증후군의 증상에 대해 설명하였다.

② 새집 증후군이 발생하게 된 원인에 대해 설명하였다.

③ 새집 증후군을 발생시키는 화학 물질에 대해 설명하였다.

④ 새집 증후군을 해결할 수 있는 방법을 자세히 제시하였다.

⑤ 새집 증후군을 조사한 국제기구의 발표 내용을 인용하였다.

2 새집 증후군 증상이 생겨난 이유로 알맞은 것은 무엇인가요? (   )

① 에너지를 절약하지 않고 낭비해서

② 새로 지은 건물이나 아파트가 많이 생겨나서

③ 짧은 시간에 건물을 짓느라 공사를 엉터리로 해서

④ 1970년대 이후 현대인들이 스트레스를 많이 받아서

⑤ 공기가 통하지 않아 건물 밖으로 오염 물질이 빠져 나오지 못해서

3 이 글을 읽고 적절하게 반응한 친구는 누구인가요? (   )

① 호선: 난 새집으로 이사는 안 갈래.

② 소라: 새집으로 이사 가면 환기를 잘 해야겠군.

③ 정재: 새 옷은 사지 말고 형이 입던 옷만 물려 입어야겠어.

④ 종수: 새집 증후군을 예방하기 위해 실내 온도를 높게 유지해야겠어.

⑤ 민정: 새집 증후군을 치료할 수 있는 약이 하루빨리 개발되어야겠군.

4 다음 중 '베이크 아웃'을 하는 방법을 다음과 같이 메모하였을 때, 그 내용으로 알맞지 <u>않은</u> 것은 무엇인가요? (   )

> **'베이크 아웃'을 하는 방법**
>
> • 먼저 실내에서 밖으로 통하는 창문과 문을 모두 닫는다. … ①
> • 새로 구입한 가구의 서랍과 문짝을 모두 열어 놓는다. … ②
> • 실내 기온을 35~40도로 7시간 이상 유지한다. … ③
> • 1시간 이상 환기를 하여 오염 물질을 밖으로 내보낸다. … ④
> • 환기를 위해서 집으로 들어갈 때 천천히 구석구석 살펴본다. … ⑤

5 문맥을 고려할 때, ㉠에 들어갈 접속어로 가장 적절한 것은? (   )

① 또한   ② 그러나   ③ 그러면   ④ 그리고   ⑤ 그렇지만

6 빈칸에 알맞은 말을 넣어 이 글의 핵심 내용을 한 문장으로 요약하세요.

한줄
요약

새집 증후군 현상을 예방하기 위해서는 ☐☐와 ☐☐☐☐ ☐☐이 필

요하다.

지문 속 필수 어휘

다음 문장을 읽고, (　) 안에 공통으로 들어갈 낱말을 완성하세요.

❶
- 물 한 방울도 헛되이 쓰지 말고 (　　　)하자.
- 물건이 고장 났다고 무조건 버리지 말고 잘 수리하여 아껴 쓰는 (　　　) 정신이 필요하다.

ㅈ	약

❷
- 경기를 진행하기 위해 시설을 (　　　)하였다.
- 지하철 엘리베이터 (　　　) 공사를 위해 통행을 금지시켰다.

보	ㅅ

❸
- (　　　) 온도를 너무 높이지 마라.
- 사방이 차단된 (　　　)는 몹시 더웠다.

ㅅ	내

❹
- 그는 매일 아침 일어나자마자 (　　　)를 위해 창문을 활짝 연다.
- 지하 감방은 매우 좁았으며 여름철에는 (　　　)도 잘되지 않았다.

ㅎ	기

빈칸에 들어갈 알맞은 낱말을 찾아 쓰세요.

가동	증상	농도	휘발

❺ 여름이 되어 에어컨을 [　　] 하였다.

❻ 수묵화는 먹물의 [　　] 를 조절하여 그린 그림이다.

❼ 알레르기 반응으로 코막힘이나 피부 발진 등의 [　　] 이 있다.

❽ 알코올은 [　　] 하기 쉽고 불이 잘 붙기 때문에 조심해서 다루어야 한다.

정의로운 사회

어휘 수준 ★★★★★
글감 수준 ★★★★★
글의 길이 997자

사람들은 누구나 정의로운 사회에 살기를 원합니다. 그렇다면 정의로운 사회란 어떤 사회일까요? 이에 대해 철학자 로버트 노직과 존 롤스는 서로 다른 입장을 보입니다.

노직은 타인에게 피해를 주지 않는 한, 개인의 모든 자유가 보장되는 사회를 정의로운 사회라고 말합니다. 개인이 정당하게 얻은 결과를 온전히 소유할 수 있도록 자유를 보장하는 것이 정의라는 것입니다. 따라서 개인의 소유에 대해 국가가 간섭하는 것은 소유권이라는 개인의 자유를 침해하는 것이기 때문에 정의롭지 못하다고 주장합니다. 또한 노직은 타고난 능력의 차이와 빈부 격차를 당연한 것으로 봅니다. 그렇기 때문에 빈부 격차를 줄이기 위해 국가가 복지 제도 등을 이용하여 부를 재분배하려고 시도하며 간섭하는 것에 반대합니다. 다만 자발적인 기부와 같은 개인의 선택은 인정합니다.

반면 롤스는 개인의 자유를 보장하면서도 사회적 약자를 배려하는 사회가 정의로운 사회라고 말합니다. 롤스는 정의로운 사회가 되기 위해서는 세 가지 조건을 만족해야 한다고 주장합니다. 첫 번째 조건은 사회 원칙을 정하는 데 있어서 사회 구성원 간의 의견이 서로 일치되어야 한다는 것입니다. 그리고 두 번째 조건은 사회적 약자를 고려해야 한다는 것입니다. 누구나 우연에 의해 사회적 약자가 될 수 있으므로 사회적 약자를 차별하는 것은 정당하지 못한 일이기 때문입니다. 마지막 조건은 개인이 정당하게 얻은 소유일지라도 그 이익의 일부는 사회적 약자에게 ㉠돌아가야 한다는 것입니다. 왜냐하면 사회적 약자가 될 가능성은 누구에게나 있으므로, 자발적 기부나 사회적 제도를 통해 사회적 약자를 최대한 배려하는 것이 사회 전체로 볼 때 공정하고 정의로운 것이기 때문입니다.

노직과 롤스는 모두 개인이 자신의 이익을 추구하는 것에 찬성하였습니다. 그러나 노직은 개인의 자유를 중시하여 자연적·사회적 불평등을 해결하는 것은 개인의 선택에 맡겼습니다. 반면에 롤스는 개인의 자유를 중시하는 한편, 자연적·사회적 불평등은 사회의 복지 제도를 통해서도 해결해야 한다고 주장했습니다.

● **보장**(保지킬 보, 障막을 장)
어떤 일이 어려움 없이 이루어
지도록 조건을 마련하여 보호함.

1   이 글의 전개 방식으로 적절한 것은 무엇인가요? (   )

① 어느 하나의 관점에서 또 다른 관점을 비판하고 있다.

② 중심 화제에 대한 두 입장을 제시하여 비교하고 있다.

③ 이론을 소개한 후 그 이론이 가진 한계를 지적하고 있다.

④ 중심 화제와 관련된 특정 이론의 발전 과정을 설명하고 있다.

⑤ 서로 반대되는 이론을 바탕으로 새로운 이론을 만들어 내고 있다.

2   이 글의 내용과 일치하지 <u>않는</u> 것은 무엇인가요? (   )

① 롤스는 누구나 사회적 약자가 될 수 있다고 생각했다.

② 롤스는 정의로운 사회를 만들기 위한 몇 가지 조건을 제시하였다.

③ 노직과 롤스는 정의로운 사회에서는 개인의 자유가 보장된다고 보았다.

④ 노직과 달리 롤스는 사회적 제도를 통해 불평등을 해결할 수 있다고 생각했다.

⑤ 노직은 빈부 격차는 당연한 것으로 보고, 이를 줄이기 위한 모든 노력을 반대하였다.

3   '롤스'에 대한 이해로 적절한 것에는 ○표, 적절하지 <u>않은</u> 것에는 ×표 하세요.

(1) 사회적 약자를 차별하는 것은 정의롭지 못하다고 여겼다.   (   )

(2) 사회 전체로 보았을 때 소수보다 다수의 권리와 이익을 더 중요하게 생각하는 사회가 정의 사회라고 주장하였다.   (   )

(3) 복지 제도가 필요함을 주장하면서도 동시에 개인이 자신의 이익을 추구하는 것도 찬성하였다.   (   )

4 보기 의 Ⓐ에 대해 노직과 롤스가 나누었을 대화의 내용으로 적절하지 <u>않은</u> 것은 무엇인가요? (　　　)

보기

　국민에게 세금을 부과하는 방식의 하나로 Ⓐ<u>누진세</u>가 있다. 누진세는 소득이 높은 사람에게는 높은 세금을, 소득이 낮은 사람에게는 낮은 세금을 거두어 빈부 격차를 줄이려는 목적에서 이루어졌다.

① 롤스: Ⓐ는 공정한 정의 사회를 위해 필요하다고 생각합니다.

② 노직: 저도 빈부 격차를 줄이기 위해 국가가 나서야 한다고 생각합니다. 하지만 Ⓐ는 개인의 자유를 침해할 우려가 있습니다.

③ 롤스: 그러나 경제적·사회적인 불평등을 그대로 두고 보는 것은 정의 사회라고 할 수 없습니다.

④ 노직: 개인이 정당하게 얻은 소득 전부를 소유하는 것은 당연한 것인데, 많이 번다고 많이 내는 것은 정의롭지 못합니다.

⑤ 롤스: 인간은 누구나 언제 사회적 약자가 될지 알 수 없습니다. Ⓐ와 같은 복지 제도로 그들을 배려하는 것이 필요합니다.

5 밑줄 친 단어 중 ㉠과 가장 비슷한 의미로 사용된 것은 무엇인가요? (　　　)

① 정신을 차릴 수 없을 만큼 일이 바쁘게 <u>돌아갔다</u>.

② 어머니께서는 항상 고향에 <u>돌아가고</u> 싶어 하셨다.

③ 저기 보이는 모퉁이를 <u>돌아가면</u> 우리 집이 나온다.

④ 그녀는 우리 모두에게 <u>돌아갈</u> 몫을 혼자서 가로챘다.

⑤ 무서운 놀이기구를 타고 나니 눈이 핑핑 <u>돌아가는</u> 느낌이다.

6 빈칸에 알맞은 말을 넣어 이 글의 핵심 내용을 한 문장으로 요약하세요.

한줄 요약

노직과 롤스는 　　　로운 사회는 개인의 　　　를 보장하는 사회라는 점에는 동의하지만, 자연적·사회적 불평등 해결을 위해 국가가 간섭하는 것에 대해서는 입장의 차이를 보이고 있다.

지문 속 필수 어휘

보기

| 마련해 | 간섭하지 | 보장하다 | 배려하는 | 고려하다 |

빈칸에 들어갈 알맞은 말을 보기 에서 찾아 쓰세요.

❶ 나는 그가 편안히 지낼 수 있도록 충분한 음식과 필요한 것들을 ☐☐☐ 두었다.

헤아려서 갖추다.

❷ 가까운 사이일수록 상대를 ☐☐☐☐ 자세가 필요하다.

도와주거나 보살펴 주려고 마음을 쓰다.

❸ 더 이상 그가 나의 일에 지나치게 ☐☐☐☐ 않았으면 좋겠다.

직접 관계가 없는 남의 일에 부당하게 참견하다.

다음의 뜻을 가진 단어를 보기 에서 찾아 쓰세요.

❹ ( ) : 생각하고 헤아려 보다.

❺ ( ) : 어떤 일이 어려움 없이 이루어지도록 조건을 마련하여 보증하
거나 보호하다.

다음 문장을 읽고, 두 낱말 중 알맞은 것을 찾아 ○표 하세요.

❻ 자연을 본래의 모습대로 [온전이 / 온전히] 지키기 위한 노력을 해야 한다.

❼ 남이 시키는 일만 하려 하기보다는 [자발적 / 수동적]으로 필요한 일을 찾아서 해 보자.

현재에서 바라보는 역사

⏱ **12**분 안에 풀어보세요.

_하 _중 _상
어휘 수준 ★★★★★
글감 수준 ★★★★★
글의 길이 1,034자

가 어떤 사람은 역사를 '과거에 일어난 일'이라고 하고, 또 어떤 사람은 '모든 역사는 현재의 역사'라고 합니다. 서로 반대되는 것처럼 보이는 이 두 가지 말을 종합해 볼까요. 역사는 과거에 일어난 일들을 다루는 것이지만, 모든 역사는 결국 현재의 입장이나 관점에 영향을 받는다는 말로 이해할 수 있습니다. 그렇다면 역사가 현재의 영향을 받는다는 것은 무슨 의미일까요?

나 ㉠사실(事實)과 ㉡사실(史實)이라는 말이 있습니다. '사실(事實)'은 '실제로 있었던 일'을 말하고, '사실(史實)'은 '역사에 실제로 있었던 일'을 말하지요. 그런데 과거나 현재에 일어나는 모든 일[사실(事實)]이 역사에 기록되는 것은 아닙니다. 과거에 일어났던 수많은 일들, 즉 사실(事實)들 중에서 역사적 가치와 의미가 있는 사실(史實)만이 역사가 될 수 있어요. 그렇다면 과거의 일들 중에서 사실(史實)을 가려내는 기준은 무엇일까요? 사실(史實)을 가려내는 일은 주로 역사가들의 주관적인 안목에 의하여 이루어집니다. 하지만 역사가에 의해 선택된 것일지라도 같은 시대를 사는 사람들, 나아가 미래의 사람들에게까지 올바른 선택이었다는 동의를 얻을 수 있어야 사실(史實)로서 인정받을 수 있습니다.

다 한 사람의 역사가가 같은 시대와 미래의 사람들에게 인정받는 사실(史實)을 뽑아내기 위해서는 그 시대의 역사적 요구, 즉 그 시대가 바람직하게 생각하는 가치들을 정확하게 파악하려는 노력이 필요합니다. 사물의 가치가 시대에 따라 달라질 수 있는 것처럼 과거에 일어났던 일에 대한 가치 판단도 시대에 따라 달라질 수 있기 때문이에요. 따라서 사실(史實)로 선택되었던 일이 시대가 바뀌면서 사실(史實)로 인정받지 못하는 경우도 있고 그 사실(史實)이 가지는 역사적 가치가 변하는 경우도 있습니다.

라 이처럼 시대의 흐름에 따라 역사는 새롭게 선택되고 해석되며 변화합니다. 따라서 사실(史實)을 올바로 선택하고 해석하기 위해서는 그 시대의 역사적 요구를 정확히 파악하려는 노력이 필요합니다. 이러한 노력이 뒤따를 때 우리의 역사는 과거만 돌아보는 것이 아니라, 미래를 향해 나아가는 길을 걷게 될 것입니다.

● **주관**(主주인 주, 觀볼 관)
자기만의 의견이나 관점.

● **안목**(眼눈 안, 目눈 목)
사물을 보고 판단하는 능력.

정답과 해설 **34쪽**

1 이 글에 사용된 글쓰기 방법을 모두 골라 알맞게 짝지은 것은 무엇인가요? (   )

> **보기**
> ㄱ. 물음형식을 사용하여 이어질 내용을 제시하고 있다.
> ㄴ. 특정 견해에 대한 찬반 입장을 나란히 전개하고 있다.
> ㄷ. 새로운 견해를 통해 기존 견해의 문제점을 지적하고 있다.
> ㄹ. 두 개의 이론을 구체적인 사례에 적용하며 소개하고 있다.
> ㅁ. 소리는 같지만 의미가 다른 단어를 통해 내용을 전개하고 있다.

① ㄱ, ㄷ　　　　　　② ㄱ, ㄹ　　　　　　③ ㄱ, ㅁ
④ ㄴ, ㄷ　　　　　　⑤ ㄴ, ㅁ

2 이 글에서 다룬 내용으로 적절하지 <u>않은</u> 것은 무엇인가요? (   )

① 사실(史實)을 가려내는 기준
② 사실(事實)과 사실(史實)의 차이점
③ 사실(史實)로서 인정받기 위해 필요한 조건
④ 시대에 따라 사실(史實)에 대한 판단이 달라진 사례
⑤ 사실(史實)을 선택하고 해석하기 위해 역사가가 해야 할 일

3 이 글을 바탕으로 보기 에 대해 보인 반응으로 적절하지 <u>않은</u> 것은 무엇인가요? (   )

> **보기**
> 　광해군이 왕위를 차지하기 위해 어머니를 몰아내고 형제를 죽였다는 이유로 그동안 광해군은 폭군으로만 평가되고 있었다. 그러나 오늘날에는 그러한 평가 이외에도, 나라를 안정시키고 실질적인 이익에 중심을 둔 외교 정책을 편 업적 등을 인정한 긍정적 평가도 이루어지고 있다.
> • 업적: 노력과 수고를 들여 이루어 낸 일의 결과.

① 시대가 변함에 따라 역사에 대한 가치 판단도 달라질 수 있군.
② 광해군에 대한 평가가 달라진 것은 시대적 요구가 달라졌기 때문이겠군.
③ 과거와 달리 오늘날에는 광해군의 업적이 사실(史實)로 인정받은 것이군.
④ 광해군이 한 일 중 역사가들에 의해 선택되지 않은 것은 사실(事實)에 해당하겠군.
⑤ 오늘날에는 광해군이 폭군이라는 근거가 되었던 일들이 사실(史實)로서의 가치를 잃었군.

4 ㉠과 ㉡에 대한 설명으로 적절한 것은 무엇인가요? (   )

① ㉡은 ㉠에 기반을 둔 꾸며 낸 이야기이다.

② ㉡은 시대에 상관없이 그 가치가 항상 동일하다.

③ ㉠ 가운데에서 ㉡을 고르는 것이 역사가의 일이다.

④ ㉡ 가운데에서 역사적 가치를 인정받은 것이 ㉠이다.

⑤ ㉡으로 한번 선택되면 시대가 변해도 ㉡으로 인정받게 된다.

5 보기의 ⓐ~ⓔ는 이 글의 **길**과 다의 관계에 있는 말들입니다. 이 중 이 글의 **길**과 가장 유사한 의미로 쓰인 것은 무엇인가요? (   )

> **보기**
>
> 　오랜만에 도서관에 가서 책을 한 권 읽었다. 우리나라의 역사에 관련한 책이 있었는데, 책을 읽다 보니 우리 조상들이 걸어온 ⓐ길이 생각보다 험난했다는 것을 알 수 있었다. 내가 그 시대를 살아가는 사람 중 한 명이었다면, 과연 조상들과 같은 삶을 살아갈 수 있었을까? 눈앞에 닥친 상황을 어떻게 헤쳐 나가야 할지 ⓑ길을 찾지 못해 울고만 있지는 않았을까. 그러한 생각 끝에 역사를 열심히 공부하여 우리나라가 앞으로 좋은 ⓒ길로 발전할 수 있도록 노력해야겠다는 다짐을 하였다. 그리고 도서관에서 집으로 돌아오는 ⓓ길에 아름다운 노을을 바라보며 학생의 ⓔ길에 대해 생각해 보았다.

① ⓐ　　　② ⓑ　　　③ ⓒ　　　④ ⓓ　　　⑤ ⓔ

6 빈칸에 알맞은 말을 넣어 이 글의 핵심 내용을 한 문장으로 요약하세요.

<small>한줄 요약</small>

　　[　　　]는 과거의 일에 바탕을 두지만 시대에 따라 사실(史實)에 대한 [　　　]

판단이 달라질 수 있으므로, 역사가가 사실(史實)을 올바로 선택하고 해석하기 위해서

는 그 시대의 [　　　] 요구를 정확히 파악하려는 노력을 해야 한다.

지문 속 필수 어휘

낱말의 뜻을 참고하여, 다음 문장의 빈칸에 들어갈 알맞은 낱말을 완성하세요.

❶ 누군가를 돕는 일은 참으로 [ㄱ][치]가 있는 일이다.

　　　　　사물이 지니고 있는 쓸모.

❷ 그녀는 물건을 고르는 [안][ㅁ]이 남들보다 뛰어나다.

　　　　　사물을 보고 판단하는 능력

❸ 누가 잘못했는지를 따져 보기 위해서는 우선 사건의 원인을 [파][ㅇ]해야 한다.

　　　　　　　　　　어떤 대상의 내용이나 본질을 확실하게 이해하여 알다.

❹ 이 실험 결과에 대한 박 교수의 [ㅎ][ㅅ]은 상당한 설득력이 있다.

　　　　　어떤 현상이나 행동, 글 따위의 의미를 이해하거나 판단함.

문제 속 개념어

다의 – 동음이의 관계 多 많을 다, 義 뜻 의 – 同 한가지 동, 音 소리 음, 異 다를 이, 義 뜻 의

우리말에는 다의 관계와 동음이의 관계가 있습니다. '다의 관계'는 '하나의 단어가 여러 개의 의미를 가질 때'를, '동음이의 관계'는 '소리는 같지만 그 뜻은 다른 단어들 간의 관계'를 가리킵니다. 그래서 다의 관계를 가지는 단어를 '다의어'라고 하고, 동음이의 관계에 있는 단어를 '동음이의어'라고 합니다.

다의(多義) 관계	동음이의(同音異義) 관계
내리다 1. 눈, 비, 서리, 이슬 따위가 오다. 2. 타고 있던 물체에서 밖으로 나와 어떤 지점에 이르다. 3. 판단, 결정을 하거나 결말을 짓다. 4. 위에 올려져 있는 물건을 아래로 옮기다. ➞ '내리다'라는 하나의 단어가 여러 개의 뜻을 가지고 있음.	지원하다¹ 지지하여 돕다. 지원하다² 지극히 바라다. 지원하다³ 어떤 일이나 조직에 뜻을 두어 한 구성원이 되기를 바라다. ➞ 소리는 모두 '지원하다'이지만 의미가 서로 다름.

아리스토텔레스의 목적론

⏱ **12**분 안에 풀어보세요.

어휘 수준 ★★★★★
글감 수준 ★★★★★
글의 길이 1,073자

가 자연에서 발생하는 모든 일은 목적을 추구하는가? 자기 몸통보다 더 큰 나뭇가지나 잎사귀를 허둥대며 옮기는 개미들은 분명히 목적을 가진 듯이 보인다. 그런데 가을에 지는 낙엽이나 한밤중에 쏟아지는 우박도 목적을 가질까? 아리스토텔레스는 모든 자연물은 목적을 추구하는 본성이 있으며, 외부의 원인이 아니라 내면에 존재하는 본성에 따라 움직인다는 목적론을 주장했다. 그는 자연물이 이루고자 하는 것, 즉 목적을 가지며 그 목적을 이룰 수 있는 능력 역시 가지고 있다고 주장했다. 또한 목적을 이루어 나가는 과정에서 어떠한 것의 방해도 받지 않는다면 언젠가 목적은 이루어지고, 그 결과는 항상 바람직하고 옳은 방향일 것이라고 믿었다. 아리스토텔레스는 이러한 자신의 ㉠견해를 "자연은 헛된 일을 하지 않는다!"라는 말로 요약했다.

나 근대에는 아리스토텔레스의 목적론이 비과학적이라는 이유로 많은 비판을 받았다. 갈릴레이는 목적론의 설명이 과학적이지 않다고, 베이컨은 목적에 대한 탐구가 과학에 도움이 되지 않는다고, 스피노자는 목적론이 자연을 제대로 이해하지 못한다고 비판했다. 이들은 아리스토텔레스가 인간 이외의 자연물, 예를 들어 돌이나 나무 등도 '이성'을 가진 존재처럼 여긴다며 그의 목적론을 비판하였다. 그러나 이런 비판과는 달리, 실제로 아리스토텔레스는 자연물을 생물과 무생물로, 다시 생물을 식물·동물·인간으로 나누고, 인간만이 이성을 지닌다고 생각했다.

다 현대의 일부 학자들은, 근대 사상가들이 아리스토텔레스의 목적론을 비판한 내용이 타당하지 못했다며 근대의 학자들을 비판했다. 볼로틴은 근대 학자들이 자연물이 목적을 가지지 않는다는 것을 증명하지 못했고, 또한 그것을 증명하려는 시도조차 하지 않았다고 지적했다. 또한 우드필드는 목적론의 설명이 과학적이지는 않지만, 목적론의 옳고 그름을 확인할 수 없으므로 목적론이 거짓이라 할 수 없다고 지적했다.

라 과학이 지속적으로 발전하고 있는 현재에도 생명체의 존재 원리와 이유를 밝히려는 노력은 계속되고 있다. 아리스토텔레스의 목적론은 자연물이 존재하고 운동하는 원리와 이유를 밝히기 위한 것이었다는 점에서 지금까지 이어지는 존재 원리와 이유에 대한 탐구들의 출발점이라 할 수 있다.

● 탐구(探찾을 탐, 究연구할 구)
진리, 학문 따위를 파고들어 깊이 연구함.

● 이성(理다스릴 이, 性성품 성)
스스로 생각하는 능력. 인간을 다른 동물과 구별시켜 주는 특성.

정답과 해설 35쪽

1 이 글에 대한 설명으로 적절한 것은 무엇인가요? (   )

① 목적론에 영향을 받은 다양한 이론을 소개하고 있다.

② 아리스토텔레스가 살았던 시대에 대해 설명하고 있다.

③ 목적론이 시대에 따라 발전하는 과정을 설명하고 있다.

④ 목적론을 주장한 사람이 아리스토텔레스가 맞는지 따져 보고 있다.

⑤ 목적론에 대한 비판을 살펴본 뒤 목적론이 갖는 의미를 제시하고 있다.

2 보기 는 목적론에 대한 의견들을 정리한 것입니다. ⓐ와 ⓑ에 들어갈 인물을 알맞게 짝지은 것은 무엇인가요? (   )

보기

(ⓐ   )와/과 (ⓑ   )은/는 둘 다 목적론의 설명이 과학적이지 못하다고 생각하였습니다. 그 중 (ⓑ   )은/는 목적론이 옳고 그른지 확인할 수 없기 때문에 목적론이 거짓이라고 말할 수는 없다며, 목적론을 부정한 근대 사상가들의 의견을 비판하였습니다.

	ⓐ	ⓑ
①	베이컨	볼로틴
②	갈릴레이	우드필드
③	갈릴레이	스피노자
④	스피노자	볼로틴
⑤	우드필드	갈릴레이

3 아리스토텔레스의 견해를 바탕으로 추론할 수 있는 내용으로 바른 것은 ○표, 그렇지 <u>않은</u> 것은 ×표 하세요.

(1) 쏟아지는 비는 목적을 추구하는 본성에 의한 것으로 볼 수 없다.   (   )

(2) 나뭇가지를 운반하는 개미들의 행동은 이성에 의한 것이다.   (   )

(3) 낙엽이 목적을 추구하는 본성은 외적 원인에 의해 일어나지 않는다.   (   )

4 이 글을 읽고 보기1 의 자료를 찾았습니다. 보기2 에서 이 글과 보기1 을 읽고 추론한 내용으로 알맞지 <u>않은</u> 것을 찾아 기호를 쓰세요.

보기1

아리스토텔레스는 생물을 식물, 동물, 인간으로 나눈 뒤, 이들 모두 본성을 가지지만 그 본성에 따라 갖게 되는 능력에는 차이가 있다고 보았습니다. 식물은 동물의 생존을, 동물은 인간의 생존을 위해 존재한다고 보고, 특히 인간은 인간만의 고유한 능력이 있기 때문에 다른 생물보다 우월하다고 주장하였습니다.

보기2

㉮ 아리스토텔레스는 다른 생물에게 없는 능력이 인간에게는 있다고 생각했다.

㉯ 아리스토텔레스는 식물이나 동물은 인간과 달리 목적을 실현할 능력이 없다고 보았다.

㉰ 아리스토텔레스는 인간이 이성을 지녔기 때문에 다른 생물보다 우월하다고 보았을 것이다.

(   )

5 다음 중 ㉠과 바꾸어 쓸 수 있는 말로 알맞은 것을 보기 에서 모두 찾아 쓰세요.

보기

의견	목표	각오	생각

(   )

한줄
요약

6 빈칸에 알맞은 말을 넣어 이 글의 핵심 내용을 한 문장으로 요약하세요.

아리스토텔레스의 [　　　] 은 모든 자연물은 [　　] 을 추구하는 본성을 지니며, 그 내면의 [　　] 에 따라 움직인다는 이론으로, 근대 사상가들에게 비판받기도 하였으나 생명체의 존재 원리와 이유를 밝히려는 탐구의 [　　　] 이 된다는 점에서 의미가 있다.

지문 속 필수 어휘

낱말의 뜻을 참고하여, 다음 문장의 빈칸에 들어갈 알맞은 낱말을 완성하세요.

❶ 사람은 누구나 자신의 행복을 │ ㅊ │ 구 │ 할 권리가 있다.

　　　　　목적을 이룰 때까지 뒤쫓아 구함.

❷ 그는 우리의 실험에서 잘못된 부분을 │ ㅈ │ ㅈ │ 하였다.

　　　　　　잘못 저지른 일 등을 꼭 집어서 가리킴.

❸ 우리는 마음이 잘 맞는 편인데도 그 일에 대해서만큼은 늘 │ ㄱ │ 해 │ 가 엇갈렸다.

　　　　　　　　　　어떤 사물이나 현상에 대한 자기의 의견이나 생각.

❹ 그들은 철학을 통해 삶의 진리를 │ ㅌ │ 구 │ 하고자 하였다.

　　　　　진리, 학문 따위를 파고들어 깊이 연구함.

다음 문장을 읽고, (　　) 안에 공통으로 들어갈 낱말을 완성하세요.

❺
- 나는 내가 거짓말을 하지 않았음을 (　　　)하고 싶었다.
- 그는 친구의 무죄를 (　　　)하기 위해서 법정에 나왔다.

│ 증 │ ㅁ │

❻
- 시험의 (　　　)은 학생들의 학습 능력을 평가하는 데 있다.
- 나는 어머니를 졸라 피아노를 배우겠다는 (　　　)을 이루었다.

│ ㅁ │ 적 │

❼
- 어머니는 사람의 (　　　)은 숨기지 못한다고 말씀하셨다.
- 인간의 (　　　)이 악한가 선한가를 두고 학자들의 의견이 나뉘었다.

│ ㅂ │ 성 │

몰라도 풀 수 있다!

독해 지문은 다양한 분야의 내용을 다루고 있습니다. 역사와 철학, 경제와 사회, 과학과 기술, 음악과 미술 등 독해의 대상은 넓은 분야에 걸쳐 있지요. 학생들은 흔히 이렇게 다양한 분야의 지문을 대하는 것이 흥미롭기보다는 부담스럽다고 말합니다. 아직 배우지 않아 자신이 잘 모르는 분야에 대해 묻는 것이 독해 문제라고, 그래서 어렵다고 하소연하기도 합니다.

● 다음 문제를 읽고 알맞은 답을 써 보세요.

❶ 조선 시대 대표적 서민 가옥인 초가집에서 볼 수 있는 일자형 평면의 지붕 형태는 무엇인가요? (   )

❷ 다음 중 팔각지붕에 해당하는 것은 무엇인가요?

①

②

❸ 다음 식에서 빈칸에 들어갈 수를 각각 쓰세요.

$1 \times 3 + 2 \times 3 + 1 \times 4 + 2 \times 4 = (\square + \square) \times (\square + \square)$

아마 대부분의 학생들은 답을 쓰기 어려워했을 것입니다.
정답은 ❶ 우진각 지붕, ❷ ①, ❸은 순서대로 1, 2, 3, 4입니다.
이 문제들은 여러분이 이미 알고 있는 지식을 묻거나 수리적 사고력을 측정하는 문제입니다.
모르면 당연히 어려울 수밖에 없겠지요?

그런데 독해 문제는 조금 다릅니다. 다음 문제를 풀어보세요.

● 다음 글을 읽고 ㉠에 해당하는 건물이 무엇인지 번호를 쓰세요.

> 건축 재료인 콘크리트에 철근을 넣어 강도를 높인 건축재가 바로 철근 콘크리트입니다. 콘크리트로만 지은 건물은 벽이 건물의 무게를 지탱하는 구조였으나, 철근 콘크리트로 지은 건물은 기둥만으로 건물의 무게를 지탱할 수 있다는 장점이 있습니다. ㉠사보아 주택은 철근 콘크리트의 장점이 완벽히 구현된 대표적인 사례입니다.

① 　　②

(　　　　　)

어때요? 답을 잘 찾았나요?

여러분이 사보아 주택에 대한 지식이 없더라도 제시문에 드러난 정보를 활용하여 답을 찾을 수 있었을 것입니다. 제시문의 마지막 문장에서 사보아 주택은 '철근 콘크리트의 장점이 완벽히 구현'된 사례라고 하였고, 두 번째 문장에서 '기둥만으로 건물의 무게를 지탱'하는 것이 철근 콘크리트의 장점이라고 하였습니다. 따라서 이 정보들을 그림에 적용한다면 기둥으로 건물 대부분을 지탱하고 있는 ②번이 답이라는 것을 쉽게 알 수 있습니다.

독해 문제의 출제 의도는 글의 내용을 정확히 이해하고 이를 추론·적용할 수 있는지 알아보는 것이지, 여러분이 알고 있는 지식을 측정하려는 것이 아닙니다. 글감이 다소 낯설다고 겁부터 먹는 태도는 여러분을 위축시킬 뿐입니다. 낯선 글감은 새로운 정보이므로 호기심을 가지고 접근한다면 흥미를 높일 수 있습니다.

> ❝ 독해 시험은 지식 정도를 측정하는 것이 아니라
> 제시된 정보를 얼마나 잘 파악할 수 있는가를
> 확인하는 시험입니다! ❞

휴리스틱

어휘 수준 ★★★★★
글감 수준 ★★★★★
글의 길이 1,079자

본격 독해 훈련

⏱10분 안에 풀어보세요.

사람들은 하루에도 수많은 일들을 판단하면서 살아간다. 그런데 일상생활에서 사람들은 어떤 일이나 상황에 대해 일일이 따져 보고 판단을 내리는 것이 아니라, 빨리 결정을 내리고 싶어 무의식적으로 과거 경험을 바탕으로 대강 짐작하여 판단을 하게 되는데, 이를 휴리스틱이라고 한다. 이러한 휴리스틱에는 '대표성 휴리스틱'과 '회상 용이성 휴리스틱', 그리고 '감정 휴리스틱' 등이 있다.

㉠대표성 휴리스틱은 어떤 대상이 특정 집단에 속할 가능성을 판단할 때, 그 대상이 특정 집단의 대표적인 특징과 얼마나 닮았는지에 따라 판단하는 것을 말한다. 예를 들어 우리는 키 198cm인 사람이 키 165cm인 사람보다 농구 선수일 가능성이 높을 것이라 판단한다. 왜냐하면 농구 선수는 키가 크다는 대표적인 특징을 가지고 있기 때문이다. 이러한 대표성 휴리스틱은 빠른 결정을 내리는 데 도움이 되기도 하지만, 항상 정확하고 객관적인 것이라고 보기는 어렵다.

한편 사람들은 최근에 자신이 경험한 사례, 생생하고 친근한 사례, 충격적이거나 극적인 사례들을 더 쉽게 떠올린다. 이렇게 회상하기 용이한, 즉 떠올리기 쉬운 것을 바탕으로 어떤 사건의 발생 정도를 판단하는 것을 회상 용이성 휴리스틱이라고 한다. 사람들에게 작년 겨울 독감에 걸린 환자들이 얼마나 많았는지 물어보면, 일단 자기 주변에서 발생한 사례들을 떠올려 추정하게 된다. 또 비행기 사고 장면을 담은 충격적인 뉴스 보도 영상을 접하게 되면, 그 장면이 자꾸 떠올라 자동차보다 비행기가 더 위험하다고 생각하게 되는 것이다. 그러나 이것은 실제 사고 발생 확률을 고려하지 못한 잘못된 판단이다.

감정 휴리스틱은 어떤 사건이나 상황에 대해 판단할 때, 자신의 경험에 따라 이미 머릿속에 만들어진 감정을 바탕으로 평가를 내리는 것을 말한다. 사람들은 보통 '암'이라는 단어를 들으면 두려워하고 '엄마'라는 단어를 들으면 따뜻함이나 보살핌을 떠올리기 마련인데, 이러한 감정적인 판단이 의사 결정에 큰 영향을 끼친다.

이처럼 휴리스틱은 종종 잘못된 판단을 하게 만들기도 하지만, 자신의 경험을 바탕으로 답을 찾는 방법이기 때문에 수많은 대안 중 순식간에 몇 가지 혹은 단 한 가지만을 남겨 판단하기 쉽게 만들어 준다.

● 추정(推밀을 추, 定정할 정)
미루어 생각하여 결정함.

정답과 해설 36쪽

1　이 글을 쓰기 전 글쓴이가 글쓰기 계획을 세웠다고 할 때, 그 내용으로 알맞은 것은 무엇인가요? (　　　)

① 예시를 활용하여 나의 주장을 강조하자.

② 설명할 대상을 분류하여 자세히 설명하자.

③ 전문가의 말을 인용하여 글의 신뢰성을 높이자.

④ 핵심어의 뜻을 밝히고, 이에 대한 사회적 평가를 제시하자.

⑤ 설명 대상으로 인한 사회적 부작용을 제시하면서 이를 비판하자.

2　㉠의 사례와 그에 대한 **비판**으로 알맞은 것은 무엇인가요? (　　　)

① '근육질 몸매를 지닌 사람은 건강하다'는 것은 개인의 특징을 특정 집단의 특징과 연결지어 판단한 것으로 객관적인 판단이라고 보기 어렵다.

② 똑같은 가격의 자판기 커피인데, '일반 커피'보다 '고급 커피'라고 써 있는 것을 고르는 것은 '고급'이라는 말이 주는 긍정적인 감정 때문이다.

③ '난민 수용을 반대하므로 당신은 도덕적으로 옳지 못하다.'라는 주장은 문제를 선과 악 두 가지로만 판단하는 잘못을 범하고 있다.

④ 언론에 자주 언급되는 '식중독'이 그렇지 않은 '천식'보다 더 무서운 질병이라고 생각하는 것은 실상을 제대로 알지 못한 채 내리는 판단이다.

⑤ '신은 분명히 있어. 신이 없다고 증명한 사람이 아직 없거든.'은 어떤 사실을 증명할 수 없음을 근거로 들고 있으므로 합리적이지 않은 주장이다.

＋수능연결

'비판'이란 어떤 일의 옳고 그름을 판단하여 밝히거나 잘못된 점을 지적하는 것을 말합니다. 비판을 할 때는 제시된 내용을 정확히 파악한 뒤 오류나 허점을 지적할 수 있어야 합니다.

> 논리학의 법칙처럼 아무도 의심하지 않는 지식은 분석 명제로 분류해야 하는 것이 아니냐는 비판에 답해야 하는 어려움이 있다.

19. 윗글의 총체주의에 대한 **비판**으로 가장 적절한 것은?

① 가설로부터 논리적으로 　[비판]　험과 충돌하더라도 그 충돌 때문에 가설이 틀렸다고 할 수 없다.

② 논리학 지식이나 수학적 지식이 중심부 지식의 한가운데에 위치한다고 해서 경험과 무관한 것은 아니다.

③ 전체 지식은 어떤 결정적인 반박일지　수능에는 어떤 대상이나 의견에 대해 비판적으로 이해하는 문제가 출제돼요.　로 한정하는 것은 잘못이다.

3 이 글을 참고하여 보기 를 분석한 내용으로 알맞은 것에 ○표 하세요.

> **보기**
>
> ○○대학교에서 다음과 같은 실험을 하였다. 실험 대상자들(남녀 각 10명)에게 남녀의 이름이 적힌 두 가지 명단을 읽어 주었다.
>
> • 명단 1: 유명한 남성 19명, 유명하지 않은 여성 20명
> • 명단 2: 유명한 여성 19명, 유명하지 않은 남성 20명
>
> 명단을 읽어 주고 나서 집단의 크기를 평가하게 하자 실험 대상자들은 '명단 1'은 남성이 여성보다 더 많고, '명단 2'는 여성이 남성보다 더 많다고 답하였다.

(1) 유명하지 않은 사람들에 비해 유명한 사람들을 기억하기 더 쉽다. (　　)

(2) 사람들은 자신과 성별이 같은 사람을 그렇지 않은 사람보다 더 잘 기억한다.

(　　)

4 이 글의 내용과 일치하지 <u>않는</u> 것을 보기 에서 모두 골라 기호를 쓰세요.

> **보기**
>
> ㉮ 감정 휴리스틱은 판단을 내리는 시간을 지연시킨다.
> ㉯ 휴리스틱은 합리적이지 않지만, 빠른 결정을 내릴 수 있는 방법이다.
> ㉰ 사람들은 어떤 결정을 내릴 때, 논리적 절차를 따르지 않는 경향이 있다.
> ㉱ 대표성 휴리스틱은 회상 용이성 휴리스틱보다 신속한 결정을 내리는 데 유리하다.

(　　　　)

5 빈칸에 알맞은 말을 넣어 이 글의 핵심 내용을 한 문장으로 요약하세요.

한줄
요약

　　휴리스틱이란 빠른 결정을 위해 무의식적으로 과거 경험을 바탕으로 대강 짐작하여

판단을 하는 것으로, ▢▢ 휴리스틱, ▢▢▢▢ 휴리스틱,

▢▢ 휴리스틱이 있다.

지문 속 필수 어휘

낱말의 뜻을 참고하여, 다음 문장의 빈칸에 들어갈 알맞은 낱말을 완성하세요.

❶ 우리는 모든 일을 그의 [ㅍ][ㄷ]에 맡겼다.

　　　사물을 인식하여 논리나 기준 등에 따라 판정을 내림.

❷ 그는 가난했던 어린 시절을 [ㅎ][상]하며 눈물을 흘렸다.

　　　지난 일을 돌이켜 생각함. 또는 그런 생각.

❸ 김홍도는 우리나라의 [ㄷ][ㅍ][적]인 풍속 화가이다.

　어떤 분야나 집단에서 무엇을 대표할 만큼 전형적이거나 특징적인. 또는 그런 것.

❹ 아저씨는 길을 [잘][ㅁ] 들어 약속 시간에 늦어 버렸다.

　　　틀리거나 그릇되게.

다음 문장을 읽고, (　　) 안에 공통으로 들어갈 낱말을 완성하세요.

❺
- 그를 범인으로 지목한 것은 섣부른 (　　　)이었음이 밝혀졌다.
- 그 과학자는 자신의 (　　　)을 뒷받침하는 몇 가지 가설을 제시했다.

[ㅊ][정]

❻
- 그곳은 접근하기 (　　　)해서 사람들이 많이 찾는다.
- 밤늦은 시간에는 택시를 잡기가 (　　　)하지 않다.

[ㅇ][이]

❼
- 진우는 이번 시험에 합격할 (　　　)이 높다.
- 크리스마스에 눈이 올 (　　　)은 별로 없다.

[ㄱ][능][ㅅ]

정보화 시대의 저작권

⏱ 10분 안에 풀어보세요.

어휘 수준 ★★★★★
글감 수준 ★★★★★
글의 길이 959자

본격 독해 훈련

2006년 저작권법이 개정되면서 누리꾼들은 더 이상 개인 블로그나 홈페이지 등에 음악을 올리지 못하게 되어 많은 논란이 일었다. 이 같은 논란에도 불구하고 저작권법이 개정된 배경은 무엇일까?

저작권법은 저작자의 저작물에 대한 권리를 보호하기 위해 만들어진 법이다. 이때 저작자는 저작물을 창작한 사람을, 저작물은 인간의 생각 또는 감정을 표현한 창작물을 가리킨다. 현재 저작권법에는 비영리적인 사용이나 개인적인 이용을 위한 사용을 허용한다는 규정이 있다. 이러한 규정에 따라 학교 교육을 목적으로 교과서나 수업 등에 저작물을 이용할 수 있고, 비영리 목적으로 청중이나 관중 앞에서 음악을 공연하거나 재생할 수 있다. 다만 인터넷 공간에서 사용한다면 이야기가 다르다. 돈을 벌 목적이 아니더라도 음악과 같은 저작물을 저작자의 허락 없이 인터넷 공간에 올리거나 사용하는 것은 저작권법을 어기는 행위가 된다. 블로그나 홈페이지는 누구나 접속이 가능하므로, 저작권법에서 정한 개인적 이용의 범위를 넘어서기 때문이다. 이 때문에 인터넷에서의 저작물 이용에 대한 규제가 ㉠강화되었다.

저작권법이 애초에 저작자의 권리만을 보호하기 위한 법이라고 많은 사람들이 오해하기도 한다. 그러나 저작권법의 주된 목적은 저작물을 공정하게 이용하여 '문화 발전'에 ㉡이바지하는 것이다. 그럼에도 저작권법이 저작자의 권리를 보호하는 방향으로만 기울자, 이를 보완하기 위해 '정보공유라이선스'가 등장했다. 이는 저작자가 자신의 저작물에 대해서 자유 이용의 범위(순수한 공유, 개작, 영리 목적 등의 단계로 나뉨)를 정하여 알림으로써 정보를 자유롭게 ㉢유통시킬 수 있는 문화 운동이다. 정보공유라이선스는 저작자들이 저작권을 포기하지 않고도 정보를 무료로 공유할 수 있는 대안으로 떠오르고 있다.

현재의 저작권법은 기존의 아날로그 환경에 맞추어져 있다. 따라서 정보 공유를 바탕으로 하는 새로운 문화 발전을 위해서 저작권법을 꾸준히 개선해 나가야 할 것이다.

● **개정**(改고칠 개, 正바를 정)
정해져 있던 것을 고쳐 다시 정함.

● **비영리**(非아닐 비, 營경영할 영, 利이로울 리) ↔ 영리
재산상의 이익을 꾀하지 않음.

● **개작**(改고칠 개, 作지을 작)
작품이나 원고 따위를 고쳐 다시 지음.

● **아날로그 환경** ↔ 디지털 환경
숫자와 문자로 정보를 공유하던 예전의 환경.

1 이 글에서 다룬 내용이 <u>아닌</u> 것은 무엇인가요? (   )

① 저작권법의 주된 목적

② 저작권법의 개정 배경

③ 정보공유라이선스의 단점

④ 저작권법에서 저작물 사용을 허용하는 사례

⑤ 인터넷 공간에서의 개인의 음악 이용을 금지한 이유

2 이 글에 대한 설명으로 적절한 것은 무엇인가요? (   )

① 비유적 표현을 활용하고 있다.

② 전문가의 견해를 인용하고 있다.

③ 두 개념의 장단점을 비교하고 있다.

④ 다양한 사례를 통해 문제점을 밝히고 있다.

⑤ 개념을 정의하고 그 의의를 설명하고 있다.

3 다음 중 저작권법에 <u>어긋나는</u> 상황은 무엇인가요? (   )

① 유료로 구입한 음악을 교내 방송에서 틀어 주는 것

② 개인적으로 간직하기 위해 책의 일부를 복사하는 것

③ 수업 시간에 발표 주제와 관련된 그림을 보여 주는 것

④ 사람이 많은 길거리에서 유명한 가수의 춤을 따라서 추는 것

⑤ 뮤지컬 공연의 일부를 휴대폰으로 촬영하여 블로그에 올리는 것

4 이 글과 보기 를 읽고 난 반응으로 적절한 것은 무엇인가요? (　　　)

> **보기**
>
> 　정보공유라이선스를 채택한 저작자는 자신의 저작물에 대한 자유 이용 범위를 스스로 설정할 수 있다. 정보공유라이선스에는 아래와 같이 4가지 유형이 있다.
> (1) 모든 범위에서 허용하는 형 (허용)
> (2) 영리적 이용을 금지하는 형 (영리 금지)
> (3) 번역, 편곡 등 2차적 저작물 작성을 금지하는 형 (개작 금지)
> (4) 영리와 개작을 금지하는 형 (영리 금지 · 개작 금지)

① 정보공유라이선스의 (1)을 채택하면 저작권을 포기해야 하는군.
② 정보공유라이선스는 저작권법과 달리 비영리적인 사용을 허용하는군.
③ 정보공유라이선스는 저작자의 권리보다 이용자의 권리를 더 중요시하는군.
④ 정보공유라이선스는 저작권법과 달리 저작물 이용의 범위가 세분화되어 있군.
⑤ 정보공유라이선스를 통해 저작권법이 보호하는 창작물의 범위가 넓어지게 되었군.

5 ㉠~㉢의 의미를 찾아 바르게 연결해 보세요.

㉠ 강화　•　　　　　• ⓐ 세상에서 널리 통하여 쓰이다.
㉡ 이바지 •　　　　　• ⓑ 수준이나 정도를 더 높이다.
㉢ 유통　•　　　　　• ⓒ 도움이 되게 하다.

6 빈칸에 알맞은 말을 넣어 이 글의 핵심 내용을 한 문장으로 요약하세요.

저작권법은 저작자의 [　][　]를 보호하고 문화 발전을 위해 만들어진 법으로, [　][　][　][　][　][　][　]와 같은 대안을 통해 정보 공유를 바탕으로 하는 새로운 문화 발전을 위해서 꾸준히 개선해 나가야 한다.

지문 속 필수 어휘

다음 문장을 읽고, ( ) 안에 공통으로 들어갈 낱말을 완성하세요.

❶
- 교육 발전에 ( )한 공로를 인정받아 상을 받았다.
- 대체 에너지 개발은 환경 개선에 크게 ( )할 것이다.

| ㅇ | ㅂ | 지 |

❷
- 선거에 참여하는 것은 우리의 ( )이자 의무이다.
- 모든 국민은 인간다운 생활을 할 ( )가 있다.

| ㄱ | 리 |

❸
- 이 장소는 방송국의 촬영이 ( )된 공간이다.
- 자유란 법이 ( )하는 범위 안에서 누릴 수 있다.

| 허 | ㅇ |

❹
- 약점을 ( )하기 위해 피나는 노력을 했다.
- 서로의 부족함을 ( )하고 힘을 모아 일을 진행하였다.

| 보 | ㅇ |

낱말의 뜻을 참고하여, 다음 문장의 빈칸에 들어갈 알맞은 낱말을 완성하세요.

❺ 이 양로원은 | 비 | ㅇ | ㄹ | 단체에서 운영하고 있다.
　　　　　　재산상의 이익을 꾀하지 않음.

❻ 양자 간의 시각 차이로 상당한 | 논 | ㄹ |이 예상된다.
　　　　　　　　　　　여럿이 서로 다른 주장을 내며 다툼.

❼ 예술계에서는 예술 작품에 대해 지나치게 | ㄱ | 제 |를 가하는 것은 결코 바람직하지 않다고 반발했다.　규칙이나 규정에 의하여 일정한 한도를 정하거나 정한 한도를 넘지 못하게 막음.

간접 광고의 이해

어휘 수준 ★★★☆☆
글감 수준 ★★★★☆
글의 길이 1,157자

요즘 시청자들은 자신도 모르는 사이에 간접 광고에 노출되어 광고와 더불어 살아가고 있다고 해도 과언이 아니다. 방송 프로그램의 앞과 뒤에 붙어 방송되는 직접 광고와 달리, 간접 광고는 프로그램 내에 상품을 배치해 광고 효과를 거두고자 하는 광고 형태이다. 간접 광고는 직접 광고에 비해 시청자가 리모컨을 이용해 광고를 피하기가 상대적으로 어려워 시청자에게 노출될 확률이 더 높다.

광고주들은 광고를 통해 상품의 인지도를 높이고 상품에 대한 호의적 반응을 얻고자 한다. 간접 광고에서는 이러한 광고 효과를 얻기 위해 주류적 배치와 주변적 배치를 활용한다. 주류적 배치는 출연자가 상품을 Ⓐ사용·착용하거나 대사를 통해 상품에 대해 말하는 것이고, 주변적 배치는 화면 속의 배경을 통해 상품을 노출하는 것인데, 시청자들은 주변적 배치보다 주류적 배치에 더 주목한다. 또 간접 광고를 통해 배치되는 상품이 프로그램과 자연스럽게 잘 어울리면 해당 상품에 대한 광고 효과가 커지는데, 이를 맥락 효과라고 한다.

우리나라는 1990년대 중반부터 극히 제한된 형태의 간접 광고만을 허용하는 ㉠협찬 제도를 운영해 왔다. 이 제도는 프로그램 제작자가 협찬 업체로부터 경비, 물품, 인력, 장소 등을 제공받아 활용하고 프로그램이 종료될 때 협찬 업체를 알리는 협찬 고지를 허용했다. 그러나 프로그램 중간에 상품명이나 회사명을 보여 주거나 출연자가 직접 언급하는 것은 법으로 금지했다. 협찬 받은 의상의 상표를 가리는 것은 이러한 법 때문이다.

2011년부터 기존 협찬 제도를 유지하면서 광고주와 방송사 등의 요구에 따라 '간접 광고'라는 조항을 새로 덧붙인 방송법이 시행되었다. 이로써 프로그램 내에서 상품명이나 회사명을 보여 주는 것이 허용되었다. 다만 시청자의 권리를 보호하기 위해 상품명이나 회사명을 직접 말하거나 구매와 이용을 권하는 것은 금지되었다. 또 객관성과 공정성이 요구되는 뉴스, 시사, 토론 등의 프로그램에서는 간접 광고가 금지되었다. 그럼에도 ㉡간접 광고 제도를 비판하는 사람들은 간접 광고로 인해 광고 노출 시간이 길어지고 프로그램의 맥락과 동떨어진 억지스러운 설정 때문에 프로그램의 질이 떨어진다고 주장한다.

이처럼 시청자의 인식 속에 남모르게 파고드는 간접 광고에 적절히 대응하기 위해서는 간접 광고를 비판적으로 받아들일 수 있어야 한다. 이것이 바로 미디어 교육이 필요한 이유이다.

● **인지도**(認알 인, 知알 지, 度법 도 도)
어떤 사람이나 물건을 알아보는 정도.

● **호의적**(好좋을 호, 意뜻 의)
좋게 생각해 주는.

● **고지**(告고할 고, 知알 지)
게시나 글을 통하여 알림.

● **시사**(時때 시, 事일 사)
그 당시에 일어난 여러 가지 사회적 사건.

1 이 글에 대한 설명으로 적절하지 <u>않은</u> 것은 무엇인가요? (   )

① 간접 광고의 개념과 특성을 밝히고 있다.
② 간접 광고와 관련된 제도를 소개하고 있다.
③ 간접 광고를 배치 방식에 따라 구분하고 있다.
④ 간접 광고 제도에 대한 비판적 의견을 소개하고 있다.
⑤ 간접 광고에 대한 이론의 발전 과정을 **분석**하고 있다.

2 이 글을 통해 알 수 있는 내용으로 적절한 것은 무엇인가요? (   )

① 간접 광고는 직접 광고에 비해 시청자가 광고를 피하기가 더 쉽다.
② 출연자가 대사를 통해 상품에 대해 말하는 것은 주변적 배치에 해당한다.
③ 간접 광고에서 주변적 배치가 주류적 배치보다 더 시청자의 주목을 받는다.
④ 직접 광고와 간접 광고는 광고가 시청자들에게 주는 효과의 정도에 따라 구분한 것이다.
⑤ 간접 광고가 광고인 것을 시청자가 알아차리지 못하는 동안에도 광고 효과는 발생할 수 있다.

3 ㉠과 ㉡에 대해 이해한 내용으로 적절한 것은 무엇인가요? (   )

① ㉠의 시행으로, 프로그램 중에 상표를 노출할 수 있게 되었겠군.
② ㉠의 도입으로 프로그램 중에 억지스러운 상품 배치가 많아졌겠군.
③ ㉡이 도입된 이후에도 뉴스에서는 여전히 간접 광고를 할 수 없었겠군.
④ ㉡에 따라 경비를 제공한 협찬 업체는 협찬 고지를 통해 광고 효과를 거둘 수 있겠군.
⑤ ㉠에 따른 광고는 ㉡에 따른 광고와 달리 맥락 효과를 얻을 수 없겠군.

4 이 글을 바탕으로 보기 를 이해한 내용으로 적절하지 <u>않은</u> 것은 무엇인가요? (   )

> **보기**
>
> 　다음은 최근 인기 절정의 남녀 출연자가 등장한, 우리나라 방송 프로그램의 한 장면에 대한 설명이다.
>
> 　연인 관계로 설정된 두 남녀가 세련된 분위기의 커피 전문점에 앉아 있다. ⓐ <u>남자가 사용하고 있는 휴대 전화는 상표가 선명하게 보인다.</u> ⓑ <u>여자가 입고 있는 의상은 상표가 가려져서 보이지 않는다.</u> ⓒ <u>남자는 창밖에 보이는 승용차의 상품 명을 직접 말하며 소음이 없는 좋은 차라고 칭찬한다.</u>
>
> 　커피 전문점, 휴대 전화, 의상, 승용차는 이를 제공한 측과 방송사 측의 사전 계약에 따라 활용된 것이다. 커피 전문점의 이름과 의상을 제공한 업체의 이름은 이 프로그램이 종료될 때 고지되었다.

① ⓐ는 간접 광고의 주류적 배치에 해당한다.

② ⓑ는 간접 광고의 주변적 배치에 해당한다.

③ ⓒ는 방송법에 어긋나는 행동이다.

④ 이 프로그램에는 협찬 제도에 따른 광고와 간접 광고 제도에 따른 광고가 모두 활용되고 있다.

⑤ 방송 후 화면 속 배경이 된 커피 전문점에 대한 문의가 많았다면 간접 광고와 맥락 효과가 발생한 것이다.

5 다음 문장을 잘 읽어 보고, Ⓐ의 두 낱말 중 알맞은 것을 찾아 ○표 하세요.

(1) 그녀는 손목에 여러 개의 팔찌를 (사용 / 착용)하고 있었다.

(2) 날씨가 쌀쌀해지면서 난방 기기의 (사용 / 착용)이 늘어나고 있다.

6 빈칸에 알맞은 말을 넣어 이 글의 핵심 내용을 한 문장으로 요약하세요.

한줄
요약

　□□　□□　는 프로그램 내에서 상품을 노출시켜 광고 효과를 얻고자 하는 광고 형태로, 시청자들이 이러한 간접 광고에 적절히 대응하기 위해 □□　□□이 필요하다.

지문 속 필수 어휘

낱말의 뜻을 찾아 선으로 연결해 보세요.

❶ 시사 •　　　　　　　• ㉠ 일정한 자리에 알맞게 나누어 둠.

❷ 배치 •　　　　　　　• ㉡ 좋게 생각해 주는

❸ 호의적 •　　　　　　• ㉢ 그 당시에 일어난 여러 가지 사회적 사건

빈칸에 들어갈 낱말을 찾아 쓰세요.

> 착용　　　　　　협찬　　　　　　공정

❹ 대기업의 □□이 줄어 공연의 규모가 축소되었다.

❺ 수영장에 들어갈 때는 반드시 수영모를 □□해야 한다.

❻ 판사는 법률에 따라 □□한 재판을 한다.

문제 속 개념어

분석 分 나눌 분, 析 가를 석

분석이란 하나의 대상, 즉 전체를 여러 부분으로 나누어서 설명하는 방법을 말합니다. 분석은 서로 연관된 부분들로 이루어진 대상을 설명하는 데 효과적입니다.

> 식물을 구성하는 네 가지 요소
>
> 식물은 뿌리, 줄기, 잎, 꽃으로 이루어져 있다. 뿌리는 식물을 지탱하는 작용과 물을 흡수하고 양분을 저장하는 역할을 한다. 줄기는 식물을 받치고 뿌리로부터 흡수한 …….

뉴스를 대하는 태도

어휘 수준 ★★★★★
글감 수준 ★★★★★
글의 길이 1,134자

⏱12분 안에 풀어보세요.

우리 주변에서 일어나는 일들이 전부 뉴스가 되는 것은 아니다. 어떤 사건이 뉴스가 될 수 있는지 없는지 판단하는 기준을 '뉴스 가치'라고 한다. 뉴스 판단의 기준에는 흥미성(흥미로운 일인가), 영향성(중요한 정보를 다루고 있는가), 근접성(사건의 발생 지점이 가까운 지역인가), 저명성(유명한 인물이나 기관이 등장하는가), 시의성(당시의 상황에 잘 들어맞는가) 등이 있는데, 이들 중 하나 이상을 가지고 있을 때 뉴스가 될 가능성이 ㉮높다.

뉴스 가치가 있다고 판단한 사건이어도 모든 언론사에서 같은 비중으로 보도하지는 않는다. 우선 기자가 어떤 사건을 취재하면 신문사에서 '편집 회의'를, 방송국에서는 '보도국 회의'를 한다. 이 회의를 통해 어떤 사건을 보도할지를 결정하며 뉴스 내용을 수정하기도 한다. 또한 사건의 중요도에 따라 분량과 순서를 정하는데, 이처럼 뉴스의 성격과 비중을 결정하는 과정을 게이트 키핑(gate keeping)이라고 한다. 우리가 보는 뉴스는 객관적 사건 그 자체가 아니라, 언론사의 판단에 따라 선택되고 잘 다듬어진 결과인 것이다.

2017년 대통령 선거 때에는 대선 후보를 헐뜯는 가짜 뉴스가 널리 퍼진 적이 있다. '가짜 뉴스'란 정치 · 경제적 이익을 위해 의도적으로 언론 보도의 형식을 하고 퍼뜨린 거짓 정보를 말하는데, 기존 뉴스와 같은 형태를 띤다. 일정 부분은 사실에 기반을 두지만, 핵심 내용을 왜곡하거나 조작하며, 사실 확인이 쉽지 않은 자극적인 내용이 특징이다. 스마트폰이 널리 사용되면서 누구나 정보와 뉴스를 생산하고 쉽게 공유할 수 있는 환경이 되어 수많은 가짜 뉴스가 생산되고 유통되고 있다. 가짜 뉴스의 내용은 왜곡된 정보일 뿐만 아니라, 선거와 같이 중요한 의사 결정에 있어 시민들의 판단을 흐리게 하기 때문에 사회적 논란거리가 되고 있다.

정리하자면 공정하고 객관적으로 보이는 뉴스도 사실상 언론사의 시각이 반영된 것이다. 따라서 뉴스를 있는 그대로 받아들일 것이 아니라 왜 그 사건이 뉴스로 선정되었는지, 왜 중요하게 혹은 덜 중요하게 보도되었는지를 생각해 볼 필요가 있다. 또한 우리는 언제든지 정보가 조작될 수 있는 사회에 살고 있으므로, 접하게 되는 뉴스들을 의심 없이 믿을 것이 아니라 그것이 사실인지, 어떤 맥락에서 생산되었는지, 출처가 분명한지 등을 짚어 보아야 한다.

● **저명**(著분명할 저, 名이름 명)
세상에 이름이 널리 드러나 있음.

● **비중**(比견줄 비, 重무거울 중)
다른 것과 비교할 때 차지하는 중요도.

● **왜곡**(歪기울 왜, 曲굽을 곡)
사실과 다르게 해석하거나 그릇되게 함.

● **출처**(出날 출, 處곳 처)
사물이나 말 따위가 생기거나 나온 근거.

정답과 해설 **39쪽**

1 이 글의 특징으로 적절하지 <u>않은</u> 것은 무엇인가요? (   )

① 뉴스 판단의 기준을 나열하고 있다.

② 뉴스 가치가 있는 사건의 예를 들고 있다.

③ 뉴스가 만들어지는 과정을 설명하고 있다.

④ 가짜 뉴스가 많아진 원인을 분석하고 있다.

⑤ 가짜 뉴스가 지닌 문제점을 제시하고 있다.

2 이 글에 드러난 가짜 뉴스의 특징으로 적절하지 <u>않은</u> 것은 무엇인가요? (   )

① 뉴스의 출처가 불분명하다.

② 언론 보도의 형태를 띠고 있다.

③ 뉴스 생산자의 의도가 분명하지 않다.

④ 합리적인 의사 결정을 방해하는 면이 있다.

⑤ 사실 확인이 쉽지 않은 자극적인 내용을 다룬다.

3 이 글을 읽은 독자의 반응으로 적절하지 <u>않은</u> 것은 무엇인가요? (   )

① 모든 사건이 뉴스의 대상이 되는 것은 아니구나.

② 뉴스는 완벽하게 객관적이거나 공정하다고 볼 수 없군.

③ 같은 사건이라도 언론사마다 다른 비중으로 보도할 수 있겠어.

④ 뉴스 가치가 없는 사건도 게이트 키핑을 통해 뉴스가 될 수 있겠네.

⑤ 앞으로 뉴스를 볼 때는 해당 사건이 뉴스로 선정된 이유를 생각해 보아야겠어.

4 보기 는 어떤 신문사의 편집 회의 장면입니다. 기자들이 어떤 기준을 가지고 뉴스 가치를 판단하고 있는지 연결해 보세요.

> **보기**
>
> - 김 기자: 이 사건을 보도하면 어떨까요? 우리 동네에서 일어난 일이니 다뤄도 될 것 같은데.
> - 이 기자: 글쎄요, 너무 사소한 일이어서 아무도 관심을 갖지 않을 것 같은데요.
> - 정 기자: 얼마 전에 비슷한 사건이 다른 동네들에도 있었어요. 지금이 딱 보도하기에 좋은 상황인 것 같아요.
> - 권 기자: 게다가 그 사건을 저지른 범인이 유명 작가의 동생이에요.
> - 송 기자: 그렇지만 그 사건이 정말 중요한 일이라고 할 수 있나요? 꼭 보도해야 하는 더 중요한 사건이 많아요!

(1) 김 기자 •   • ㉠ 영향성

(2) 이 기자 •   • ㉡ 근접성

(3) 정 기자 •   • ㉢ 흥미성

(4) 권 기자 •   • ㉣ 저명성

(5) 송 기자 •   • ㉤ 시의성

5 다음 중 ㉮의 의미로 적절한 것은 무엇인가요? (   )

① 꿈이나 이상이 크고 원대하다.

② 아래에서 위까지의 길이가 길다.

③ 이름이 널리 알려진 상태에 있다.

④ 일어날 확률이 다른 것보다 크다.

⑤ 어떤 의견이 다른 의견보다 많고 우세하다.

6 빈칸에 알맞은 말을 넣어 이 글의 핵심 내용을 한 문장으로 요약하세요.

뉴스는 [   ][   ][   ]의 시각이 반영된 것으로, 사건의 선정 이유와 보도 비중에 대해 생각해 보고, 뉴스의 내용이 [   ][   ]인지, 어떤 [   ][   ]에서 생산되었는지, [   ][   ]가 분명한지 짚어 보아야 한다.

지문 속 필수 어휘

빈칸에 들어갈 알맞은 낱말을 찾아 쓰세요.

저명	왜곡	선정

❶ 이 병원에는 [　][　]한 의사들이 많다.

❷ 그는 [　][　]된 역사적 사실을 바로잡기 위해 역사 공부에 매달렸다.

❸ 우리는 올해의 우수한 책으로 열 권을 [　][　]하였다.

낱말의 뜻을 참고하여, 다음 문장의 빈칸에 들어갈 알맞은 낱말을 완성하세요.

❹ 그는 이성 친구를 사귈 때 외모보다는 성격에 [ㅂ][ㅈ]을 둔다.

　　　　　　　　　　　　　　다른 것과 비교할 때 차지하는 중요도.

❺ 소문의 [ㅊ][ㅊ]가 모호하다.

　사물이나 말 따위가 생기거나 나온 근거.

❻ 무엇이든지 [ㄱ][반]이 튼튼하지 못하면 오래가지 못한다.

　　　기초가 되는 바탕.

❼ 대회 주최 측이 뇌물을 받고 순위를 [ㅈ][작]하였다.

　　　　　　어떤 일을 사실인 듯이 꾸며 만듦.

사물 인터넷

10분 안에 풀어보세요.

　'사물 인터넷'은 인터넷을 기반으로 사물을 연결하여 사람과 사물, 사물과 사물 간에 서로 정보를 주고받는 기술과 서비스를 말합니다. 예를 들어 볼까요? 침대와 실내등이 사물 인터넷으로 연결되었다고 가정해 봅시다. 침대는 사람이 자고 있는지를 스스로 인지한 후 정보를 실내등에 전달합니다. 그러면 침대가 보낸 정보에 따라 실내등은 자동으로 켜지거나 꺼지게 됩니다. 사물들이 마치 서로 대화를 하듯이 사람들이 편리하도록 기능들을 Ⓐ수행하는 것입니다. 사물 인터넷에 연결되는 대상은 눈에 직접 보이는 사물만 있는 것이 아닙니다. 교실, 버스 정류장 등의 공간과 상점의 결제 과정 같은 보이지 않는 것들도 포함됩니다.

　사물 인터넷은 전 세계적으로 엄청난 경제적 가치를 만들어 내고 있으며 그 가치는 더욱 커질 것으로 예상됩니다. 일례로, 스페인의 바르셀로나 시는 사물 인터넷을 활용하여 스마트 가로등과 스마트 주차 시스템을 도입한 결과, 연간 전력 소비량의 30%를 줄이고, 주차 요금으로 연간 600억 원 이상의 수익을 얻을 수 있었습니다. 이처럼 사물 인터넷 산업은 국가 경쟁력을 확보할 수 있는 미래 산업으로서 그 중요성이 강조되고 있습니다. 또한 선진국들은 에너지, 교통, 의료, 안전 등 다양한 분야에 걸쳐 사물 인터넷 사업에 투자하고 있습니다.

　그러나 우리나라의 사물 인터넷 시장은 선진국에 비해 확대되지 못하고 있는데, 그 이유로 세 가지를 꼽을 수 있습니다. 첫째, 정부 차원의 경제적 지원이 부족합니다. 둘째, 사물 인터넷과 관련된 기술 규격이 표준화되지 않아 각 기업의 제품끼리 호환되지 않는 문제가 있습니다. 셋째, 국내의 기업들이 사물 인터넷 산업의 수익성을 확신하지 못해 적극적으로 투자를 하지 않고 있습니다.

　그렇다면 국내 사물 인터넷 산업을 활성화하기 위해 어떻게 해야 할까요? 우선 정부에서는 관련 기업에 ㉠경제적 지원책을 마련하고, 수익성이 불투명하다고 느끼는 기업이 ㉡투자할 수 있도록 유도해야 합니다. 또한 사물 인터넷과 관련된 ㉢기술 규격을 표준화하는 등 사물 인터넷 산업의 기초가 되는 ㉣정책과 제도를 정비해야 합니다. 그리고 기업들은 사물 인터넷이 발생시키는 ㉤대용량의 데이터를 원활하게 수집하고 분석할 수 있는 기술력을 확보해야 합니다.

● **규격**(規법 규, 格격식 격)
제품의 치수·모양·성능·품질 등의 일정한 표준.

● **호환**(互서로 호, 換바꿀 환)
서로 교환이 됨.

1 이 글에서 확인할 수 <u>없는</u> 내용은 무엇인가요? (   )

① 사물 인터넷의 개념
② 사물 인터넷의 발전 배경
③ 사물 인터넷의 경제적 가치
④ 국내 사물 인터넷 산업의 현재 상황
⑤ 국내 사물 인터넷 산업의 활성화 방안

2 이 글의 서술 방식으로 적절한 것은 무엇인가요? (   )

① 대상의 특성을 사례와 더불어 설명하고 있다.
② 대상의 특성이 변화되는 과정을 설명하고 있다.
③ 대상의 가치와 중요성을 비유적으로 설명하고 있다.
④ 대상이 지닌 문제점의 원인을 여러 각도로 살펴보고 있다.
⑤ 대상에 대한 인식의 변화를 시간 순서에 따라 설명하고 있다.

3 사물 인터넷에 해당하는 사례로 적절하지 <u>않은</u> 것은 무엇인가요? (   )

① 비명과 같은 이상 소리가 감지되면 근처 경찰서로 바로 영상을 전송하는 CCTV
② 버스와 정보를 교환하여 각 버스의 위치를 파악하고 언제 도착하는지 알려 주는 정류장 전광판
③ 마트에서 위에 놓인 물건의 무게를 인식하여 해당 물건이 부족할 때 직원의 스마트폰으로 알려 주는 선반
④ 평소 사용자가 자주 듣는 노래에 대한 정보를 수집해 월말마다 '월간 Best 순위 10'을 발표하는 음악 사이트
⑤ 홀로 지내는 어르신들의 움직임과 방안의 온도, 밝기 등의 정보를 실시간으로 수집해 복지관으로 전달하는 장치

4 보기 는 사물 인터넷과 관련된 신문 기사의 일부입니다. ㉠~㉤ 중 보기 와 관련이 깊은 것은 무엇인가요? (　　　)

> **보기**
>
> 　과학기술정보통신부는 스마트 시티나 스마트 공장을 만들기 위한 신기술을 발전시키기 위해 관련 기술 규제를 완화한다고 밝혔다. 이번 규제 완화로 스마트 공장에서는 무전원 IoT센서 신기술을 사용할 수 있게 되었다. 무전원 IoT센서 기술의 활용으로 온도와 압력을 자동으로 관리하는 스마트 공장의 활성화가 기대된다.
>
> • 완화: 긴장된 상태를 부드럽게 누그러뜨림.

① ㉠　　　　② ㉡　　　　③ ㉢　　　　④ ㉣　　　　⑤ ㉤

5 Ⓐ의 의미로 적절한 것은 무엇인가요? (　　　)

① 일을 해내다.
② 힘써 배우다.
③ 자세히 밝히다.
④ 더 강하게 하다.
⑤ 늘려서 크게 하다.

6 빈칸에 알맞은 말을 넣어 이 글의 핵심 내용을 한 문장으로 요약하세요.

한줄요약

　사물 인터넷은 [　　　]을 기반으로 사물을 연결하여 사람과 사물, 사물과 사물 간의 정보를 서로 주고받는 기술과 서비스로, 우리나라는 관련 기업에 대한 [　　]의 경제적 지원과 투자 유도 및 정책·제도 정비, [　　]의 기술력 확보를 통해 사물 인터넷 산업을 활성화해야 한다.

지문 속 필수 어휘

다음 밑줄 친 말과 바꿔 쓸 수 있는 낱말을 빈칸에 쓰세요.

❶ 다 함께 노력하여 높은 <u>이익</u>을 남겼다. `수` `ㅇ`

❷ 그 사람을 범인으로 <u>임시로 설정</u>한다면 문제가 커진다. `가` `ㅈ`

❸ 교통사고를 당해 체육 대회 참여가 <u>불확실</u>하다. `불` `ㅌ` `ㅁ`

다음 문장을 읽고, (   ) 안에 공통으로 들어갈 낱말을 완성하세요.

❹
- 회장은 건강이 악화되어 업무 (   )이 불가능한 상태이다.
- 계획보다는 (   )을 얼마나 잘 하느냐가 중요하다.

`ㅅ` `행`

❺
- 나는 내 판단을 (   )한다.
- 이번에는 우리 팀이 승리할 것을 (   )한다.

`ㅎ` `ㅅ`

❻
- 기종이 다른 제품끼리는 배터리가 (   )되지 않는다.
- 이 두 소프트웨어는 (   )하여 사용할 수 있다.

`ㅎ` `환`

❼
- 많은 시간을 (   )하여 공부해야 한다.
- 새로운 사업에 (   )하여 많은 돈을 벌었다.

`ㅌ` `자`

수능까지 연결되는 제대로 된 독해 학습

생각 읽기가 독해다!

생각 읽기가 독해다!

생각독해 I

디딤돌 독해력

디딤돌

| 중학 국어 | 시작편 (I) | 기본편 (II , III) | 심화편 (IV , V) |

수능까지 연결되는 제대로 된 독해 학습

상위권의 기준

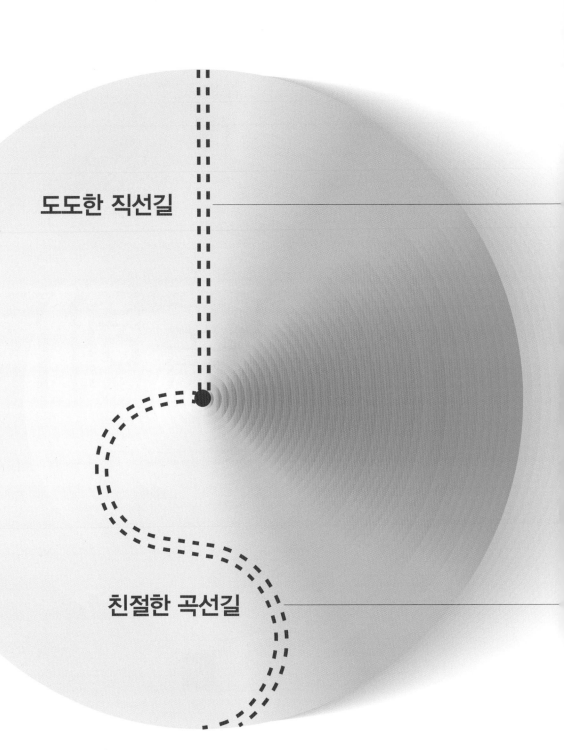

도도한 직선길

친절한 곡선길

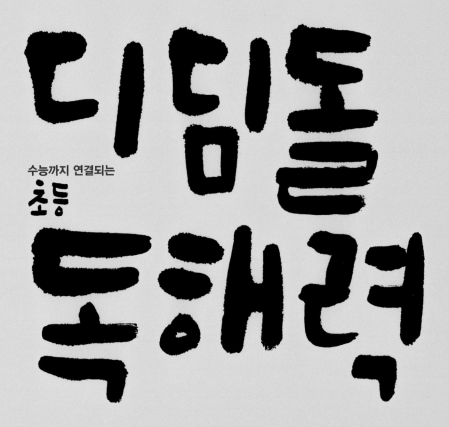

수능까지 연결되는

초등

정답과 해설

1 ①   **2** ⑤   **3** (2) ○

4 (나), (라)   **5** ③

6 자극성, 일상생활, 노력

● 독해력을 기르는 어휘

❶ 성향   ❷ 열광   ❸ 자존감

❹ 가상   ❺ 추구   ❻ 몰두

❼ 소홀

이 글은 게임 중독의 원인과 그 해결 방안에 대해 설명하고 있는 글입니다. 게임 중독의 정의, 게임 중독의 원인, 게임 중독의 문제점, 게임 중독을 예방하기 위한 방안을 각 문단별로 나열하고 있으며, 이를 통해 게임 중독의 의미와 구체적 원인에 대해 설명하고 게임 중독 예방을 위한 제도, 게임 중독에 빠지지 않기 위한 개인적 노력의 중요성을 강조하고 있습니다.

● **글의 특징**

－ 게임 중독의 원인을 게임이 지닌 특성과 사용자가 지닌 특성으로 나누어 설명하고 있습니다.

－ 구체적 상황을 제시하여 게임 중독의 부작용에 대한 이해를 돕고 있습니다.

● **글의 구조**

게임 중독의 개념	게임에 과도하게 빠져 일상생활이나 건강에 악영향을 미치는 상황에 머물러 있는 상태

↓

게임 중독의 발생 원인	게임 중독의 부작용
• 게임 자체의 강한 자극성 • 게임 사용자의 불균형한 심리 상태	규칙적인 일상생활에 큰 어려움을 겪게 됨.

↓

게임 중독의 예방 방안	• 제도적 차원: 만 16세 미만 청소년을 대상으로 한 '셧다운 제도' • 개인적 차원: 사용자 스스로가 게임 중독에 빠지지 않기 위한 노력을 해야 함.

주제 게임 중독의 원인과 문제 및 예방 방안

어휘 수준 ★★★★★   글감 수준 ★★★★★   글의 길이 963자

1 2, 3문단에서는 게임 중독의 원인이, 4문단에서는 게임 중독의 문제점이, 5문단에서는 게임 중독의 예방책이 제시되어 있습니다.

오답 피하기 ⑤ 게임 중독이 게임 사용자 개인에게 어떤 문제가 되는지는 나타나 있지만 사회적 문제로 확대하는 내용은 확인할 수 없습니다.

2 4문단에서 '게임 중독에 빠지게 되면 규칙적인 일상생활에 큰 어려움을 느끼게 된다'고 하였습니다. 하지만 게임에 중독되는 이유로서 규칙적인 생활로 바쁜 사람이 게임을 통해 잠깐의 여유를 갖는다는 내용은 이 글에서 확인할 수 없습니다.

3 '셧다운 제도'가 게임 중독을 예방하기 위해 도입된 제도이고, 특히 만 16세 미만 청소년들을 적용 대상으로 삼고 있다는 점을 고려해 본다면, 현재 만 16세 미만의 청소년 게임 중독 현상이 사회적으로 심각하게 인식되어, 이 제도가 등장하게 된 것임을 추론할 수 있습니다.

4 ㉠은 현실에서 만족하지 못하는 부분을 게임을 통해 대신하여 만족하는 상황을 말합니다. (나)는 '아바타'를 위한 아이템 구입에 실제 돈을 사용하며 현실의 만족감을 대신 이루고 있습니다. (라)는 현실 속 축구 시합에서 골을 넣지 못했지만, 온라인 게임에서 골을 넣어서 현실에서 이루지 못한 욕망을 대신하여 해소하고 있습니다.

오답 피하기 (다)는 현실적 이득을 얻지는 못한 상황으로, 이는 대리 만족의 사례로 볼 수 없습니다.

5 5문단에서 게임 중독을 효과적으로 예방하기 위해서는 사용자 스스로의 노력이 가장 중요하다고 하였습니다. 한편, 〈보기〉에서는 산업 경제 전체의 상황을 고려해 셧다운 제도를 확대 적용하는 것은 바람직하지 않다고 하고 있습니다. 이를 종합해 보면, 사회 제도에 의존하는 것만으로 게임 중독 현상을 예방할 수 있는 것은 아니라는 의견에 이 글의 글쓴이와 〈보기〉의 글쓴이가 모두 공감할 것임을 짐작할 수 있습니다.

1 ⑤   2 ④   3 ④

4 ②   5 윤리적, 복지, 가치

● 독해력을 기르는 어휘

❶ 실상   ❷ 확산   ❸ 보온성

❹ 충전재   ❺ 동참   ❻ 복지

❼ 윤리적

이 글은 동물 윤리와 동물 복지까지 생각하는 '가치 소비'를 할 것을 소비자들에게 당부하는 글입니다. 다운(Down) 생산 과정에서 동물 학대의 문제가 있음을 지적하며 최근 일부 의류 제조 업체에서는 윤리적 생산이 이루어지고 있음을 소개하고, 소비자들에게 '가치 소비'에 동참할 것을 설득하고 있습니다.

● **글의 특징**

– 일상적 상황과 질문을 통해 독자의 흥미를 유발하고 있습니다.

– 구체적인 사례를 제시하여 내용의 이해를 돕고 있습니다.

– 비교와 대조의 방식을 통해 인공 충전재의 특징을 효과적으로 설명하고 있습니다.

● **글의 구조**

문제 제기	다운 패딩이 어떻게 만들어지는 것일까?
다운 생산 과정에서의 동물 학대 문제	• 사체보다 산 채로 더 많은 털을 뽑을 수 있기 때문에 오리와 거위들은 살아 있는 채로 털이 뽑힘. • 6주 간격으로 털을 뽑는데, 패딩 한 벌을 만들려면 15~20마리의 털이 필요함.
행동 변화 당부	• 의류 제조 업체들은 윤리적 생산에 나섬. • 동물 윤리와 동물 복지를 생각하는 '가치 소비'에 소비자들이 동참하기를 바람.

주제 동물 윤리와 동물 복지를 생각하는 생산과 소비

어휘 수준 ★★★☆☆   글감 수준 ★★☆☆☆   글의 길이 1,048자

1 2문단에서 미국다운페더연합의 자료를 인용하여 다운(Down) 제품이 동물 학대의 논란 대상이 된 문제 상황을 제시하고 있습니다. 그리고 소비자들이 동물 복지까지 생각하는 '가치 소비'에 동참하기를 바란다며 독자의 행동 변화를 당부하고 있습니다.

2 오리와 거위들이 살아 있는 채로 털이 뽑히는 이유는 사체에서는 단 한 번만 털을 뽑을 수 있지만 산 채로는 마리당 최대 15번까지 털을 뽑을 수 있기 때문이라고 하였습니다. 이는 생명의 존엄성보다 경제성만 고려한 결과라고 볼 수 있습니다.

오답피하기 ①, ② 동물 윤리나 복지는 고려하지 않고 경제적 이익만 생각한 것입니다.

③ 동물의 생명보다 생산 효과를 극대화하는 것에 중점을 둔 것입니다.

⑤ 불행한 결과를 가져올 것임을 보여 주기 위한 것이 아니라 경제적 이익을 얻기 위한 것입니다.

3 이 글에서 글쓴이는 다운(Down) 생산 과정에서의 동물 학대 논란으로 의류 제조업체들이 윤리적 생산에 나섰고 비건 패션(Vegan Fashion) 운동에 동참하고 있다고 하면서, 소비자들에게도 동물 윤리와 동물 복지까지 생각하는 '가치 소비'에 동참하기를 바란다고 하였습니다. 따라서 이 글쓴이는 동물 윤리와 동물 복지를 생각하는 생산과 소비가 이루어져야 한다고 말하고 있습니다.

4 〈보기〉에서는 동물의 심리적 행복을 실현하는 것이 동물 복지, 보호, 복리라고 하면서, 식용으로 소비되는 소나 돼지, 닭 등의 가축이 청결한 곳에서 적절한 보호를 받으며 살 권리를 포함한다고 하였습니다. 하지만 이 부분은 식용을 하지 말자는 것이 아닙니다. 〈보기〉에서는 ②와 같이 어느 경우에도 동물의 이용을 인정하지 않아야 한다고 주장하는 것은 아닙니다. 또한 이 글에서도 동물 윤리와 동물 복지를 고려한 가치 소비를 하자고 했을 뿐, 어느 경우에도 동물을 이용해서는 안 된다고 한 것은 아닙니다.

1 ④　　**2** (3) ○　　**3** ④
4 (1) ○　　**5** (라)　　**6** 자발, 의사

● 독해력을 기르는 어휘
❶ 공급　　**❷** 충족　　**❸** 이윤
❹ 의사　　**❺** 모색　　**❻** 유통
❼ 대처

이 글은 사회, 문화, 경제적으로 뜻을 같이하여 자발적으로 조직하는 협동조합에 대해 설명하고 있습니다. 구체적 예시를 통해 협동조합의 개념에 대한 이해를 돕고 있고, 주식회사와의 대조를 통해 협동조합의 특징을 설명하고, 장점 이외에도 단점 등을 서술하여 협동조합의 발전 방향을 제시하고 있습니다.

● **글의 특징**
– 협동조합의 개념을 예를 들어 설명하고 있습니다.
– 협동조합을 주식회사와 비교하면서 협동조합의 성격을 분명히 제시하고 있습니다.
– 협동조합의 장점뿐만 아니라 단점도 함께 살피고 있습니다.

● **글의 구조**

1문단	같은 뜻을 가진 사람들이 일정한 금액을 내고 자발적으로 만든 조직을 협동조합이라고 함.	→	협동조합의 개념
2문단	협동조합은 조합원들이 공동으로 소유하며, 운영에 공정하게 참여하고 이익도 공정하게 나눔.	→	협동조합의 특징
3문단	협동조합은 주식회사와 달리 조합원 모두 평등하게 의사를 결정하는 구조임.	→	협동조합과 주식회사의 차이점
4문단	협동조합은 단점을 극복하고 가치 공유와 협력을 통해 계속적으로 발전하기 위해 노력해야 함.	→	협동조합의 단점과 극복 방안

↓

주제 협동조합의 개념과 성격

어휘 수준 ★★★★★　　글감 수준 ★★★★★　　글의 길이 976자

1 3문단에서 협동조합과 주식회사를 대조하여 특징을 설명하고 있습니다.

2 '가입'은 '단체나 조직의 구성원이 됨', '탈퇴'는 '소속해 있던 모임이나 단체에서 구성원이기를 거부하고 나옴'이라는 뜻으로, '가입'과 '탈퇴'는 의미상 서로 반대인 반의 관계입니다. 이와 같은 반의 관계의 말은 '가다'와 '오다'입니다.

3 주식회사는 주로 대주주에 의해 의사 결정이 이루어지고, 협동조합은 조합원 모두가 동등한 의사 결정권을 갖습니다. 그런데 협동조합에 비해서 주식 회사가 의사 결정을 하는 구성원 간의 협력이 어려운지는 이 글에서 확인할 수 없습니다.

오답 피하기 ③ 주식회사는 이윤 추구를 목적으로 하기 때문에 이익과 관련이 없는 사회적 가치에는 소홀할 수 있습니다.

4 협동조합은 다섯 명 이상의 사람들이 모여 일정 금액을 내면 만들 수 있습니다. 그런데 〈보기〉에서 A통신은 1400여 개의 언론사들이 일정 금액을 내고 공동으로 만든 통신사로 협동조합의 형태로 운영된다고 하였습니다. 따라서 A통신은 개인이 아닌 단체들이 만든 조직입니다.

오답 피하기 (2) B사는 중간 상인의 독과점 횡포에 맞서기 위해 만들어졌고, C사는 중간 유통 과정의 마진을 줄였다는 점에서 소비자에게 이익을 가져다주었지만, 그렇다고 소비자 보호를 목적으로 만들었다고 보기는 어렵습니다.

5 3문단에 따르면, 협동조합에서는 대체로 조합원 한 사람에게 한 표의 의사 결정권이 부여됩니다.

오답 피하기 (나) 협동조합은 일자리 만들기라는 공동의 가치를 실현하고 있지만, 주식회사보다 일자리를 더 많이 만들어 낸다고 볼 근거는 이 글에서 찾을 수 없습니다.

(다) 주식회사가 이윤을 추구하고 협동조합이 그렇지 않다고 해서 협동조합이 주식회사에 비해 이익보다 손실이 많다고 볼 근거는 이 글에서 찾을 수 없습니다.

1 ②	2 ②	3 (나), (라)
4 (2) ○	5 ③	6 도덕적, 책임

● 독해력을 기르는 어휘

❶ 자원	❷ 사기	❸ 양성
❹ 유래	❺ 매고	❻ 된
❼ 었던	❽ 바친	

이 글은 노블레스 오블리주의 유래와 우리나라 사례를 소개하고 있습니다. 노블레스 오블리주의 개념을 밝히고 그 유래가 되는 이야기를 소개한 후, 노블레스 오블리주가 실천된 우리나라의 독립운동가 이회영의 삶을 자세하게 제시하고 있습니다. 또한 인물에 대해 평가하며 글을 마무리하고 있습니다.

● **글의 특징**

– 노블레스 오블리주의 의미를 설명하고 있습니다.

– 노블레스 오블리주라는 용어가 생긴 유래에 대해서 설명하고 있습니다.

– 우리나라 노블레스 오블리주의 예로 독립운동가 이회영의 삶을 제시하고 있습니다.

● **글의 구조**

1문단	노블레스 오블리주는 사회의 고위 지도층에게 요구되는 높은 수준의 도덕적 의무, 사회에 대한 책임을 의미함.	→	노블레스 오블리주의 의미
2문단	노블레스 오블리주라는 말은 깔레시의 시민들을 구하기 위해 고위 지도층 7명이 솔선하여 희생한 이야기에서 유래함.	→	노블레스 오블리주의 유래
3문단	노블레스 오블리주가 실천된 우리나라의 사례로, 일제 강점기에 자신의 재산을 바치며 독립운동에 힘쓴 이회영이 있음.	→	노블레스 오블리주가 실천된 우리나라의 사례

주제 노블레스 오블리주의 유래와 그것을 실천한 이회영의 삶

어휘 수준 ★★★★★   글감 수준 ★★★★★   글의 길이 1,209자

1 3문단에 "신흥무관학교가 폐교한 후에도 이회영은 무장 투쟁 집단인 의열단을 직접 후원하였다."라고 하였습니다. 이회영이 고종의 부탁을 받고 의열단을 후원했는지는 이 글을 통해서는 알 수 없습니다. 다만 고종이 왕위에서 내려온 후 신흥무관학교가 설립되었고, 신흥무관학교 폐교 이후 이회영이 의열단을 후원한 것이므로 고종의 부탁과 상관없이 이회영 스스로가 후원했을 것으로 짐작할 수 있습니다.

2 이 글에서는 노블레스 오블리주의 의미와 유래를 설명한 후, 우리나라의 사례로 이회영의 삶을 예로 들었습니다. 하지만 동서양의 문화를 비교한 부분은 나타나 있지 않습니다.

 ③ 3문단의 마지막 부분에서 글쓴이는 이회영이 진정한 노블레스 오블리주를 실천한 사람이라는 평가를 내리고 있습니다.

3 추운 겨울을 지내야 하는 가난한 할아버지를 위해 난방비를 낸 국회의원과 자연재해로 피해 입은 사람들을 위해 자신의 재산을 내놓은 사업가는 모두 고위층으로서의 사회적 책임을 다하고 있으므로 노블레스 오블리주를 실천한 경우라고 할 수 있습니다.

 (다) 소방대원의 행위는 훌륭한 일이기는 하지만 직업의 사명감과 관련된 일이기에 노블레스 오블리주가 실천된 예로 보기는 힘듭니다.

4 을사오적 역시 당시 우리나라의 고위 지도층이었습니다. 그런데 이들은 개인적인 명예와 부를 위해 나라의 외교권을 팔았으므로 비판받아야 합니다. 따라서 당시 고위 지도층이라고 해서 모두 노블레스 오블리주를 실천한 것은 아니었음을 알 수 있습니다.

5 ㉡의 '물러나다'는 '하던 일이나 지위를 내놓고 나오다.'의 의미입니다.

 ①, ②, ④ '물러나다'는 '있던 자리에서 뒷걸음으로 피하여 몸을 옮기다.'의 의미로 사용되었습니다. ⑤ '물러나다'는 '꼭 짜이거나 붙어 있던 물건의 틈이 벌어지다.'라는 의미로 사용되었습니다.

1 ②	2 ③	3 ④
4 ③	5 ④	6 괴사, 알란토인

● 독해력을 기르는 어휘

❶ 사체 ❷ 괴사 ❸ 순환

❹ 촉진 ❺ 그래서 ❻ 그리고

❼ 그런데

이 글은 구더기들이 가져오는 긍정적인 결과에 초점을 맞추고, 이들이 인간의 삶에 어떤 영향을 줄 수 있는지 생각하게 하는 글입니다. 전쟁 중 부상한 두 명의 병사를 통해 구더기는 괴사 조직을 제거해 줄 뿐만 아니라 알란토인이라는 항생제 성분의 물질을 분비하여 조직을 치료한다는 사실을 확인할 수 있습니다. 이런 구더기의 활동은 상처 부위에서 죽은 살을 떼어 내는 괴사 조직 제거술에 유용하게 활용되고 있습니다.

● **글의 특징**

– 구더기가 상처를 치료하는 원리와 과정을 설명하고 있습니다.

– 전쟁 중 부상한 두 명의 병사를 예로 들어 이해를 돕고 있습니다.

– 구더기가 어떻게 의료에 활용될 수 있는지를 설명하고 있습니다.

● **글의 구조**

청소 동물의 활용	구더기의 활동과 이를 활용한 괴사 조직 제거술
부상 병사의 상처를 구더기가 치료한 사례	
구더기가 상처를 치료하는 과정	괴사 조직을 제거함. → 알란토인을 분비하여 치료를 촉진함.

| 주제 | 구더기의 활동과 이를 활용한 치료 |

어휘 수준 ★★★★★   글감 수준 ★★★★★   글의 길이 1,088자

1 2문단에서 전쟁에서 큰 부상을 당하고 치료를 받지 못한 병사들이 구더기를 통해 치료받은 내용을 제시하고, 3문단에서 그렇게 된 원인에 대해 설명하고 있습니다.

2 1문단에서 나선 구더기는 살아 있는 동물의 상처에 들어가 건강한 살을 먹고 산다고 설명하고 있습니다.

오답 피하기 ① 1문단에서 검정금파리 구더기는 상처 부위에서 죽은 살을 떼어 내는 괴사 조직 제거술에 유용하게 활용된다고 하였습니다.

② 3문단에서 구더기가 상처 부위에 알란토인을 분비해 치료를 촉진하는데, 이 알란토인은 항생제 역할을 한다고 하였습니다.

3 ㄴ. 거머리는 안 좋은 피를 빨아 치료에 도움을 줍니다.

ㄷ. 개미는 상처 부위를 봉합해 주어 치료를 돕습니다.

오답 피하기 ㄱ. 밤하늘을 밝히는 반딧불이는 사람의 치료에 도움을 주는 역할을 하는 것이 아닙니다.

ㄹ. 달콤한 맛을 내는 꿀을 모아 주는 벌은 사람의 치료에 도움을 주는 역할을 하는 것이 아닙니다.

4 ㉠은 구리금파리와 검정금파리 구더기의 특성을 활용하여 상처 부위에서 죽은 살을 떼어 내는 괴사 조직 제거술에 활용한 예이고, ㉮는 파리의 특성을 모방하여 초소형 무인 비행체를 개발한 예입니다.

오답 피하기 ①, ④, ⑤ ㉠과 ㉮ 모두 생물체의 뛰어난 능력을 보여 주는 사례로 인간의 삶에 긍정적인 영향을 주었습니다.

② ㉮는 인간이 다른 생물체의 능력을 모방한 사례입니다. 하지만 ㉠은 생물체의 뛰어난 능력을 보여 준 사례이지, 인간이 자연의 능력에 도달할 수 있음을 알려 주는 것이 아닙니다.

5 전쟁 중 부상한 사람이 구더기로 인해 치료가 된 사건을 소개하고, 그 원인을 설명하고 있습니다. 그러므로 '그렇다면'이 적절합니다. '그렇다면'은 '상태, 모양, 성질 따위가 그와 같다면'의 의미를 가진 접속어입니다.

1 ④	2 ④	3 ③
4 ①	5 ⑤	6 철, 새끼

● 독해력을 기르는 어휘 ─────

❶ 구분 ❷ 까닭 ❸ 다양한

❹ 길라잡이 ❺ 고장 ❻ 나침반

❼ 밤낮

이 글은 철에 따라 사는 곳을 옮기는 철새의 유형과 생태 등을 소개하고 있습니다. 철새는 제비와 같은 여름 철새와 기러기와 같은 겨울 철새가 있습니다. 또한 철새는 한 해 두 차례씩 사는 곳을 옮기며, 산이나 바닷가를 따라 이동을 합니다. 철새가 이동하는 이유는 더위나 추위를 피하여 먹이를 구하고 새끼도 치기 위한 것으로, 이동하는 방법에 대한 여러 견해도 소개하고 있습니다.

● **글의 특징**

– 철새의 개념을 밝히고 그 종류를 유형별로 설명하고 있습니다.

– 철새의 종류를 구체적인 예를 들어 설명하고 있습니다.

– 철새가 이동하는 이유를 세 가지로 나누어 설명하고 있습니다.

● **글의 구조**

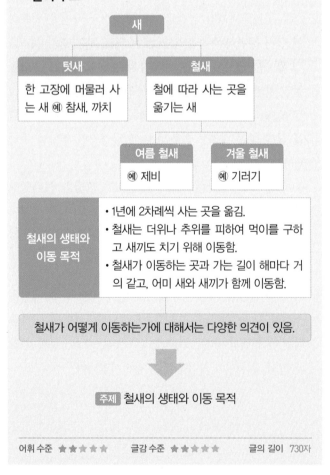

| 새 |

텃새	철새
한 고장에 머물러 사는 새 ⑩ 참새, 까치	철에 따라 사는 곳을 옮기는 새

여름 철새	겨울 철새
⑩ 제비	⑩ 기러기

철새의 생태와 이동 목적
• 1년에 2차례씩 사는 곳을 옮김.
• 철새는 더위나 추위를 피하여 먹이를 구하고 새끼도 치기 위해 이동함.
• 철새가 이동하는 곳과 가는 길이 해마다 거의 같고, 어미 새와 새끼가 함께 이동함.

철새가 어떻게 이동하는가에 대해서는 다양한 의견이 있음.

주제 철새의 생태와 이동 목적

어휘 수준 ★★★★★ 글감 수준 ★★★★★ 글의 길이 730자

1 4문단에서 철새들이 이동할 때의 길은 해마다 같다고 설명하고 있습니다. 따라서 ④에서 철새들이 이동할 때 가는 길이 기후에 따라 다르다는 설명은 적절하지 않습니다.

오답 피하기 ③ 3문단의 첫 문장에서는 철새들이 이렇게 여행을 하는 까닭은 더위나 추위를 피하여 먹이를 구하고 새끼도 치기 위해서라고 설명하고 있습니다.

⑤ 4문단의 첫 문장을 보면 철새들이 이동하여 찾아가는 곳은 해마다 거의 같다고 설명하고 있습니다.

2 ㉠은 텃새의 예로 까치나 참새를, 철새의 예로 제비와 기러기를 들고 있으므로, ㄴ처럼 구체적인 사례를 제시하여 대상을 설명하고 있습니다. 또한 새를 텃새와 철새로 나누어 설명하고 있으므로 ㄹ처럼 정해진 기준에 따라 대상을 분류하여 설명하고 있습니다.

3 2문단의 둘째 문장에서는 철새는 산을 넘고 바다를 건너 아주 먼 여행을 한다고 하였습니다. 이러한 여행을 할 때 철새들 대부분은 〈보기〉의 V자 대형을 이루어 이동한다고 하였는데, 이는 공기의 흐름을 이용하여 에너지를 적게 소비해 오랫동안 하늘에 떠 있기 위한 것입니다.

4 마지막 문단에서는 철새가 어떤 방법으로 이동할 수 있는지에 대한 다양한 의견들을 제시하고 있으므로 ①이 가장 적절합니다.

5 ⓔ는 '어떤 사람을 만나거나 어떤 곳을 보러 그와 관련된 장소로 옮겨 가다.'의 뜻이므로 '살펴서'로 바꾸는 것이 적절합니다.

오답 피하기 ① ⓐ는 '일정한 기준에 따라 전체를 몇 개로 갈라 나눔.'의 뜻이므로 '나눌'로 바꾸는 것이 적절합니다.

② ⓑ는 '시간이나 세월을 지나가게 하다.'의 뜻이므로 '지내는'으로 바꾸는 것이 적절합니다.

③ ⓒ는 '어떤 곳에서 다른 곳으로 움직여 자리를 바꾸다.'의 뜻이므로 '이동한다'로 바꾸는 것이 적절합니다.

④ ⓓ는 '동물이 새끼를 낳거나 까다.'의 뜻이므로 '낳기'로 바꾸는 것이 적절합니다.

1 ④   **2** ④   **3** (1) × (2) ○

4 ⑤   **5** ③

6 물, 운반, 비열, 체온

● 독해력을 기르는 어휘

❶ 혈액   ❷ 결합   ❸ 체온

❹ 전달했다   ❺ 구성된다   ❻ 존재한다

❼ 작용했다

이 글은 물의 특징에 대해 설명하고 있는 글입니다. 물의 성질과 특징에 대해 설명하고, 물이 우리 몸 안에서 어떤 역할을 하고 있는지를 소개하고 있습니다.

● **글의 특징**

– 물의 구조를 제시하여 물의 특징을 설명하고 있습니다.

– 물의 특징을 바탕으로 물이 우리 몸에서 어떤 역할을 담당하는지 설명하고 있습니다.

● **글의 구조**

가	물 분자는 산소 원자 1개와 수소 원자 2개가 약 104.5°의 각도로 결합함.	물의 구조
나	• 물은 여러 물질을 녹이는 용매 역할을 함. • 물은 몸속 곳곳으로 산소와 영양소, 에너지 등을 운반함. • 물은 몸밖으로 노폐물을 내보냄.	물의 역할 ①
다	물은 체온을 유지하는 역할을 함	물의 역할 ②
라	생명을 유지하기 위해 꼭 필요한 물	물의 중요성

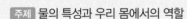

주제 물의 특성과 우리 몸에서의 역할

1 다 문단의 네 번째 문장을 보면, '비열'이라는 단어의 개념이 제시되어 있음을 확인할 수 있습니다.

오답피하기 ① 이 글에는 이해를 돕고 대상을 강조하기 위한 그림 자료와 같은 시각 자료가 사용되지 않았습니다. ⑤ 이 글에는 서로 반대되는 두 의견을 조절하여 새로운 의견을 제안하고 있지 않습니다.

2 가 문단에서 물 분자는 1개의 산소 원자와 2개의 수소 분자로 구성된다고 말하고 있습니다. 그렇다면 ③과 ④ 중에 답이 있다고 볼 수 있습니다. 그중에서 ④가 정답이 되는 것은, 가 문단에서 "수소 원자는 산소 원자와 약 104.5°의 각도로 각각 결합한다."라는 내용 때문입니다. 산소를 중심으로 두 개의 수소 원자가 이루는 각도를 가늠해 보면 ④와 같은 모양이 될 것이라고 예측해 볼 수 있습니다.

3 (1) 나 문단에서 물은 여러 물질을 잘 녹이는 성질이 있다고 하였지만, 이것이 모든 물질을 녹일 수 있다는 의미는 아닙니다.

(2) 나 문단에서 물은 우리 몸에서 여러 물질을 녹이는 용매 역할을 한다고 하였습니다.

4 다 문단에서 물은 비열이 크기 때문에 온도를 높이기 위해 필요한 열의 양이 다른 물질에 비해 많으므로, 온도가 잘 변하지 않는다고 하였습니다. 따라서 바깥 기온에 상관없이 우리의 체온이 항상 비슷한 온도로 유지되는 것입니다.

오답피하기 ③ 우리가 체온을 비슷하게 유지할 수 있는 것은 물의 어떤 성분이 아니라 물이 가지고 있는 고유의 성질 때문입니다.

5 ㉠은 '값이나 수치, 온도, 물가 등이 낮아지거나 떨어진다는 의미로 쓰였습니다. 따라서 '내려가는'은 '떨어지는'으로 바꾸어 쓸 수 있습니다.

어휘 수준 ★★★☆☆   글감 수준 ★★★☆☆   글의 길이 850자

● 독해력을 기르는 어휘

❶ 고정　　　❷ 조절　　　❸ 마찰력
❹ 정밀　　　❺ 감소　　　❻ 유출

이 글은 위쪽과 아래쪽으로 나누어진 유리그릇 사이의 구멍으로 모래가 떨어지면서 시간을 측정할 수 있는 모래시계의 원리에 대해 설명하고 있습니다. 속도를 일정하게 유지하게 하는 마찰력과 주기를 결정짓는 요소인 구멍의 크기와 모래의 양에 대해 자세히 제시하여 모래시계의 작동 원리를 이해하기 쉽게 설명하고 있습니다.

● **글의 특징**

– 모래시계의 구조를 바탕으로 시간이 측정되는 원리를 설명하고 있습니다.
– 묻고 답하는 방식을 활용하여 독자의 호기심을 유발하고 있습니다.

● **글의 구조**

모래시계의 구조와 시간 측정	모래시계는 위와 아래 유리그릇의 구멍 사이로 모래가 떨어지면서 일정 단위의 시간을 측정할 수 있는 도구임.
마찰력에 의한 정확한 시간 측정	모래시계는 마찰력이 약한 벽면에 붙어 있는 모래층이 먼저 흘러내리는데, 결과적으로 계속 일정한 양이 떨어져 정확한 시간을 측정할 수 있음.
모래시계의 주기를 결정하는 요소	모래가 유출되는 구멍의 크기와 모래의 양에 따라 모래시계의 주기가 다양해질 수 있음.

↓

 주제 모래시계의 원리

어휘 수준 ★★★★★　　글감 수준 ★★★★★　　글의 길이 967자

1 3문단에서 모래시계에서 모래가 빠져나가 양이 줄어도 속도가 느려지지 않는 이유를 묻고 답하는 방식으로 제시함으로써 독자의 궁금증을 불러일으키고 있습니다.

2 모래시계의 주기가 짧다는 것은 모래가 떨어지는 속도가 빠르다는 뜻입니다. 모래가 빨리 떨어지려면 모래시계 벽면에서 마찰력이 작게 작용하고 모래의 양이 적으며, 모래가 유출되는 구멍이 커야 한다고 했습니다. 따라서 다섯 개의 선택지 중에서 ②가 가장 마찰력이 작고, 모래의 양이 적으며, 모래가 유출되는 구멍의 단면적이 크기 때문에 주기가 가장 짧다고 볼 수 있습니다.

3 모래 알갱이의 크기가 같지 않으면 구멍을 빠져나가는 모래의 양도 달라집니다.
오답 피하기 (2) 모래시계의 위와 아래를 바꾼다고 해도 벽면에 붙어 있는 모래에 작용하는 마찰력과 구멍의 크기에는 변화가 없으므로 모래가 유출되는 속도에는 변함이 없습니다.

4 (가) 3문단에서 모래시계의 유리그릇의 표면에 붙어 있던 모래들이 먼저 떨어지며 그 이유는 유리그릇의 표면에 작용하는 마찰력이 작기 때문이라고 하였습니다. 따라서 모래시계 안쪽의 모래가 벽면 쪽의 모래보다 더 큰 마찰력을 받고 있다고 볼 수 있습니다.
(라) 모래시계의 구멍이 커질수록 한 번에 통과할 수 있는 모래의 양이 많아십니다. 따라서 모래시계의 구멍이 클수록 모래시계의 주기는 짧아진다고 볼 수 있습니다.
오답 피하기 (나) 일반적으로 모래의 양이 많아지면 중력도 함께 커지지만 모래시계의 모래는 양에 따른 중력의 영향을 받지 않는다고 설명하고 있습니다.
(다) 모래시계는 위쪽의 모래 양과는 상관없이 일정한 속도로 모래가 유출된다는 것을 이 글을 통해 알 수 있습니다.

| 1 ⑤ | 2 ④ | 3 ⑤ |
| 4 ② | 5 (1) ○ | 6 농사, 차례, 풍요 |

● 독해력을 기르는 어휘

1 신중   **2** 덕담   **3** 성묘

4 ⓜ   **5** ⓒ   **6** ⓛ

7 ⓙ   **8** ⓔ

이 글은 우리의 대표적인 명절인 설과 추석에 행하는 풍속과 먹는 음식 등을 설명하고 있습니다. 설과 추석은 모두 농사와 깊은 관련이 있는데 설은 새해를 시작하는 첫날로 한 해 농사를 새롭게 시작하는 날이며, 추석은 한 해 농사를 수확하고 나서 곡식과 과일을 차려 놓고 잔치를 벌이며 조상들께 감사하는 마음을 가졌던 날임을 소개하고 있습니다. 설에는 차례와 세배가 끝나면 덕담을 주고받으며 세찬을 먹었고, 추석에는 음식을 장만해 차례를 지내고 성묘한 후 송편 등을 먹으며 풍요롭게 지낸다는 점을 서로 비교 · 대조하여 설명하고 있습니다.

● **글의 특징**

– 설과 추석을 비교 · 대조하며 대상의 풍속을 효과적으로 전달하고 있습니다.

– 설날에 하는 덕담의 구체적인 예를 제시하고 있습니다.

– 추석에 사람들이 하는 말을 인용하여 추석의 풍요로움을 효과적으로 전달하고 있습니다.

● **글의 구조**

[1문단]	우리나라의 대표적인 명절은 설과 추석임.

설(2,3,5,7문단)	추석(4,6,8문단)
• 설을 지내는 시기와 풍속 (2문단) • 설의 어원(3문단)	추석과 가위의 의미 (4문단)
설의 풍속(5문단)	추석의 풍속(6문단)
설날에 먹는 세찬(7문단)	추석의 의미와 대표 음식 (8문단)

↓

주제 설과 추석에 행하는 풍속과 먹는 음식

어휘 수준 ★★★☆☆   글감 수준 ★★☆☆☆   글의 길이 953자

---

1 이 글은 우리의 대표적인 명절인 설과 추석에 행하는 풍속과 음식을 소개하고 있습니다. 설과 추석이 모두 농사와 관련된 것으로, 농사를 시작할 때나 농사를 끝내고 수확할 때에 행하는 여러 풍속 등을 소개하고 있습니다. 시간적 흐름에 따른 화제의 변화 과정은 드러나지 않습니다.

오답 피하기 ① 3문단에서 '설'이라는 말은 '삼가다'라는 말에서 나왔다고 하며 단어가 생겨 난 배경을 밝혔습니다.

③ 마지막 문단에서 추석에는 사람들이 "더도 말고 덜도 말고 늘 가윗날만 같아라."라는 말을 했다고 인용하면서 추석에 대한 글쓴이의 생각을 드러내고 있습니다.

2 5문단으로 보아, 웃어른께 세배를 드리고 덕담을 주고받으며 세뱃돈을 받는 것은 설에 행하는 풍속임을 알 수 있습니다.

오답 피하기 ① 2문단에서 설은 새해를 시작하는 첫날로 한 해 농사를 새롭게 시작하는 뜻깊은 날이라고 하였습니다.

⑤ 7문단에서 설 명절에는 온 가족이 둘러앉아 설 음식을 먹었는데 대표적인 것이 떡국이라고 하였습니다.

3 〈보기〉에서 제천 행사는 '논밭에 씨를 뿌린 후'나, '가을걷이를 한 뒤'에 치러졌다고 했습니다. 설은 새해를 시작하는 첫날로 음력 정월 초하루에 하늘에 제사를 지냈습니다. 따라서 제천 행사가 특정 시기에만 행해지다가 아무 때나 행해지는 것으로 바뀌었다는 설명은 알맞지 않습니다.

오답 피하기 ①, ②, ③ ㉠에서 우리 조상들은 삼국 시대 이전부터 음력 정월 초하루에 하늘에 제사를 지냈다고 되어 있는데 이는 하늘에 제사를 지냈다는 점에서 '제천 행사'라고 할 수 있습니다. 〈보기〉에서 제천 행사가 하늘에 제사를 지내는 일뿐만 아니라 집단으로 춤을 추고 노래를 부르며 많은 사람들이 화합하였다고 했으므로 ㉠은 집단의 단결과 화합도 목적으로 했음을 알 수 있습니다.

4 ㉡은 추석에는 농사를 짓고 난 후 수확을 해서 먹을 것이 풍요로웠다는 내용과 관련 있습니다.

5 (1)의 '벗다'는 사람이 자기 몸 또는 몸의 일부에 착용한 물건을 몸에서 떼어 낸다는 뜻이고, '입다'는 옷을 몸에 꿰거나 두른다는 뜻이므로 이 두 낱말은 뜻이 서로 반대되는 관계라고 할 수 있습니다.

1 ①	2 ⑤	3 ④
4 ④	5 ③	6 성취, 흥행

● 독해력을 기르는 어휘

❶ 성취　　　❷ 욕심　　　❸ 사회상

❹ 갖가지　　❺ 안타까움　❻ 쫓아

❼ 맞서게

이 글은 우라사와 나오키의 만화관과 만화사에서의 성과를 설명하고 있습니다. 〈마스터 키튼〉, 〈몬스터〉, 〈20세기 소년〉 등의 작품을 통해 작품성을 인정받고 흥행에 성공하여 무거운 만화도 편하게 즐길 수 있음을 증명한 것을 우라사와 나오키 만화의 성과로 제시하고 있습니다.

● **글의 특징**

– 글의 앞부분에서 예술로서 만화가 지니는 위상을 언급함으로써 독자의 관심을 끌고 있습니다.

– 〈마스터 키튼〉, 〈몬스터〉, 〈20세기 소년〉 등 우라사와 나오키의 각 작품의 내용과 의의를 나열하고 있습니다.

● **글의 구조**

1문단	만화도 영화나 문학 못지않는 예술성을 담고 있음.	예술로서의 만화의 위상
2문단	〈마스터 키튼〉, 〈몬스터〉, 〈20세기 소년〉 등은 철학적 문제를 다루고 있음.	우라사와 나오키의 작품에 담긴 철학적 문제
3문단	작품성을 인정받으며 흥행에 성공하고, 무거운 만화도 편하게 즐길 수 있음을 증명함.	우라사와 나오키 만화의 성과
4문단	우라사와 나오키의 작품은 깊이 있는 주제와 뛰어난 장면 전환 등을 자랑함.	현대 만화사에서 중요하게 평가됨.

⬇

주제 만화의 작품적 성취를 높인 우라사와 나오키

어휘 수준 ★★★★☆　　글감 수준 ★★★☆☆　　글의 길이 951자

1 우라사와 나오키의 만화 〈마스터 키튼〉, 〈몬스터〉, 〈20세기 소년〉에 대한 내용을 나열하여 설명하고 있습니다.

오답 피하기 ② 〈마스터 키튼〉, 〈몬스터〉, 〈20세기 소년〉 등 여러 작품의 차이점을 설명하고 있지 않습니다.

③ 단어의 개념을 명확하게 규정짓는 정의의 방법은 사용하고 있지 않습니다.

⑤ 설명하고자 하는 대상을 그것과 유사한 다른 사물에 빗대어 표현하는 비유의 방법은 사용하고 있지 않습니다.

2 〈몬스터〉가 〈20세기 소년〉에 비해 일본 사회를 더 날카롭게 묘사하고 있는지 알 수 없습니다. 2문단의 마지막 문장을 통해 〈20세기 소년〉이 일본 사회의 여러 문제들을 날카롭게 드러냈다는 것만 확인할 수 있습니다.

3 〈보기〉는 1920년대 도시 하층민의 삶을 사실적으로 표현한 작품으로, 사실주의적 기법을 통해 당시의 사회상을 잘 묘사하고 있습니다. ㉺ '마나님'은 나이가 많은 부인을 높여 이르는 말로, 현재에도 사용하므로 〈보기〉의 작품이 쓰였을 당시(1920년대)의 사회상을 나타낸다고 할 수 없습니다.

오답 피하기 ① '동소문(혜화문)', ② '인력거꾼', ③ '첨지', ⑤ '전찻길' 등은 모두 〈보기〉의 작품이 쓰인 시대(1920년대)의 사회상을 드러내는 소재입니다.

4 2문단으로 보아, 〈마스터 키튼〉에서 마스터 키튼은 범죄에 빠져들 수밖에 없는 인간에게 안타까움을 느끼지만, 〈20세기 소년〉에서 겐지가 '친구'에게 안타까움을 느끼고 있는지는 이 글과 〈보기〉를 통해 알 수 없습니다.

5 '판단하다'는 어떤 대상에 대해 옳고 그름이나 좋고 나쁨 등을 구별하여 판정을 내린다는 뜻입니다. ⓐ는 우라사와 나오키가 만화를 통해 일본 사회의 문제들을 보여 주었다는 의미이므로, '판단하다'라고 바꾸어 쓰는 것은 적절하지 않습니다.

오답 피하기 ① '묘사하다'는 어떤 대상이나 사물, 현상 따위를 글이나 그림으로 그려서 표현한다는 뜻입니다.

1 ⑤   2 ⑤   3 (가), (나)
4 (1) ○   5 ③   6 우열, 상대주의

● 독해력을 기르는 어휘

❶ 예절   ❷ 우열   ❸ 자문화
❹ 낙관   ❺ 숭상   ❻ 선입견
❼ 존중

이 글은 문화 차이를 받아들이는 상반된 두 가지 태도에 대해 설명하고 있습니다. 문화 차이를 받아들이는 태도를 일정한 기준에 따라 구분하여 소개한 뒤 문화의 다양성을 존중하는 태도가 필요함을 강조하고 있습니다.

● 글의 특징

– 특정 학자의 견해를 바탕으로 주요 개념을 정의하고 있습니다.
– 문화 차이를 받아들이는 태도를 크게 두 가지 유형으로 구분하고 각 특징에 대해 알기 쉽게 설명하고 있습니다.

● 글의 구조

1문단	식사 문화에도 나라마다 차이가 있음.	→	문화 차이의 구체적 예
2문단	서로 다른 사회 공동체 간에 문화 차이가 나타날 수 있음.	→	'문화'와 '문화 차이'의 정의
3문단	절대적 기준을 바탕으로 문화 간의 우열을 가려내고자 하는 태도가 있음. – 자문화 중심주의(문화 사대주의)	→	문화 차이를 수용하는 태도 ①
4문단	여러 맥락을 고려하여 다양한 문화를 이해하려는 태도가 있음. – (문화 상대주의)	→	문화 차이를 수용하는 태도 ②
5문단	현대 사회에서는 자문화와 타문화를 모두 객관적인 관점에서 바라보는 태도가 필요함.	→	문화 차이를 대처하는 방법

⬇

주제 문화 차이를 받아들이는 상반된 두 가지 태도와 문화 차이를 수용하는 올바른 태도

어휘 수준 ★★★★   글감 수준 ★★★★   글의 길이 1,158자

1 3~4문단에서 문화 차이를 받아들이는 태도를 크게 두 가지 유형, 즉 '자문화 중심주의(문화 사대주의)'와 '문화 상대주의'로 나누어 설명하고 있습니다.

2 5문단의 첫 번째 문장에서 "현대 사회에서는 스마트폰과 SNS 등 다양한 소통 매체의 발달로 인해 서로 다른 문화 간의 공유가 실시간으로 이루어지고 있"음을 밝히고 있습니다. 하지만 그 뒤의 내용에서 그럼에도 불구하고 "여전히 많은 학자들이 역사적 · 지역적 차이에서 비롯하는 국가 간 문화 차이가 현실적으로 그리 쉽게 줄어들지는 않을 것으로 보고 있다."라고 하였습니다.

3 (가)에서는 마오리족의 인사법은 일반적인 것은 아니지만, 이를 그 사회가 지닌 고유한 풍습으로 이해하고 있습니다. (나)에서 우리와 다른 서양인들의 문화를 우리와 서로 다른 생활 방식에서 발생한 것으로 이해하고 있으므로 [A]에서 제시한 '문화 상대주의' 태도에 해당합니다.

오답 피하기 (다)는 인도인들의 고유한 식사 문화를 인정하지 않고 다른 방식을 권장하고 있으며, (라)는 중국인들의 독특한 식사 문화를 '비과학적 발상'이라고 깎아내리고 있으므로 [A]의 관점과 일치하지 않습니다.

4 3~4문단의 내용으로 보아, 다음 사실과 관련이 있는 것은 절대적 기준을 바탕으로 문화 간의 우열이 존재한다고 보는 태도입니다.

오답 피하기 (2) 절대적 기준을 바탕으로 문화 간의 우열을 판정하는 것이 불가능하다고 생각하는 태도는 '문화 상대주의'입니다.

5 〈보기〉는 '재채기'를 하거나 대화할 때 눈을 마주치는, 동일한 행위를 두고, 서로 다른 반응을 나타내는 문화 차이의 구체적인 사례를 보여 주고 있습니다. 이 글의 마지막 문단에 제시된 결론과 〈보기〉를 바탕으로 할 때, 서양 사람들의 문화적 환경과 역사 등을 고려하여 우리와 다른 삶의 방식을 이해할 필요가 있다고 하는 것은 적절합니다.

오답 피하기 ② 이 글에서 각 나라의 문화 차이를 폭넓게 이해하는 태도가 중요함을 강조하고 있지만, 그렇다고 해서 서로 다른 두 문화를 하나의 방식으로 통일하면 된다고 이해하는 것은 알맞지 않습니다.

1 ⑤	2 ④	3 ①
4 (1) ○	5 남방식, 문화유산, 제주도	

● 독해력을 기르는 어휘

❶ 다산   **❷** 문화   **❸** 안치

❹ 발전   **❺** 덮었다   **❻** 훼손

❼ 보존   **❽** 로서

이 글에서는 돌널무덤에서 발전한 형태인 고인돌의 종류를 고인돌이 분포되어 있는 지역을 기준으로 크게 북방식 고인돌과 남방식 고인돌로 나눈 뒤 각각의 특징을 설명하고 있습니다. 또한 다른 지역의 고인돌과 다른 제주도 고인돌만의 독특한 형식을 설명한 후 제주도 고인돌의 수가 적게 남아 있으므로 세계적 문화유산으로 가치를 인정받은 제주도 고인돌을 보존하려는 노력이 필요하다고 당부하고 있습니다.

● **글의 특징**

– 고인돌이 만들어지는 방식과 과정이 제시되어 있습니다.

– 고인돌을 기준에 따라 두 종류로 나누어 설명하고 있습니다.

– 제주도 고인돌의 특징을 다른 지역의 고인돌과 대조하여 설명하고 있습니다.

● **글의 구조**

1문단	고인돌은 우리나라 청동기 시대의 대표적인 무덤 양식으로 돌널무덤에서 발전한 돌무덤임.	→	고인돌의 어원과 고인돌을 만드는 방식
2문단	고인돌이 퍼져 있는 지역을 기준으로 한강 이북의 북방식 고인돌과 한강 이남의 남방식 고인돌로 나눔.	→	분포된 지역에 따른 고인돌의 종류
3문단	다른 지역에서는 찾아볼 수 없는 독특한 형식을 지닌 제주도 고인돌은 대부분 단독으로 자리함.	→	제주도 고인돌의 특징
4문단	훼손되어 남아 있는 수가 많지 않기 때문에 세계적 문화유산으로 가치를 인정받은 제주도 고인돌을 보존하려는 노력이 필요함.	→	제주도 고인돌을 보존하려는 노력의 필요성

주제 고인돌의 어원과 종류 및 제주도 고인돌의 특징

어휘 수준 ★★★★☆   글감 수준 ★★★★☆   글의 길이 1,117자

1 2문단에서 '남방식 고인돌은 "지하에 상자형으로 무덤방을 만들고 주검을 묻은 다음 서너 개의 괴석을 올려놓"는다고 하였으므로, ⑤는 남방식 고인돌에 대한 설명입니다.

오답 피하기 ① 1문단의 "고인돌은 기본적으로 돌널무덤에서 발전한 돌무덤이다."라고 한 데서 확인할 수 있습니다.

② 2문단의 "북한 지역에서도 남방식 고인돌이 발견되고 있"다고 한 데서 확인할 수 있습니다.

③ 3문단에서 제주도 고인돌의 덮개돌 윗면에 파 놓은 홈은 다산과 풍요를 의미한다고 한 데서 확인할 수 있습니다.

④ 4문단에서 "제주도 고인돌의 재료가 현무암이어서 다른 지역의 고인돌에 비해 깨지기 쉽"다고 하였습니다.

2 이 글에서는 고인돌이 만들어지는 방식과 과정, 고인돌이 분포되어 있는 지역을 기준으로 한 고인돌의 두 가지 종류, 다른 지역의 고인돌과 구별되는 제주도 고인돌의 독특한 형식에 대해 설명하고 있습니다. 하지만 전문가의 말을 인용하고 있지는 않습니다.

오답 피하기 ① 1, 2문단에서 확인할 수 있습니다.

② 4문단에서 제주도 고인돌의 수가 많지 않은 현상에 대한 이유(고인돌의 재료인 현무암의 깨지기 쉬운 속성, 마을의 형성으로 인한 고인돌의 훼손)를 제시하고 있습니다.

③, ⑤ 2문단에서 고인돌이 분포되어 있는 지역을 기준으로 북방식 고인돌과 남방식 고인돌로 나누어 각각의 특징을 설명하고 있습니다.

3 2문단의 내용을 참고하면 〈보기〉의 ⑦는 북방식 고인돌이고 ⑭는 남방식 고인돌임을 알 수 있습니다. 그런데 이 글의 내용만으로는 ⑦보다 ⑭가 최근에 만들어진 고인돌인지 알 수 없습니다.

4 2문단으로 보아 두 종류의 고인돌(북방식 고인돌과 남방식 고인돌)이 우리나라 전 지역에 걸쳐 분포하고 있음을 알 수 있는데, 이 내용과 〈보기〉의 내용을 바탕으로 "우리나라는 동북아시아에서 다양한 고인돌이 많이 퍼져 있는 나라"임을 추론할 수 있습니다.

오답 피하기 (2) 3문단에서 제주도 고인돌은 우리나라의 다른 지역에서는 찾아볼 수 없는 독특한 형식이라고 밝히고 있습니다. 따라서 이 글을 통해 제주도 고인돌이 남방식 고인돌의 특징을 지니고 있다고 추론할 수는 없습니다.

1 ②　　　　　**2** (나), (다)　　　　**3** (1) ○

4 ①　　　　　**5** 낮게, 낮게

6 일물일가, 빅맥, 통화, 빅맥 지수

● 독해력을 기르는 어휘 ─────

❶ 가치　　　　**❷** 통화　　　　**❸** ㉢

❹ ㉣　　　　　**❺** ㉠　　　　　**❻** ㉡

이 글은 '빅맥 지수'라는 경제 개념을 설명하는 글입니다. 일물일가의 원칙을 바탕으로 빅맥 지수가 어떻게 책정되는지 구체적인 예를 들어 설명하고, 빅맥 지수의 의미와 활용에 대해서도 설명하고 있습니다.

● **글의 특징**

‑ 빅맥의 구체적 가격을 제시하고 이를 통해 빅맥 지수의 의미를 설명하고 있습니다.

‑ 빅맥의 가격이 나라마다 다른 것을 통해 통화 가치를 평가할 수 있음을 설명하고 있습니다.

‑ 묻고 답하는 구조로 독자의 관심과 집중을 이끌어 내고 있습니다.

● **글의 구조**

일물일가	하나의 물건은 하나의 값을 가짐.

일물일가 원칙 적용	빅맥의 실제 가격
각국의 통화 가치가 적정하다면 빅맥의 가격은 나라마다 같아야 함. →	나라마다 빅맥의 가격이 다름.

빅맥 지수	빅맥 가격을 바탕으로 각 나라의 통화 가치를 비교하여 평가할 수 있음.

주제 빅맥 지수를 통한 나라별 통화 가치 비교

어휘 수준 ★★★☆☆　　　글감 수준 ★★★★☆　　　글의 길이 1,006자

1 2문단에서 맥도날드는 아프리카 대륙을 제외한 거의 모든 나라에 매장이 있으며 빅맥은 이 매장들에서 판매되고 있다고 하였습니다. 따라서 ②의 설명은 적절하지 않습니다.

2 (나) 일물일가는 같은 물건에 대해서는 어느 나라에서든 같은 값을 지불하는 원칙입니다. 따라서 A씨가 미국의 빅맥 가격이 5달러인 것만 알았다면, 한국에서도 그만큼의 금액을 낼 것입니다.

(다) 이 글의 4문단에서 알 수 있듯이 한국에서의 실제 빅맥 가격을 달러로 계산하면 3.6달러이므로, A씨는 5달러보다 적은 돈을 내고 한국에서 빅맥을 사 먹을 것임을 알 수 있습니다.

오답 피하기 (가) 3.6달러는 4,300원에 해당하는 돈으로, 우리나라에서 파는 실제 빅맥의 가격입니다. 미국을 기준으로 일물일가의 원칙을 적용했다면 빅맥 가격으로 5달러를 받아야 합니다.

3 1달러는 1,200원이므로, 미국에서 빅맥을 사 먹으려면 5달러에 해당하는 6,000원(5×1,200)을 내면 됩니다.

오답 피하기 (2) 〈보기〉를 설명하고 있는 4문단의 마지막 문장을 통해 우리나라 돈의 가치가 낮게 평가되었음을 알 수 있습니다.

4 이 글은 '빅맥 지수'의 개념에 대해 구체적 예를 들어 자세히 설명하고 있습니다.

오답 피하기 ② 구체적 사례를 사용하였지만, 주장이 드러나 있지는 않습니다.

③ 미국 통화와 대조하고 있지만, 상대의 생각을 비판한 내용은 찾을 수 없습니다.

5 4문단 마지막 문장을 통해 빅맥 지수가 낮을수록 통화 가치가 낮게 평가됨을 알 수 있습니다. 따라서 미국보다 빅맥 지수가 낮은 우리나라의 통화 가치는 미국보다 낮게 평가된 것이고, 일본은 우리나라보다 빅맥 지수가 낮기 때문에 통화의 가치도 낮게 평가되었음을 알 수 있습니다.

1 ③   **2** ③   **3** ①

4 ②   **5** ④

6 합의, 이익, 거래 비용

● 독해력을 기르는 어휘

❶ 비용   **❷** 분쟁   **❸** 끼치다

❹ 비용   **❺** 훼손   **❻** 유용

이 글은 문제 상황이나 다툼을 해결하기 위한 방법 중 하나인 교섭에 대해 설명하고 있습니다. 먼저 교섭의 개념을 설명하고 구체적인 예를 들어 이해를 돕고 있습니다. 그리고 교섭이 이루어지는 데 영향을 주는 거래 비용을 설명하고, 거래 비용과 교섭 가능성에 대해 설명하고 있습니다.

● **글의 특징**

– '교섭', '거래 비용' 등 관련 용어들의 뜻을 제시하여 개념을 명확히 하고 있습니다.

– 하나의 사례를 중심으로 여러 개념들을 연결하여 설명하고 있습니다.

● **글의 구조**

교섭	• 서로 대화를 통해 주장을 조정하여 합의에 이르는 과정 • 문제 해결에 도움을 주며, 당사자 모두에게 이익을 줌.
교섭에서의 거래 비용	• 교섭을 위해 드는 총비용 • 거래 비용이 교섭을 통해 얻는 이익보다 적어야 교섭이 이루어짐. • 거래 비용 때문에 교섭이 불가능하면 법의 개입으로 문제를 해결함.

거래 비용의 최대치 >실제 거래 비용	거래 비용의 최대치 <실제 거래 비용
당사자 간의 교섭이 이루어짐.	교섭이 이루어지지 않고 법을 통해 해결됨.

주제 교섭의 개념과 교섭을 가능하게 하는 요소

어휘 수준 ★★★★★   글감 수준 ★★★★★   글의 길이 1,144자

---

1 목장의 소가 옥수수 밭의 농작물을 훼손하여 목장주와 농부가 교섭하는 상황을 예로 제시하면서 '교섭', '거래 비용' 등의 관련 개념들을 알기 쉽게 설명하고 있습니다.

2 3문단에서 교섭을 하기 위해 상대방의 정보를 알아보고 대화할 공간을 마련하는 데 드는 총비용을 '거래 비용'이라고 했습니다. 그런데 예시들에서 알 수 있듯이 이는 거래 당사자들과 상황에 따라 달라지는 것으로, 일정하게 유지될 수 있는 성질의 것이 아닙니다.

3 4문단에서 보면 목장주가 쓰려고 하는 최대 거래 비용은 2만 원이고, 농부가 쓰려고 하는 최대 거래 비용은 1만 원이며 실제 비용이 1만 원일 때, 교섭이 이루어집니다. 이때 1만 원은 목장주와 농부 모두가 거래 비용으로 사용할 뜻이 있었던 액수이기 때문에 교섭이 이루어질 수 있습니다. 이로 볼 때, 거래 비용의 최대치를 낮게 생각하는 사람에게 맞추어야 교섭이 가능하게 됨을 알 수 있습니다. 따라서 〈보기〉에서 '갑'과 '을' 둘 다 받아들여 교섭에 성공할 수 있는 구간은 A입니다.

4 [A]에서 목장주와 농부가 교섭을 통해 문제를 해결함으로써 모두에게 이익이 되는 결과를 얻었습니다. 그런데 〈보기〉와 같이 방목 제한제를 적용하면, 목장주는 연간 16만 원을 온전히 지불해야 하고 농부는 3만 원을 얻을 수 있는 기회를 잃게 됩니다. 따라서 〈보기〉는 법적 해결이 교섭에 비해 더 손해가 될 수도 있음을 보여 주는 사례로 볼 수 있습니다.

오답 피하기 ⑤ 거래 비용 때문에 교섭이 불가능한 것이 아니라, 법의 개입으로 인해 교섭이 취소된 상황입니다.

5 ㉠의 '끼치다'는 '영향, 해, 은혜 따위를 당하거나 입게 하다.'라는 의미입니다. '맡기다'는 '어떤 일에 대한 책임을 지우거나 담당하게 하다.'라는 의미이므로 바꿔 쓰기에 적절하지 않습니다.

1 ④	2 ④	3 (1) ○
4 (나), (다)	5 ⑤	6 베블런, 과시적

● 독해력을 기르는 어휘

❶ 반비례 ❷ 설득력 ❸ 허영심

❹ 과시 ❺ 책정 ❻ 제시

❼ 위협

이 글은 베블런 효과의 의미와 특징에 대해 설명하는 글입니다. 먼저 애덤 스미스의 합리적 소비 이론에 대해 소개를 하고, 이와 반대 의견인 베블런 효과를 설명하면서 이 둘의 주장을 대조하고 요약하였습니다. 그리고 베블런 효과가 현재에도 설득력이 있음을 밝히며 글을 마무리하고 있습니다.

● **글의 특징**

– 애덤 스미스의 말을 직접 인용하고 있습니다.

– 애덤 스미스와 베블런의 서로 다른 견해를 대조의 방식을 통해 설명하고 있습니다.

● **글의 구조**

애덤 스미스의 견해	베블런의 견해
소비자는 합리적인 소비를 함.	특정 계층이 허영심이나 과시욕으로 비합리적으로 소비함.
물건 가격이 낮을수록 수요가 늘어나고 가격이 높을수록 수요가 줄어듦.	물건 가격이 오를수록 수요가 늘어나고 가격이 낮을수록 수요가 줄어듦.

베블런 효과	상품의 실용성과 관계없이 자기 과시를 위해 비싼 상품을 찾는 현상
베블런 효과의 문제점	경제적 능력을 넘어서는 과시적 소비로 인해 개인의 건전한 삶이 위협받고 사회 문제로까지 이어짐.

주제 베블런 효과의 의미와 특징

어휘 수준 ★★★☆☆   글감 수준 ★★★★☆   글의 길이 938자

1 이 글에서는 소비자의 소비 활동에 대한 애덤 스미스와 베블런의 서로 다른 견해를 나란히 소개하고, 그 차이점을 밝히고 있습니다.

2 2문단에서 베블런 효과는 소비자가 과시를 목적으로 기능이 비슷한 물건을 높은 가격을 기꺼이 내면서 사는 현상이라며 과시적 소비라고도 한다고 설명하고 있습니다.

3 〈보기〉는 '가격이 오르는 물건, 즉 비싼 물건'에 대해서 '높은 수요가 발생'하는 것은 베블런 효과에 해당하는 설명입니다. 한편 이 글에 따르면, '과시를 목적으로 상품을 사는 것'은 소비자가 주변의 다른 소비자를 의식하기 때문에 발생하는 현상입니다. 종합하면, '가격이 비싼 상품을 선호하는 이유는 주변의 다른 소비자를 의식하기 때문이다.'라는 내용을 이끌어 낼 수 있습니다.

4 ㉠이 의미하는 소비 형태는 다른 사람들을 의식하면서 그것을 소비 행동을 할 때 판단 기준으로 삼는 경우입니다. (나)가 다른 사람을 따라하는 것이라면, (다)는 다수의 다른 사람과 다르게 하려는 것이라는 점에서는 차이가 있지만 (나)와 (다)는 모두 물건 자체의 가격이나 실용성이 아닌, 다른 사람의 판단이나 행동을 의식한 상태에서 벌어지는 소비 형태라는 점에서 ㉠과 관계가 있는 효과입니다.

오답 피하기 (가)와 (라)는 특정한 외부 요인(영화, 문화 환경)이 경제 발전에 긍정적 영향을 불러일으키는 상황을 말합니다.

5 〈보기〉에서 유한계급은 사치스러운 생활을 하면서 자신들의 부와 우월한 사회적 신분을 보여 주기 위해 무도회나 음악회를 열었다고 하였습니다. 따라서 다른 계층의 사람들을 초대했다고 해도 그 역시 자신들의 부와 우월함을 보여 주기 위한 것으로, 과시적 소비를 통해 다른 사람에게 자신들을 과시하려 했던 것과 같은 동기라고 할 수 있습니다.

1 ①	2 ②	3 ⑤
4 최고 가격제	5 최저 가격제, 최고 가격제	

● 독해력을 기르는 어휘

❶ 상황 　　❷ 구분 　　❸ 통제

❹ 시행 　　❺ 지급 　　❻ 되던

❼ 밖에

이 글은 정부의 가격 규제 정책을 '최고 가격제'와 '최저 가격제'로 나누어 설명하고 있습니다. 최고 가격제와 최저 가격제 각각의 의미를 먼저 밝힌 후 구체적인 사례를 들어 그 특징을 대비하여 설명하고 있습니다.

● **글의 특징**

− 구체적인 예를 들어 최저 가격제와 최고 가격제를 알기 쉽게 설명하고 있습니다.

− 최저 가격제와 최고 가격제의 개념과 차이점을 제시하고 있습니다.

● **글의 구조**

가격 규제 정책	정부가 상황에 따라 임금이나 시장 가격을 통제하는 것

최저 가격제	최고 가격제
상품을 일정한 가격 이하로 사고팔 수 없도록 규제하는 정책	일정 가격 이상으로 상품을 사고팔 수 없도록 규제하는 정책
공급이 수요보다 많을 때 시행함.	공급이 수요보다 적을 때 시행함.
생산자를 보호하기 위해 시행함.	소비자들을 보호하기 위해 시행함.

주제 최저 가격제와 최고 가격제에 대한 이해

1 이 글은 사과의 시장 가격과 같은 구체적인 예를 들어 '최저 가격제', '최고 가격제'라는 서로 대비되는 경제 정책을 설명하고 있습니다.

오답 피하기 ② 경제 이론이 적용되는 과정을 설명하고 있습니다. 그러나 경제 이론이 적용되지 않는 특별한 상황을 제시하고 있지는 않습니다.

⑤ 우리나라의 가격 규제 정책을 설명하고 있을 뿐 다른 나라의 경제 정책과의 차이점을 밝히고 있지는 않습니다.

2 3문단을 보면, 시장에서 형성된 사과 가격이 500원이지만 최저 가격제에 따라 사과는 최소 700원에 거래해야 함을 확인할 수 있습니다. 따라서 최저 가격제를 시행하게 되면 상품의 가격이 시장 가격보다 높아질 것이라고 볼 수 있습니다.

오답 피하기 ④ 3문단의 마지막 부분에서 최저 가격제는 생산자를 보호하기 위한 정책이라고 하였고, 4문단의 마지막 문장에서 최고 가격제는 소비자를 보호하기 위한 정책이라고 하였습니다.

⑤ 최저 시급은 정부가 시급의 최저 가격을 정하고 그 이하로 주지 않도록 통제하고 있으므로 최저 가격제에 해당한다고 볼 수 있습니다.

3 생산은 많은데 소비가 적었을 때 적용하는 것은 ⓒ이 아니라 ⑦입니다. 최저 가격제는 2문단의 사과 풍년의 예처럼 생산은 많은데 이에 비해 소비가 적어 상품의 가격이 알맞은 범위 이하로 떨어지게 될 때 적용하는 것입니다.

4 〈보기〉에서 "교복 가격의 상한선을 정해서, 교복 생산자들이 정부가 정한 가격보다 교복을 더 높은 가격으로 판매할 수 없게 되었다."라고 하였습니다. 이는 이 글의 "소비자를 보호하기 위해 사과 가격을 최고 1,300원 이상 받으면 안 된다고 법으로 통제하는 것이 최고 가격제입니다."라는 내용과 통합니다. 따라서 〈보기〉에서 교복 가격의 최고 가격을 정해 이를 넘지 않게 한 것은 최고 가격제에 해당함을 알 수 있습니다.

어휘 수준 ★★★☆☆　　글감 수준 ★★★☆☆　　글의 길이 1,009자

| 1 ① | 2 ③ | 3 (2) ○ |
| 4 (라) | 5 (2) ○ | 6 사실적, 인상 |

● 독해력을 기르는 어휘

1 중시   2 인상   3 치중
4 주목   5 색채   6 역할
7 뚜렷하지

이 글은 사진의 등장으로 인해 사실적 회화 기법에서 벗어나려고 한 인상주의와 후기 인상주의에 대해 설명하고 있습니다. 인상주의의 대표 화가 모네와 후기 인상주의의 대표 화가 세잔의 표현 방법을 문단별로 나누어 두 미술 사조를 설명하고 있습니다.

● 글의 특징

− 인상주의와 후기 인상주의가 등장하게 된 역사적 배경을 설명하고 있습니다.
− 대표 화가의 회화적 기법을 바탕으로 인상주의와 후기 인상주의의 특징을 서술하고 있습니다.

● 글의 구조

1문단	사진이 등장하면서 새로운 기법을 추구하는 인상주의와 후기 인상주의가 나타남.	→	인상주의의 등장
2문단	인상주의 화가 모네는 대상을 보고 받은 인상에 주목하였는데, 눈에 보이는 대로 그려 사실적 표현에서 벗어나지 못했다는 평가를 받음.	→	인상주의 화가 모네의 기법
3문단	후기 인상주의 화가 세잔은 사실적 회화에서 근본적으로 벗어나기 위해 '보이는 것'이 아닌 '아는 것'을 그려야 한다고 주장함.	→	후기 인상주의 화가 세잔의 기법

주제 인상주의와 후기 인상주의 회화의 기법

어휘 수준 ★★★★★   글감 수준 ★★★★★   글의 길이 950자

1 이 글은 사진의 등장 이후 나타난 인상주의와 후기 인상주의에 대해 설명하고 있습니다. 하지만 사진이 어떤 한계를 갖는지 제시하지는 않았습니다.

오답 피하기 ② 2문단에서 인상주의를, 3문단에서 후기 인상주의에 대해 자세히 설명하고 있습니다.
③ 1문단에서 사진이 등장하면서 인상주의가 나타나게 되었음을 알 수 있습니다.
⑤ 인상주의는 모네를 중심으로, 후기 인상주의는 세잔을 중심으로 하여 각각의 미술 사조가 추구하는 바를 설명하였습니다.

2 모네가 사실적 묘사에 치중하지 않았음은 2문단에서 확인할 수 있습니다. 그러나 대상에서 받은 순간적인 인상을 빠른 속도로 그려내는 모네의 기법은 결국 대상을 자신의 눈에 보이는 대로 그리는 사실적 표현에서 완전히 벗어나지 못했던 것입니다.

3 3문단에서 세잔은 화가에게 두 개의 눈이 필요하다고 하였습니다. 그렇기 때문에 세잔은 사과와 오렌지를 하나의 시점(눈)이 아닌 각기 다른 시점(두 개의 눈)으로 보고 이를 한 평면에 표현하였다고 볼 수 있습니다.

4 3문단 첫 번째 문장에서 후기 인상주의 화가들은 인상주의에 영향을 받았다고 하였습니다. 하지만 인상주의를 비판하고 이를 극복하기 위해 등장했다는 내용은 이 글에 제시되어 있지 않습니다.

5 ⓐ를 포함한 문장 전체를 보면 모네가 그림의 기록적 기능, 즉 사실적 표현 기법에서 완전히 빠져나오지는 못했다는 내용이므로 문맥상 ⓐ는 '구속이나 장애로부터 자유로워지다.'라는 뜻입니다. (2)도 분단 상황을 극복하다는 뜻으로 쓰였으므로 문맥상 ⓐ와 의미가 가장 유사합니다.

오답 피하기 (1) '(무엇이 일정한 기준이나 이치에서) 빗나가 어그러지다.'의 뜻입니다.
(3) '(어떤 사람이 다른 사람의 눈에) 들지 못하거나 마음을 만족시키지 못하다.'의 뜻입니다.

| 1 ⑤ | 2 ③ | 3 ③ |
| 4 ④ | 5 ⑤ | 6 지상궁, 개량 |

● 독해력을 기르는 어휘

❶ 현 　　❷ 명장 　　❸ 조합

❹ 이치

이 글은 최초의 현악기인 지상궁과 지상궁이 현대의 현악기로 어떻게 발전했는지를 보여 줍니다. 원시인들은 괨목과 식물 줄기, 동물의 장 등을 이용해 지상궁을 만들었습니다. 현대의 현악기는 이 지상궁이 가지고 있던 한계를 보완하며 더 발전한 것입니다.

● **글의 특징**

‒ 첫 문단을 의문문으로 마무리함으로써 앞으로 전개될 내용을 짐작할 수 있게 도와줍니다.

‒ 지상궁의 원리에 대해 상세하게 설명함으로써 독자들의 이해를 돕습니다.

● **글의 구조**

1문단	줄의 진동으로 소리를 내는 현악기	→	현악기의 뜻과 종류
2문단	원시인들의 삶의 경험을 통해 탄생한 최초의 현악기 지상궁	→	현악기의 탄생
3문단	괨목에 식물 줄기나 동물의 장을 고정시켜 만든 지상궁	→	지상궁의 원리와 한계
4문단	지상궁의 한계를 보완하기 위한 개량	→	지상궁의 개량
5문단	원시 시대 현악기와 그 원리가 크게 다르지 않은 현대의 바이올린	→	현대의 바이올린

주제 현악기의 원조인 지상궁의 원리와 현대 현악기로의 발전 과정

어휘 수준 ★★★☆☆ 　　글감 수준 ★★★☆☆ 　　글의 길이 966자

1 이 글은 논설문(주장하는 글)이 아닌 설명문이기 때문에 글쓴이의 주장이 제시되지 않습니다. 반박 역시 제시되지 않았습니다.

오답 피하기 ① 1문단 첫 번째 문장에서 현악기의 개념을 정의하고 있습니다.

② 1문단 마지막 문장을 의문문으로 하여 독자의 관심을 유발하고 있으며, 앞으로 전개될 내용에 대해서도 예측할 수 있도록 하였습니다.

③ 3문단과 4문단에서 지상궁의 제작 원리를 자세하게 설명하고 있습니다.

④ 1문단 두 번째 문장과 세 번째 문장에서 현악기의 종류에 대해 나열하고 있습니다.

2 4문단 세 번째 문장에서 지금도 아프리카나 아시아, 남미 대륙 등에 원시적인 형태의 현악기를 사용하는 부족이 있다고 나와 있습니다.

3 양쪽으로 펴진 나뭇가지나 속이 빈 나무통으로 만드는 것은 지상궁이 아닌 지상궁을 개량한 현악기입니다.

오답 피하기 ④ 3문단 첫 번째 문장에서 지상궁을 만들 때에 섬유질이 강한 가느다란 식물 줄기나 동물의 질긴 장을 사용한다고 나와 있습니다.

4 지상궁이라는 명칭이 한자어이긴 하지만, 이것만으로 현악기를 아시아에서 가장 먼저 만들었는지는 알 수 없습니다.

오답 피하기 ③ 2문단 첫 번째 문장과 두 번째 문장에서 나뭇가지가 윙윙 소리를 내는 것으로부터 원시인들이 진동의 이치를 깨달았다고 나와 있습니다.

⑤ 현악기는 줄의 진동으로 소리를 내는 악기를 뜻합니다. 바이올린, 비올라, 가야금, 거문고 모두 현악기에 속하므로 줄의 진동으로 소리를 냅니다.

5 '호가'는 팔거나 사려는 물건의 값을 부름을 뜻합니다. 일정한 수나 한도 따위를 넘는 것을 뜻하는 단어는 '초과'입니다.

1 ⑤   2 ①   3 ④
4 ③   5 ③   6 시각, 감독

● 독해력을 기르는 어휘
❶ 배치   ❷ 분장   ❸ 세밀
❹ 확장   ❺ 좌우   ❻ 관여
❼ 조화

이 글은 영화의 편집 기법인 '미장센'에 대해 소개하고 있는 글입니다. 미장센의 개념과 대상, 역할 및 미장센을 이해할 때 주의해야 할 점 등을 설명하고 있습니다.

● **글의 특징**
– 미장센의 개념에 대해 소개하였습니다.
– 미장센의 대상이 되는 요소들을 문단별로 나누어 설명하였습니다.

● **글의 구조**

1문단	미장센의 개념
2문단	미장센의 대상 ① – 분장, 의상, 인물의 표정과 움직임
3문단	미장센의 대상 ② – 조명, 배경
4문단	미장센의 다양한 역할
5문단	미장센을 이해할 때 주의할 점

⬇

주제 영화의 편집 기법인 미장센에 대한 이해

1 이 글은 '장면 구성의 요소'라는 미장센의 의미와 대상 요소인 분장, 의상, 조명, 배경 등에 대해 설명하였습니다. 그리고 4문단에서는 미장센이 영화 속에서 하는 역할에 대해 설명하였습니다.

2 5문단에서 영화는 반드시 현실을 있는 그대로 보여 줄 필요는 없다고 하면서, 영화를 볼 때 미장센이 현실과 얼마나 똑같은가에 초점을 두지 말라고 하였습니다. 따라서 ①의 설명은 적절하지 않습니다.

오답 피하기 ② 4문단에서 감독은 미장센이 작품 내에서 조화를 이룰 수 있도록 관여한다고 나타나 있습니다.

③ 3문단에서 배경도 미장센의 중요한 대상에 포함된다고 하였고, 이러한 배경은 영화 화면에서 움직이는 것을 제외한 모든 것과 관련된다고 하였습니다.

④ 3문단에서 조명은 촬영에 필요한 빛을 비추는 차원을 넘어 영화의 다양한 분위기를 만든다고 하였습니다.

⑤ 1문단에서 미장센은 처음에는 연극에서 등장인물의 배치, 역할, 조명을 지시하는 계획이라는 말로 쓰이다가 영화 연출의 개념으로 확장되었다고 하였습니다.

3 〈보기〉는 영화에 나오는 관복의 색깔이 실제 역사적 사실과 달라 비판을 받는다고 하였습니다. 하지만 [A]에서는 영화가 반드시 사실적으로 보일 필요는 없다고 하였으므로, 이러한 관점에서 볼 때 적절하게 반응한 것은 ④입니다.

4 ㉠은 '새로운 상태를 이루어 내다.'의 의미로 쓰였습니다. 이와 바꾸어 쓸 수 있는 말은 '조성하다'입니다. '조성하다'는 '분위기나 정세 따위를 만들다.'라는 의미입니다.

5 악당인 조커는 일반 사람들하고 다르게 항상 광대 같은 분장으로 등장하여 신원을 알 수 없는 인물의 특성을 드러내고 있습니다. 배트맨은 가면으로 얼굴을 가리지만 일부 인물들이 정체를 알고 있습니다. 이러한 미장센의 요소들은 각 인물의 특성에 따라 감독이 의도한 대로 계획한 것입니다. 두 인물의 분장이나 소품이 다르다고 해서 미장센이 조화롭지 않다고 볼 수 없습니다.

1 ①   2 (4) ○   3 ③
4 (2) ○   5 발음, 상징, 고전

● 독해력을 기르는 어휘
❶ 관점   ❷ 방법   ❸ 은둔
❹ 처신   ❺ 맑든 흐리든   ❻ 바라고
❼ 단순히

이 글은 동양의 옛 그림을 감상하는 방법을 세 가지로 나누어 설명하고 있습니다. 먼저 동양화와 서양화에 담긴 관점의 차이를 설명한 후 동양의 옛 그림 감상을 '본다'가 아니라 '읽는다'고 표현하는 이유를 밝히고 있습니다. 그리고 옛 그림을 읽는 방법으로 같은 발음의 한자로 바꾸어 읽는 방법, 소재 자체의 상징적 의미를 읽는 방법, 고전의 글귀를 떠올리며 읽는 방법을 제시하고 있습니다.

● 글의 특징
– 동양화와 서양화를 감상하는 관점을 대조하고 있습니다.
– 옛 그림의 감상 방법을 세 가지로 나누어 설명하고 있습니다.
– 구체적인 예를 들어 옛 그림을 읽는 방법을 설명하고 있습니다.

● 글의 구조

서양화	기본적으로 대상을 있는 그대로 표현하는 데 초점을 둠.

↕

동양화	그림에 담긴 문자적 의미를 전달하는 데 초점을 둠.

같은 발음의 다른 한자로 읽는 방법	소재의 상징적 의미를 읽는 방법	고전의 글귀를 떠올려 읽는 방법
쏘가리가 그려진 그림은 쏘가리 궐(鱖) 자와 궁궐 궐(闕)을 연결지어 감상함.	수박, 포도 그림은 이 열매들이 자손을 상징한다는 것을 바탕으로 감상함.	선비가 냇가에서 발을 씻는 그림은 굴원의 시와 연결지어 감상함.

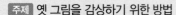

주제 옛 그림을 감상하기 위한 방법

어휘 수준 ★★★★★   글감 수준 ★★★★★   글의 길이 1,073자

1 이 글에서는 동양의 옛 그림을 읽는 방법, 즉 옛 그림 감상 방법을 같은 발음의 다른 한자로 바꾸어 읽는 방법, 소재 자체가 가지고 있는 상징적 의미대로 읽는 방법, 그림의 내용과 고전의 글귀를 연결지어 읽는 방법 등 세 가지로 나열하여 설명하였습니다.

2 제시된 그림의 소재들은 많은 자손(가지, 산딸기, 쇠뜨기, 방아깨비), 높은 지위(나비, 나방), 장원급제(무당벌레)와 임금과 신하 간의 의리(개미, 벌) 등의 의미와 관련되지만, 건강·장수와 관련된 것은 없습니다.

3 1문단의 "서양의 화가는 대상을 있는 그대로 표현하려고 한 반면, 동양의 화가는 그림에 담긴 문자적 의미를 전달하려고 했다."를 통해 서양화와 동양화에 담긴 관점의 차이를 알 수 있습니다. 서양화는 대상을 그대로 표현하기 위해 구도나 색감, 기법 등을 중시하지만, 동양화는 표현 방식이나 회화적 요소보다는 문자적 의미를 더 중시합니다. 따라서 동양화를 감상할 때에는 서양화와 달리 그림에 담긴 문자적 의미를 파악해야 제대로 된 감상을 할 수 있습니다.

4 ㉯는 '해오라기 사(鷥)'를 같은 음의 '생각 사(思)'로 이해해야, 아홉 마리의 해오라기가 아홉 가지의 생각을 나타낸다는 것을 알 수 있으므로 ㉠의 방법을 활용해야 합니다. 그런데 이 아홉 가지 생각은 공자가 《논어》에서 말한 군자의 아홉 덕목을 의미하므로, ㉢의 방법도 함께 활용해야 그림의 의미를 제대로 알 수 있습니다.

오답 피하기 (1) 석류는 많은 석류알을 가지고 있기 때문에 그림의 소재로 쓰일 때는 많은 자손을 상징합니다. 그래서 석류가 그려진 그림은 소재 자체가 가진 상징적 의미대로 읽어야 많은 자식을 낳으라는 뜻을 파악할 수 있습니다. 따라서 ㉮는 ㉡의 방법으로 감상해야 합니다.
(3) '흰 사슴'을 의미하는 한자 '백록(白鹿)'과, '온갖 복, 또는 많은 복록'을 뜻하는 '백록(百祿)'이 발음이 같다는 것에 초점을 두고 그림의 의미를 표현한 것이므로, ㉰는 ㉠의 방법으로 감상해야 합니다.

| 1 ④ | 2 ③ | 3 ③ |
| 4 호준 | 5 ④ | 6 정전기, 하루 |

● 독해력을 기르는 어휘
❶ 방지   ❷ 안정적   ❸ 세척
❹ 작동하다   ❺ 이동하다   ❻ 입학하다
❼ 발생하다

미세 먼지 마스크가 미세 먼지를 막는 원리와 그러한 원리가 적용된 기술에 대해 설명하고 있는 글입니다. 정전기를 입힌 정전 필터가 사용된다는 것이 글의 핵심인데, 이와 관련하여 정전 필터가 미세 먼지를 차단할 수 있게 하는 정전기의 원리를 설명하고 있으며, 미세 먼지 마스크의 종류와 올바른 사용법도 덧붙이고 있습니다.

● **글의 특징**
– 정전기에 대한 정의를 제시하여 독자의 이해를 돕고 있습니다.
– 정전기의 원리를 바탕으로 정전 필터의 원리를 설명하고 있습니다.
– 미세 먼지 마스크의 종류를 제시하고 성능을 비교하고 있습니다.

● **글의 구조**

미세 먼지 마스크의 중요성	→	외출 시의 유일한 미세 먼지 방지 대책
미세 먼지 마스크가 미세 먼지를 차단하는 방법	→	무질서하게 얽혀 있는 섬유 조직
		정전기를 입힌 정전 필터
미세 먼지 마스크의 종류와 올바른 사용법	→	차단하는 입자의 크기와 차단하는 비율에 따라 종류가 다름.
		하루 정도만 사용한 뒤 폐기하는 것이 좋음.

↓

주제 미세 먼지 마스크의 원리와 올바른 사용법

어휘 수준 ★★★★★   글감 수준 ★★★★★   글의 길이 1,010자

1 2문단의 '일반 섬유는 조직이 직각으로 교차되어 있지만 미세 먼지 마스크를 만드는 섬유는 조직이 무질서하게 얽혀 있다.'로 보아 알맞지 않은 설명임을 알 수 있습니다.
오답 피하기 ①, ③ 1문단을 통해 알 수 있습니다. ② 3문단을 통해 알 수 있습니다. ⑤ 마지막 문단을 통해 알 수 있습니다.

2 정전 필터는 미세 먼지를 섬유 조직에 붙여서 미세 먼지가 인체에 들어가는 것을 막는 존재이므로 '외부의 침입을 막는 보호막'이라고 표현할 수 있습니다.
오답 피하기 ④ 미세 먼지만 붙잡아 둔다고 하였으므로 무엇이든 빨아들인다고 표현할 수는 없습니다.

3 3문단에서 '정전 필터의 정전기가 미세 먼지를 붙잡아 섬유 조직에 붙임으로써 미세 먼지가 인체에 들어가는 것을 막는다.'라고 하였습니다.

4 마지막 문단에서 '미세 먼지 마스크라도 하루 정도 쓴 뒤에는 폐기해야 한다.'라고 하였습니다. 따라서 매일 새로운 미세 먼지 마스크를 착용한다는 호준이가 가장 올바르게 사용하는 사람이라고 할 수 있습니다.
오답 피하기 성우와 민서의 말은 하루 정도 쓴 뒤 폐기해야 한다는 마지막 문단의 내용과 어긋나고, 지연의 말은 일반 섬유 조직보다 틈이 더 작아 일반 마스크가 걸러 낼 수 없는 작은 먼지 입자까지 걸러 내는 것이 미세 먼지 마스크와 일반 마스크의 차이라는 2문단의 내용으로 보아 적절하지 않습니다.

5 '균일하다'는 '한결같이 고르다.'의 의미이므로 ㉣은 '고르게'로 바꾸어 쓰는 것이 적절합니다.
오답 피하기 ① '차단'은 '액체나 기체 따위의 흐름 또는 통로를 막거나 끊어서 통하지 못하게 함.'의 의미입니다.
② '제작'은 '재료를 가지고 기능과 내용을 가진 새로운 물건이나 예술 작품을 만듦.'의 의미입니다.
③ '교차'는 '서로 엇갈리거나 마주침.'의 의미입니다.
⑤ '폐기'는 '못 쓰게 된 것을 버림.'의 의미입니다.

1 ① **2** ③ **3** (1) ○ (2) ×

4 (1) 양력 (2) 추진력 (3) 중력 (4) 항력

5 (1) × (2) ○ **6** 양, 중, 항, 추진

● 독해력을 기르는 어휘

❶ 욕망 ❷ 원리 ❸ 저항

❹ 상호 작용 ❺ 오랜 ❻ 가리키고

❼ 윗부분 ❽ 띄워라

이 글은 비행기가 나는 원리에 작용되는 네 가지 힘에 대해 설명하는 글입니다. 각 문단별로 양력, 중력, 항력, 추진력에 대해 정의하고 있습니다. 이 네 가지 힘은 개별적으로 작용하는 것이 아니라 상호 작용하여 비행기가 날 수 있도록 합니다.

● **글의 특징**

– 비행기가 나는 데에 영향을 미치는 네 가지 요소를 각 문단별로 정의하고 있습니다.

– 각 힘의 복합적 상호 작용에 따라 비행기가 날 수 있음을 설명하고 있습니다.

● **글의 구조**

하늘을 나는 비행기에 작용하는 네 가지 힘			
양력, 중력, 항력, 추진력			

양력	중력	항력	추진력
유체 속을 운동하는 물체에 운동 방향과 수직 방향으로 작용하는 힘	지구가 물체를 지구 중심 방향으로 끌어당기는 힘	비행기의 비행을 방해하는 힘	엔진 등의 동력에 의해 나아가는 힘

네 가지 힘의 상호 작용
네 가지 힘의 상호 작용을 통해 비행이 가능해짐.

주제 네 가지 힘의 상호 작용을 통한 비행기가 나는 원리 설명

어휘 수준 ★★★★★ 글감 수준 ★★★★★ 글의 길이 1,011자

1 가 문단의 의문형 문장은 주제를 제시할 뿐, 글쓴이의 추측과는 관련이 없습니다.

오답피하기 ② 나 문단에서 비행기가 뜨는 현상을 유체의 속도와 압력의 변화가 원인이 되어 양력이 작용함으로써 뜰 수 있다고 설명하고 있습니다.

③ 양력과 중력의 크기 비교를 통해 비행기의 상하 비행과 수평 비행의 원리를 설명하고 있습니다.

④ 나 문단은 양력, 다 문단은 중력, 라 문단은 항력, 마 문단은 추진력에 대해 그 의미를 설명하는 문장이 드러납니다.

2 추진력은 비행기를 앞으로 나아갈 수 있게 하지만, 항력은 비행기가 나는 것을 방해합니다. 항력보다 추진력이 클 때에 비행기가 앞으로 나아갈 수 있습니다.

3 비행기의 양력은 날개의 윗부분이 속도가 빨라 압력이 낮고, 날개의 아랫부분이 속도가 느려 압력이 높아져서 생기는 힘입니다. 양력은 날개의 아랫부분에서 위쪽 방향으로 작용합니다.

오답피하기 (2) 비행기의 양력은 비행기 날개의 모양에 따라 공기가 흐르면서 유체의 위아래 속도가 변화하여 생깁니다.

4 비행기의 진행 방향과 수직 방향으로 작용하는 힘은 양력이며 양력과 반대 방향인 지구 중심부를 향해 작용하는 힘은 중력입니다. 또한 비행기를 앞으로 나아가게 하는 힘은 추진력, 이와 반대 방향으로 방해하는 힘은 항력입니다.

5 (2) 나 문단의 첫 문장에 나타나듯이 양력은 유체 속을 운동하는 물체에 운동 방향과 수직으로 작용하는 힘입니다. 따라서 비행기가 정지해 있을 때는 운동하는 상태가 아니므로 양력이 생기지 않습니다.

오답피하기 (1) 비행 전에는 오로지 추진력만으로 비행기를 움직여야 한다고 했습니다. 하지만 이것이 추진력이 비행 전에만 영향을 미침을 나타내는 것은 아닙니다. 1문단에서 비행기가 나는 원리를 이해하기 위해서는 추진력을 포함한 네 가지 힘에 대해 알아야 한다고 했으며, 마지막 문단에서 네 가지 힘의 복합적 작용으로 비행기가 비행할 수 있다고 하였습니다.

1 ③　　　2 ⑤　　　3 (1)○ (2)○ (3)✕
4 ②　　　5 언택트 기술, 도움

● 독해력을 기르는 어휘

❶ 확산　　　❷ 상용　　　❸ 주목

❹ 연결　　　❺ 신조어　　　❻ 결제

❼ 접촉　　　❽ 인건비

이 글은 현대인의 소비 방식을 바꾸어 나가고 있는 기술인 '언택트 기술'에 대해 소개하고 있습니다. 언택트 기술의 개념에 대해 설명하고 언택트 기술이 쓰이는 사례를 보여 준 후, 왜 이 기술이 오늘날 주목받고 있는지를 제시하고 있습니다.

● 글의 특징

– 독자의 이해를 돕기 위해 개념을 설명하고 있습니다.

– 사례를 제시하여 개념에 대한 이해를 돕고 있습니다.

– 질문을 활용하여 독자의 관심을 끌고 있습니다.

● 글의 구조

현대인의 소비 방식 변화와 '언택트 기술'

현대인들의 소비 방식이 변화하고 있음. 그와 관련하여 '언택트 기술'이라는 신조어가 생김.

언택트 기술의 개념

'언택트 기술'은 소비를 위해 사람과 사람이 만나는 것을 대신하는 기술임.

언택트 기술이 쓰이는 사례

패스트푸드점의 자동화 기계를 통한 주문, 드론 배달 시스템 등이 모두 '언택트 기술'이 적용된 사례임.

언택트 기술의 이점

언택트 기술은 비용 절감, 정보 접근성 향상, 대인 관계 피로도 절감 등을 이유로 주목받고 있음.

주제 언택트 기술의 정의와 이점

어휘 수준 ★★★★★　　글감 수준 ★★★★★　　글의 길이 1,013자

1 나 문단에 '언택트 기술'이 무엇인지에 대한 설명이 제시되어 있습니다.

오답 피하기 ① 언택트 기술의 한계점에 대해서는 제시되지 않았습니다.

⑤ 사회적 흐름에 따라 생겨난 신조어에 대해 소개하고 있지만 고정 관념을 벗어나 새롭게 조명하고 있지는 않습니다.

2 라 문단에 언택트 기술이 가지는 단점에 대해서는 드러나지 않았습니다. 언택트 기술이 주목받는 이유, 즉 장점에 대해서만 드러나고 있습니다.

3 가 문단의 첫 번째, 두 번째 문장을 통해 (1)의 내용을 확인할 수 있습니다. 또한 라 문단에서 (2)의 내용 즉, 현대인이 인간관계, 그리고 대면에 대해 피로감을 느끼고 있음을 확인할 수 있습니다.

4 가 문단에 제시되어 있듯, 현대인은 더 이상 소비를 위해 누군가와 대면할 필요가 없습니다. 더불어 인간과 인간이 얼굴을 마주하는 것을 대체하는 과정에서 생겨난 기술이 언택트 기술입니다. 그렇기 때문에 기술이 발달해도 소비를 위해 대면이 필요할 것이라는 내용은 적절하지 않습니다.

오답 피하기 ① 나 문단에서 대면 서비스를 대신하는 기술이 언택트 기술임을 확인할 수 있습니다.

③ 라 문단에서 기업이 언택트 기술로 얻을 수 있는 효과를 확인할 수 있습니다.

④ 라 문단의 내용을 통해 추론해 볼 수 있습니다.

⑤ 라 문단에서 언택트 기술이 주목받는 이유의 하나로 정보를 쉽게 얻을 수 있다는 점을 제시하고 있습니다.

1 ④	2 ③	3 ⑤
4 ③	5 ④	6 지문, 정맥, 홍채

● 독해력을 기르는 어휘

❶ 인식	❷ 수단	❸ 시도
❹ 오류	❺ 인증	❻ 확보
❼ 측정		

이 글은 인체를 활용한 식별 기술 세 가지를 설명한 글입니다. 지문 인식 기술, 정맥 인식 기술, 홍채 인식 기술의 특징을 문단별로 나열하고 있습니다.

● **글의 특징**

– 주요 설명 대상인 인체 식별 기술의 의미를 소개한 뒤, 이어지는 각 문단에서 지문 인식 기술, 정맥 인식 기술, 홍채 인식 기술에 대해 차례로 설명하였습니다.

– 그림 자료를 이용하여 홍채 인식 기술에 대해 설명하였습니다.

● **글의 구조**

인체 식별 기술	몸 일부분을 이용해 그 사람이 누구인지 파악하는 기술

지문 인식 기술	정맥 인식 기술	홍채 인식 기술
지문의 곡선 모양이 데이터로 저장됨.	적외선 카메라가 손등의 정맥 모양을 촬영하여 데이터로 확보한 다음 저장한 내용과 비교함.	개인 고유의 홍채 형태를 이용해 본인인지를 식별함.

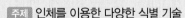

주제 인체를 이용한 다양한 식별 기술

1 4문단에서 홍채 인식 기술의 원리와 장점에 대해 설명하고 있습니다. 그러나 이 기술의 단점은 나와 있지 않습니다.
오답 피하기 ② 1문단에서 널리 쓰이는 인체 식별 기술로 지문 인식 기술, 정맥 인식 기술, 홍채 인식 기술 등이 있다고 그 종류를 설명하고 있습니다.

2 정맥 인식 기술과 지문 인식 기술 중에 어떤 기술이 더 신뢰성이 높고, 어떤 기술이 더 널리 쓰이는지는 이 글을 통해 확인할 수 없습니다.
오답 피하기 ④ 3문단에서 정맥 인식 시스템은 인증 장치 아래 손등을 갖다 대면 적외선 카메라가 손등의 정맥 모양을 촬영하여 저장한 내용과 비교하는 방식으로 작동한다고 하였습니다.

3 ㉠은 사람을 식별하는 방법으로 지문이나 얼굴을 이용하는 것보다 홍채 무늬를 이용하는 것이 더 신뢰할 만하다는 내용입니다. 따라서 홍채 인식 기술이 시스템으로서 어떠한 장점을 지니고 있는지에 대한 내용을 근거로 들어야 합니다. 그런데 "홍채가 오그라들거나 느슨해지면서 눈으로 들어오는 빛의 양이 조절된다."는 ⑤의 내용은 홍채의 일반적 기능에 대한 진술입니다. 따라서 ⑤는 ㉠의 근거로 들기에 적절하지 않습니다.

4 2문단에서 지문이 닳아 없어진 상태나 땀이 흐르는 채로 인식을 시도하는 경우에는 오류 발생률이 높다는 단점이 있다고 하였습니다. 따라서 ③이 적절한 설명임을 알 수 있습니다.

5 인종마다 다른 색을 띠는 부분은 ⓐ의 홍채입니다.

1 ③   **2** ③

3 [A]: ㉡, ㉣   [B]: ㉠, ㉢   **4** ③

5 (3) ○   **6** 조기, 지혜

● 독해력을 기르는 어휘

❶ 모국어   **❷** 육아   **❸** 창의력

❹ 조기   **❺** 훈련   **❻** 낮게

❼ 가르쳐   **❽** 듣고

이 글은 예시와 인용의 방법을 사용하여 영어 조기 교육에 대한 찬성과 반대의 주장을 다루고 있습니다. 글쓴이는 언어 조기 교육에 대한 서로 다른 두 입장을 제시하며 영어 조기 교육이 바람직한가에 대해 돌아보는 자세가 필요함을 주장하고 있습니다.

● **글의 특징**

– 조기 교육에 대한 개념을 정의 내리고 있습니다.

– 영어 조기 교육을 찬성하는 입장에 대한 근거로 유대인의 언어 교육 방법을 예로 들고 있습니다.

– 영어 조기 교육을 반대하는 입장에 대한 근거로 영어 유치원을 다닌 어린이들과 공동 육아 시설에 다닌 어린이들의 창의력을 비교한 연구 결과를 인용하고 있습니다.

● **글의 구조**

영어 조기 교육은 바람직한가?	문제 제기

찬성(이○○ 교수)	반대(우○○ 교수)
외국어는 어릴 때 시작할수록 모국어에 가깝게 말할 수 있으므로 외국어는 조기에 배우는 것이 좋음.	만 12세까지는 언어를 포함한 학습 능력이 가장 왕성하게 발달하므로 영어는 만 6세 이후에 배우는 것이 가장 효과적임.

부모의 욕심 때문에 아이의 유년 시절에 진정으로 필요한 것을 놓치지 않는지 돌아보는 지혜가 필요함.	영어 조기 교육에 대한 비판적 성찰

⬇

주제 영어 조기 교육의 적절성을 생각해 보는 지혜가 필요함.

어휘 수준 ★★★☆☆   글감 수준 ★★★★☆   글의 길이 1,092자

1 2문단에서 유대인 부모들은 "잠자기 전에 히브리어로 된 책을 아이에게 읽어 주거나, 식사할 때 히브리어로 기도를 하며 자연스럽게 생활 전반에 히브리어 교육이 스며들게 하는 방법을 사용한다."라고 하였습니다. 이것은 일상 생활 속에서 자연스럽게 언어를 습득하게 하는 방법에 해당합니다.

오답 피하기 ① 1문단에서 "영어 조기 교육을 본격적으로 시키려는 부모들이 늘고 있다."라고 했습니다. 이것을 '대부분의 부모들은 영어 조기 교육을 시킨다.'라고 단정 짓는 것은 알맞지 않습니다.

2 2문단에서 이○○ 교수는 어릴 때(2~3세) 외국어 교육을 시작하는 것이 효과적이라고 했고, 3문단에서 우○○ 교수는 만 6세 이후인 초등학교 때 외국어를 배우는 것이 효과적이라고 했습니다. 이로 보아 두 교수는 '적절한 나이(시기)'의 범주만 다를 뿐, '적절한 시기에 외국어(영어) 교육을 하는 것이 바람직하다'는 것에 동의한다고 볼 수 있습니다.

3 [A]에서는 핵심 어휘인 '조기 교육'의 개념을 명확하게 규정 짓는 정의의 방법을 사용하였고(㉡), 외국어 조기 교육에 성공한 유대인의 실제 사례(㉣)를 들어 이○○ 교수의 주장을 뒷받침하고 있습니다. [B]에서는 우○○ 교수의 연구 결과를 인용하고(㉠), 연령에 따른 발달 단계별 특징을 나열하며(㉢) 우○○ 교수의 주장을 뒷받침하고 있습니다.

4 만 6세 이후인 초등학교 때 외국어를 배우는 것이 가장 효과적이라고 말한 사람은 우 교수입니다. 이○ 교수는 어릴 때 외국어 교육을 시작할수록 효과적이라고 했을 뿐 ③에서와 같이 외국어 교육의 시기를 밝히지는 않았습니다.

5 '언어'란 생각, 느낌 따위를 나타내거나 전달하는 데에 쓰는 음성, 문자 따위의 수단을 말합니다. '영어'는 세계 여러 나라의 언어 중 하나이기 때문에 영어가 언어에 포함된다고 할 수 있습니다. 이렇게 두 낱말이 다른 낱말의 뜻에 포함되거나 다른 낱말의 뜻을 포함하는 것을 상하 관계라고 합니다.

1 ④   **2** ①   **3** ④

4 (2) ○   **5** ④

6 음성, 부수적, 보존, 이동

● 독해력을 기르는 어휘

❶ 분류   ❷ 속성   ❸ 참고

❹ 측면   ❺ 대면   ❻ 부수적

❼ 맞게

이 글은 음성 언어와 문자 언어의 특성을 설명하고 있습니다. 청각에 의존하는 음성과 시각에 의존하는 문자의 속성을 밝히고, 음성 언어와 문자 언어의 특징을 대조하고 있습니다.

● **글의 특징**

– 언어를 음성 언어와 문자 언어로 분류하고 있습니다.

– 음성과 문자의 속성을 밝히고 음성 언어와 문자 언어의 특징을 대조하여 설명하고 있습니다.

● **글의 구조**

1문단	우리는 언어로 이루어진 세계에서 생활함.	→	언어와 함께 생활하는 우리
2문단	말하기와 듣기는 음성 언어 활동이고, 읽기와 쓰기는 문자 언어 활동임.	→	언어 활동의 분류
3문단	음성은 청각에 의존하고, 문자는 시각에 의존하는 속성이 있음.	→	음성과 문자의 속성
4문단	음성 언어는 말하는 이와 듣는 이가 대면한 때에 사용함.	→	음성 언어의 특징
5문단	문자 언어는 오랜 시간이 지나거나 멀리 있는 곳에도 의미를 전달할 수 있음.	→	문자 언어의 특징
6문단	음성 언어와 문자 언어의 특성을 고려해 상황에 맞게 활용해야 함.	→	상황에 맞는 언어 활동의 필요성

⬇

주제 음성 언어와 문자 언어의 특성

어휘 수준 ★★★☆☆   글감 수준 ★★★☆☆   글의 길이 1,010자

1 5문단 마지막 문장을 보면 "과거의 문화를 이해하는 측면에서는 음성 언어보다 문자 언어가 보다 중요한 역할을 한다."라고 제시되어 있습니다. 따라서 어떤 상황에서든지 음성 언어보다 문자 언어가 중요한 역할을 하는 것은 아닙니다.

2 이 글은 음성과 문자의 속성 및 음성 언어와 문자 언어의 특징을 대조하여 설명하고 있습니다.

3 어제 수업 시간에 선생님께서 말씀하실 때는 이해한 것 같았으나 필기한 문장을 오늘 다시 보니 무슨 뜻인지 잘 모르겠다고 한 우성의 말을 통해 음성 언어에 비해 문자 언어가 이해하기 더 어렵다고 보기는 어렵습니다. 왜냐하면 우성이 문장의 의미를 이해하지 못한 이유는 다양할 수 있고, 우성이 선생님께서 말씀하실 때는 이해했다고 생각만 했을 뿐 실제로는 이해하지 못했을 수도 있기 때문입니다. 또한 이 글에 문자 언어가 음성 언어보다 이해하기 더 어렵다는 내용은 제시되어 있지 않습니다.

 ⑤ 3문단에서 음성 언어는 "소리이기 때문에 말하고 듣는 그 순간 그 장소에만 존재하고 곧바로 사라진"다는 특성이 있다고 하였습니다. 따라서 우성이 선생님께서 말씀하실 때는 문장의 의미를 이해한 것 같았지만 선생님께서 말씀을 끝마친 그 순간에 곧바로 선생님께서 하신 말씀이 사라졌기 때문에 필기한 문장의 뜻을 이해하지 못하는 것입니다.

4 5문단에서 "음성 언어에 비해 문자 언어는 오랜 시간이 지나거나 멀리 있는 곳에도 의미를 전달할 수 있다."라고 하였습니다. 따라서 문자 언어는 시간과 공간의 한계를 뛰어넘을 수 있다고 할 수 있습니다.

5 ㉠과 ④의 '통하다'는 '둘 사이에서 양편의 관계를 맺을 때 어떤 사람이나 물체를 활용하게 하다.'라는 의미로 사용되었습니다.

 ①은 '어떤 곳으로 이어지다.', ②는 '마음 또는 의사나 말 따위가 다른 사람과 소통되다.', ③은 '어떤 과정이나 경험을 거치다.', ⑤는 '막힘이 없이 들고 나다.'의 의미로 쓰였습니다.

1 ⑤   2 ③   3 ⑤

4 ⑤   5 생략, 중요, 질문

● 독해력을 기르는 어휘

❶ 반영   ❷ 의존적   ❸ 대응

❹ 상황   ❺ 인식   ❻ 판단

❼ 다르다   ❽ 드러나자   ❾ 생략

이 글은 상황에 따라 문장의 일부를 생략하기도 하고 긴 표현을 짧게 줄이기도 하며, 중요한 내용을 문장의 앞에 두어 강조하는 한국어의 특징에 대해 설명하고 있습니다. 또한 부정의 의미가 담긴 물음에 대한 답변을 중심으로 한국어와 영어를 비교하면서 상대방을 고려하는 한국어의 특징을 제시하고 있습니다.

● **글의 특징**

– 다양한 사례를 들어 상황 중심 언어인 한국어의 특징을 설명하고 있습니다.

– 한국어와 영어를 비교하며 상대를 고려하는 한국어의 특징을 제시하고 있습니다.

● **글의 구조**

가	한국인은 상황에 따라 문장의 일부를 생략하기도 하고 긴 표현을 아주 짧게 줄이기도 함.	→	한국어의 특징 ① – 한국어는 '상황 중심 언어(상황 의존적 언어)'임.
나	중요한 내용을 문장의 앞에 두어 강조하려는 심리가 한국어에 반영됨.	→	한국어의 특징 ② – 중요한 내용을 문장 앞에 두어 강조함.
다	물음과 상관없이 답변하는 사람이 객관적으로 판단한 사실에 따라 답변하는 영어와 달리 한국어에서는 묻는 사람의 질문에 대응하여 답변함.		한국어의 특징 ③ – 물음에 답변을 할 때에 상대방을 고려함.

⬇

주제 한국어의 특징: 상황 중심 언어이고, 중요한 내용을 문장 앞에 두어 강조하며, 물음에 답변할 때 상대방을 고려함.

어휘 수준 ★★★★★   글감 수준 ★★★★★   글의 길이 1,227자

1 우리말은 문장의 일부를 생략하여 표현하므로 논리적이지 못한 것처럼 보일 수 있다고 하였지, 우리말이 논리적이지 못하다고 하지는 않았습니다.

오답 피하기 ①, ② 가 에서 "한국인은 상황에 따라 문장의 일부를 생략하기도 하고, 긴 표현을 아주 짧게 줄이기도" 한다고 하였습니다.

③ 나 에서 한국어에는 중요한 내용을 문장의 앞에 두어 강조하려는 심리가 반영되어 있다고 하였습니다.

④ 다 에서 한국어와 영어에서 부정의 의미가 담긴 물음에 대한 답변의 의미가 다르다고 하였습니다.

2 ㉠과 ③의 '보이다'는 '대상을 평가하다'라는 의미로 쓰였습니다.

오답 피하기 ①, ④ '눈으로 대상의 존재나 형태적 특징을 알다.'라는 의미로 쓰였습니다.

② '대상의 내용이나 상태를 알기 위하여 살피다.'라는 의미로 쓰였습니다.

⑤ '어떤 일을 당하거나 겪거나 얻어 가지다.'라는 의미로 쓰였습니다.

3 가 에서 한국인들은 자신의 의견이나 생각을 표현하는 방식으로 "상황에 따라 문장의 일부를 생략하기도 하고, 긴 표현을 짧게 줄이기도" 한다고 하였습니다. 또한 나 에서 한국인들은 "중요한 내용을 문장의 앞에 두어 강조하려는 심리"를 드러낸다고 하였습니다. 이를 통해 이 글이 '한국어로 의견이나 생각을 표현하는 방식에는 어떤 특징이 있을까요?'라는 질문에 대한 답변임을 알 수 있습니다.

오답 피하기 ① 이 글에는 한국인의 언어 습관에 문제가 있다는 내용은 제시되어 있지 않습니다.

②, ③ 이 글에는 한국어의 문법에 대한 외국인들의 생각은 나타나 있지 않습니다.

④ 이 글에는 세계적으로 한국어가 높이 평가된다는 내용은 제시되어 있지 않습니다.

4 ㉢는 "혹시 필요해?"라는 부정의 의미가 담겨 있지 않은 물음에 대한 답변입니다. 다 에서 ㄱ과 ㄴ의 예문을 통해 알 수 있듯이 부정의 의미가 담겨 있지 않은 의문문에 대한 답변은 한국어와 영어가 같습니다.

1 ④　　　　2 ④　　　　3 ⑤

4 ⑤　　　　5 ②

6 피진, 피진, 크레올

● 독해력을 기르는 어휘

❶ 문법　　　❷ 변형　　　❸ 간략

❹ 거래　　　❺ 모국어　　　❻ 사례

❼ 버젓이

이 글은 피진의 의미, 피진과 크레올의 특성을 설명하고 있습니다. 피진의 대표적인 사례를 들어 피진에 대해 알기 쉽게 전달하고 있으며, 피진이 생겨나게 된 배경을 밝히고 있습니다. 또한 피진과 크레올의 공통점과 차이점을 밝히며 크레올의 특성을 설명하고 있습니다.

● **글의 특징**

– 대상의 개념을 정의 내리고 있습니다.

– 구체적인 사례를 들어 대상에 대해 알기 쉽게 설명하고 있습니다.

● **글의 구조**

1문단	피진은 각자 다른 언어를 쓰는 사람들이 만나 대화를 하기 위해 만든 제3의 언어임.	피진의 대표적인 예와 피진의 의미
2문단	피진은 다른 언어를 쓰는 사람들이 만나는 세계 곳곳에서 발생하며 상업적인 거래가 많은 지역에서 발달함.	피진의 발생 배경과 발달 과정
3문단	피진은 누구에게도 모국어가 아니며, 임시로 쓰는 언어로 대화할 때만 사용함.	피진의 특성
4문단	크레올은 피진이 모국어가 된 것으로, 문법 구조를 가지고 있고 문학 언어로 사용됨.	크레올의 특성

⬇

주제 피진과 크레올의 개념과 특성

어휘 수준 ★★★★★　글감 수준 ★★★★★　글의 길이 1,045자

28 디딤돌 독해력

1 1문단에서 '피진'의 대표적인 예를 들어 피진이 "각자 다른 언어를 쓰는 사람들이 만나 대화를 하기 위해 만든 제3의 언어, 즉 혼종어"임을 알기 쉽게 설명하고 있습니다.

2 이 글은 피진의 개념과 생겨난 배경, 피진과 크레올의 특성 및 공통점과 차이점을 제시하고 있지만, 피진과 크레올에 대한 전망은 나타나 있지 않습니다.

3 피진과 달리 크레올은 체계적인 문법 구조를 가지고 있지만 모국어의 문법 구조가 아니라 서로 다른 다양한 언어가 만나 새롭게 만들어진 문법 체계입니다.

　오답 피하기 ① 1문단에서 피진은 문법과 어휘가 간략하고 제한적이라고 했으므로 어휘 수가 적다고 할 수 있습니다.

②, ③ 피진은 다른 언어를 쓰는 사람들끼리 상업적인 거래가 많은 지역에서 발달하였고, 두 언어가 생기면서 발생한 여러 언어를 바탕으로 형성되었습니다.

④ 4문단에서 크레올은 피진과 다르게 체계적인 문법 구조를 가지고 있다고 하였습니다.

4 〈보기〉는 한국에 거주하는 외국인들이 한국어를 문법에 맞게 사용하는 것이 아니라 문법에서 벗어난 형태로 사용하는 것을 보여 주고 있습니다. 이는 3문단에서 피진은 임시로 쓰는 언어일 뿐이기에 대화를 할 때만 사용한다는 내용과 관련이 있습니다. 즉 의사소통의 도구로 혼종어를 만들어 사용한다는 것입니다.

　오답 피하기 ① 외국인들은 피진을 사용하면서도 각자 모국어를 가지고 있습니다.

② 피진의 단계로 나아가는 초기 단계로 볼 수 있습니다.

③ 외국인들이 한국어에 쓰이는 단어의 뜻을 완전히 다르게 사용하고 있는 것이 아니라 대화를 하기 위해 한국어를 새로운 방식으로 변형해서 사용하고 있습니다.

④ 영어의 문장 순서가 아니라 한국어의 문장 순서를 바탕으로 하여 영어와 한국어를 혼용하고 있습니다.

5 피진과 크레올은 혼종어로, 공통점이 없는 둘 이상의 언어가 섞여서 새로운 제3의 언어로 탄생하는 것입니다. 이는 언어가 시간이 흐르면서 변화한다는, 언어의 역사성과 관련이 있습니다.

1 ②　　　2 ④　　　3 ③

4 ⑤　　　5 ⑤

6 발생지, 방안

● 독해력을 기르는 어휘

❶ 기승　　　❷ 상륙　　　❸ 순기능

❹ 됐다　　　❺ 거스르는　　❻ 맞추어

❼ 특이

이 글은 열대성 저기압과 그 종류에 대한 글입니다. 열대성 저기압의 종류, 분류 기준, 열대성 대기압이 주는 영향을 각각 문단별로 나열하여 설명하고 있습니다.

● **글의 특징**

– 열대성 저기압의 일종인 태풍, 허리케인, 사이클론을 설명하고 있습니다.

– 열대성 저기압의 순기능과 역기능에 대해 설명하고 있습니다.

● **글의 구조**

1문단	태풍이 포함된 열대성 저기압은 발생하는 장소에 따라 다른 이름으로 불림.	→	열대성 저기압의 이름
2문단	이름이 다르게 불리는 기준은 발생지이며, 크게 태풍, 허리케인, 사이클론으로 나뉨.	→	열대성 저기압의 종류
3문단	이동 경로가 다른 경우에도, 발생지를 기준으로 삼는 것을 원칙으로 함.	→	예외적인 열대성 저기압의 경우
4문단	열대성 저기압이 주는 영향력을 알고 이에 대처해야 함.	→	열대성 저기압에 대한 대응

↓

주제 열대성 저기압의 종류와 영향력

어휘 수준 ★★★★★　글감 수준 ★★★★★　글의 길이 1,011자

1 2문단 세 번째 문장에서 "허리케인은 북대서양, 태평양 북동부인 카리브해 인근에서 시작해 북아메리카 등지에 도착하기 때문에 관련된 소식은 주로 미국과 캐나다에 집중됩니다."라고 하였지만 이를 통해 허리케인의 피해 지역이 가장 넓다고 볼 수는 없습니다.

2 1문단에서 태풍이 포함된 열대성 저기압을 제시하고 있습니다. 만들어지기 시작한 곳에 따라 태풍, 허리케인, 사이클론 등으로 그 종류를 나누고 이에 대해 설명하고 있습니다.

오답 피하기 ② 공통적인 부분이 드러나긴 하지만, 두 대상 간의 공통점을 위주로 설명한다고 말할 순 없습니다. 지역적 차이를 분명히 제시하고 있으며 세 가지 하위 개념에 대해 설명하고 있습니다.

3 〈보기〉에서 말하는 '지구 온난화'는 온실가스 배출과 같은 원인으로 생긴 것입니다. 이로 인해 태풍의 강도가 세지는 것이므로 이를 피할 수 없는 자연의 법칙으로 볼 수 없습니다. 온실가스 배출은 인간의 삶에서 비롯한 것이므로 이를 규제하는 방법으로 줄여나간다면 태풍의 강도도 세지지 않을 것이기 때문입니다.

오답 피하기 ① 〈보기〉에서 "태풍 발생 초기에 뜨거워진 해수면으로부터 더 많은 에너지를 공급받게 되면"이라는 부분을 통해 알 수 있는 내용입니다.

4 ⓐ는 '사회 제도적', ⓑ는 '개인적' 대처 방안입니다. ⑤는 개인이 할 수 없는 공적인 집단의 역할이므로 나머지에서 제시하고 있는 개인적 대처 방안과 구별됩니다.

5 ㉠의 이유를 추론하는 문제입니다. 3문단에서 확인할 수 있듯이, 열대성 저기압은 자연 현상이기 때문에 그 이동 경로에 예외가 있을 수 있습니다. 그런 경우마다 이름을 다르게 붙일 수 없기 때문에 명확한 기준점으로 '발생지'를 설정한 것입니다. 따라서 답은 ⑤입니다.

1 ④ 2 ④ 3 (2) ○
4 (다) 5 ③ 6 일회용품

● 독해력을 기르는 어휘
❶ 매립 ❷ 배출 ❸ 고갈
❹ 검출 ❺ 이점 ❻ 제작
❼ 자발적

이 글은 일회용품의 사용 실태와 그 심각성을 밝히고 일회용품 사용을 자제할 것을 촉구하고 있습니다. 일회용품의 사용 실태를 구체적 통계 자료를 사용하여 제시하고 있으며, 폐기물 처리의 어려움을 유형별로 분석하여 설득력을 높이고 있습니다. 일회용품을 줄이기 위한 방법을 제시하고 개인의 참여 의지가 중요함을 강조하고 있습니다.

● **글의 특징**
– 구체적 통계 자료를 통해 글의 신뢰도를 높이고 있습니다.
– 통계청, 한국해양과학기술원, 환경부 등 권위 있는 단체의 견해를 인용하여 글의 전문성을 높이고 있습니다.

● **글의 구조**

1문단	우리나라 사람들의 일회용품 소비량이 매우 많음.	→	일회용품 사용 실태
2문단	일회용품 폐기물의 재활용은 현실적 한계가 있음.	→	일회용품 폐기물 처리의 어려움
3문단	조개류에서 발견된 미세 플라스틱은 일회용품에 주로 사용되는 것임.	→	일회용품 사용에 따른 먹거리 위협
4문단	일회용품을 줄이는 것을 자발적, 적극적으로 실천해야 함.	→	일회용품 사용을 줄이는 방안

⬇

주제 일회용품의 사용 실태와 문제점, 그리고 해결 방안

어휘 수준 ★★★★★ 글감 수준 ★★★★★ 글의 길이 974자

1 4문단에서 일회용품을 줄이는 방법을 일상적 사례를 중심으로 설명하고 있지만, 단계별로 제시한 것은 아닙니다.

2 2문단에서 일회용품 폐기물 처리가 어려운 까닭에 대해 소개하고 있습니다. 하지만 일회용품을 불에 태울 때 환경 오염이 발생하게 된다는 내용만 언급하고 있을 뿐, 시설과 관련된 내용은 제시되어 있지 않습니다.

3 우리나라 사람들의 플라스틱 소비량이 세계 1위라는 점과 비닐봉지 사용량에 대한 구체적 수치를 통해 일회용품 사용이 심각한 수준이라는 것을 추론할 수 있습니다.
오답 피하기 (1) 바쁘게 살아가는 현대인들에게 일회용품이 편리한 도구일 수는 있지만, 제시된 두 문장을 통해 알 수 있는 내용은 아닙니다. 일회용품 사용량의 수치가 높다는 내용은 부정적인 것이므로, 긍정적인 의미를 가진 '편리성'과 연결하는 것은 자연스럽지 않습니다.

4 [A]에는 미세 플라스틱이 우리가 먹는 음식에서 검출되었다는 내용이 제시되어 있습니다. 따라서 우리가 별 생각 없이 쓰고 버린 일회용품이 다시 해양 생물이나 우리에게 부정적 영향을 미칠 수 있다는 (다)의 반응이 가장 적절합니다.

5 〈보기〉의 내용은 환경부가 일회용품 중 하나인 비닐봉지의 사용을 억제하기 위해 제도적인 방안을 발표한 것입니다. 이는 이 글의 마지막 문단에서 말한 일회용품 사용의 자제 촉구와 관련하여 이해할 수 있습니다.
오답 피하기 ① 비닐봉지의 사용을 줄이기 위해 비닐에 대한 재활용 지원이 확대될 가능성은 있지만, 〈보기〉와 이 글에서 언급된 내용과는 무관하므로 적절한 반응으로 볼 수 없습니다.

1 ㄱ, ㄴ, ㅁ   **2** ④   **3** ⑤

4 ⑤   **5** ④

6 수증기, 이산화탄소

● 독해력을 기르는 어휘

❶ 기여   ❷ 패턴   ❸ 공급

❹ 유지   ❺ 요동   ❻ 방출

이 글은 지구 온난화 문제와 관련된 온실 효과에 대해 설명하고 있습니다. 지구 온난화의 주범으로 온실 효과가 자주 언급되지만 실은 수증기에 의한 온실 효과 덕분에 지구의 온도가 일정하게 유지되고 있음을 사막과 열대림의 예를 들어 설명하고 있습니다. 또한 지구 온난화는 이산화탄소의 농도가 증가하면서 수증기에 의한 온실 효과에 이산화탄소의 온실 효과가 더해져 일어난 것으로 진단하고 있습니다.

● **글의 특징**

– 온난화의 주범이 온실 효과라는 일반적인 인식을 과학적 원리를 바탕으로 반박하고 있습니다.

– 사막과 열대림의 예를 들어 수증기의 온실 효과의 기능과 지구에 미치는 영향을 설명하고 있습니다.

– 이산화탄소 농도 증가가 지구 온난화에 영향을 미치고 있음을 밝히고 이를 줄이려는 노력의 필요성을 말하고 있습니다.

● **글의 구조**

1문단	온실 효과를 일으키는 주요 성분 중 온실 효과에 가장 크게 기여하는 수증기	온실 효과와 수증기
2문단	사막과 열대 지방을 대조하여 온실 효과의 역할을 설명함.	온실 효과의 역할
3문단	수증기가 없다고 가정했을 때 지구에 일어나는 현상	지구에서 수증기의 역할
4문단	지구 온난화는 수증기에 의한 온실 효과에 이산화탄소의 온실 효과가 더해진 것이 문제임을 밝힘.	지구 온난화의 원인

⬇

주제 온실 효과와 지구 온난화

어휘 수준 ★★★☆☆   글감 수준 ★★★★☆   글의 길이 1,038자

1 1문단의 첫 번째 문장에서 온실 효과의 뜻을 밝히고 있습니다. 또한 2문단에서 사막과 열대림에서 일어나는 상황을 대조하고 있습니다. 그리고 3문단에서 '대기 중에 수증기가 없다면'이라고 가정의 상황을 제시하여 일어날 현상을 추측하고 있습니다.

2 마지막 문단에서 이산화탄소의 온실 효과로 인한 지구 온난화가 가져온 환경 재앙에 대한 언급은 있으나 구체적인 사례를 제시하고 있지는 않습니다.

3 4문단에서 지구 온난화는 대기 중의 이산화탄소 농도가 증가하면서 수증기에 의한 온실 효과에 이산화탄소의 온실 효과가 더해졌기 때문이라고 설명하고 있습니다.

오답 피하기 ③ 보기 에서 온실 기체의 양이 과거에 비해 늘어난 것이 지구 온난화가 일어나는 원인이라고 설명하고 있습니다.

④ 현재 지구 온난화가 일어나는 대기 중에 붙잡혀 있는 에너지의 양 자체가 증가했기 때문으로, 지구에 발생되는 에너지보다 밖으로 나가는 에너지가 더 많다면 지구 온난화는 일어나지 않을 것입니다.

4 사막에서 밤낮의 기온차가 큰 것은 낮에 열에너지를 흡수했다가 밤에 내놓는 수증기의 양이 적기 때문입니다. 따라서 사막 지역의 습도가 열대 지방과 비슷해진다면 밤낮의 기온차는 줄어들 것입니다.

5 수증기의 온실 효과가 없었다면 지구 평균 온도가 섭씨 영하 20~40도에 이르게 되고 낮에는 뜨겁고 밤에는 얼어붙는, 생물이 살아가기에 매우 힘든 상황이 됩니다. 그러므로 온실 효과는 지구의 생태계가 유지되는 데 매우 중요한 현상이라고 할 수 있습니다. 이와 같이 글의 흐름을 이해할 때 ㉣에는 앞의 내용이 뒤의 내용의 이유나 원인, 근거가 될 때 쓰는 접속 부사인 '그러므로'를 넣는 것이 적절합니다.

| **1** ③ | **2** ⑤ | **3** ② |
| **4** ⑤ | **5** ③ | **6** 환기, 베이크 아웃 |

● 독해력을 기르는 어휘

❶ 절약   ❷ 보수   ❸ 실내

❹ 환기   ❺ 가동   ❻ 농도

❼ 증상   ❽ 휘발

이 글은 새 건물에 들어갔을 때 눈이 따갑고 목이 칼칼해지는 등 몸에 이상이 나타나는 '새집 증후군'에 대해 설명하고 있습니다. 먼저 새집 증후군의 개념을 밝힌 뒤, 새집 증후군이 나타나게 된 원인을 알아보고, 전문 기관의 조사 결과와 해결 방법을 제시하고 있습니다.

● **글의 특징**

– 새집 증후군이 나타난 시기와 원인에 대해 설명하였습니다.

– 전문 기관의 새집 증후군에 대한 조사 결과를 제시하였습니다.

– 새집 증후군 현상을 해결하는 방안으로 '베이크 아웃'을 제시하였습니다.

● **글의 구조**

1문단	새 건물에서 건강에 이상이 나타나는 현상을 '새집 증후군'이라고 함.	→	새집 증후군의 개념
2문단	건물의 단열 처리로 사람들의 건강에 이상이 생김.	→	새집 증후군이 나타나게 된 원인
3문단	새로 짓거나 보수한 건물의 30%에서 새집 증후군이 발생함.	→	새집 증후군에 대한 조사 결과
4문단	새집 증후군을 해결하기 위해서는 환기를 하거나 베이크 아웃을 해야 함.	→	새집 증후군의 해결 방법

⬇

주제 새집 증후군에 대한 이해와 해결 방법

1 1문단에서 새집 증후군의 증상, 2문단에서 새집 증후군이 발생하게 된 원인, 3문단에서 새집 증후군에 대한 국제기구의 조사 내용, 4문단에서 새집 증후군을 해결할 수 있는 방법에 대해 설명하였습니다. 새집 증후군을 발생시키는 화학 물질에 대한 설명은 이 글에 나타나 있지 않습니다.

2 2문단에서 건물 밖으로 새어 나가는 열을 줄이기 위한 처리가 오히려 바깥과 내부의 공기가 통하지 않게 하여 오염 물질이 밖으로 빠져 나가지 못해 사람들의 건강에 이상이 생겼음이 나타나 있습니다.

3 4문단에서 새집 증후군을 해결하기 위해서는 환기를 하거나, 집을 굽는 방법 즉 베이크 아웃을 하는 것이 좋다고 나타나 있습니다.

오답 피하기 ① 이 글에는 새집 증후군을 해결하는 방법이 나타나 있으므로 적절하지 않습니다.

③ 새집 증후군에 대해 설명하고 있으므로 새 옷과는 관련이 없습니다.

④ 새집 증후군을 예방하기 위해서는 실내 온도를 높게 유지하되 환기를 충분히 시켜야 하는데, 환기에 대해서는 말하지 않았기 때문에 적절하지 않습니다.

⑤ 새집 증후군을 치료할 수 있는 약에 대한 설명은 나타나 있지 않으므로 적절하지 않습니다.

4 4문단에서 ①~④와 같이 행동한 후, 환기를 위해 집으로 들어갈 때에는 되도록 숨을 참고 순식간에 모든 창문을 열고 나와야 한다고 하였습니다. 천천히 구석구석 살펴보는 행동은 오염 물질을 고스란히 마실 수 있기 때문에 피해야 합니다.

5 3문단에서 새집 증후군에 대한 조사 내용이 조건으로 나타나 있고, ㉠ 이후에 새집 증후군을 해결하는 방법이 나타나 있으므로 '그러면'이라는 접속어가 가장 적절합니다.

어휘 수준 ★★★★★   글감 수준 ★★★★★   글의 길이 1,033자

1 ②　　　　**2** ⑤

3 (1) ○ (2) × (3) ○　　　　　**4** ②

5 ④　　　　**6** 정의, 자유

● 독해력을 기르는 어휘

❶ 마련해　　❷ 배려하는　　❸ 간섭하지

❹ 고려하다　　❺ 보장하다　　❻ 온전히

❼ 자발적

이 글은 정의로운 사회에 대한 노직과 롤스의 입장을 소개하고 두 입장의 공통점과 차이점을 살펴보고 있습니다. 그리고 글의 끝부분에서 노직과 롤스의 주장을 요약하여 제시하고 있습니다.

● **글의 특징**

– 중심 화제를 제시한 후, 이에 대한 서로 다른 두 입장을 제시하며 내용을 전개하고 있습니다.

– 노직과 롤스의 주장을 공통점과 차이점을 중심으로 살펴보고 있습니다.

● **글의 구조**

| 1문단 | '정의로운 사회란 무엇일까'에 대한 노직과 롤스의 입장 | → | 화제 제시 |

노직의 입장(2문단)	롤스의 입장(3문단)
타인에게 피해를 주지 않는 한, 개인의 모든 자유가 보장되는 사회가 정의로운 사회임.	개인의 자유를 보장하면서도 사회적 약자를 배려하는 사회가 정의로운 사회임.

4문단	공통점	개인의 이익 추구, 개인의 자유 중시
	차이점	• 노직: 자연적, 사회적 불평등 해결을 개인의 선택에 맡김. • 롤스: 자연적, 사회적 불평등 해결에 국가의 간섭을 인정함.

주제 정의로운 사회에 대한 노직과 롤스의 입장 차이

어휘 수준 ★★★★★　글감 수준 ★★★★★　글의 길이 997자

1 이 글은 '정의로운 사회란 무엇인가'라는 중심 화제에 대한 노직과 롤스의 입장을 비교하고 있습니다.

오답 피하기 정의로운 사회에 대한 두 가지 입장이 제시되고 있기는 하지만 ①의 내용처럼 어느 하나의 관점에서 다른 관점을 비판하거나 ⑤와 같이 두 입장을 바탕으로 새로운 이론을 만들어 내고 있지는 않습니다.

2 두 번째 문단의 마지막 문장과 네 번째 문단의 두 번째 문장에서 확인할 수 있듯이 노직은 빈부 격차를 줄이기 위한 자발적 기부와 같은 개인적 노력은 인정하였습니다.

3 (1) 세 번째 문단 다섯 번째 문장의 '사회적 약자를 차별하는 것은 정당하지 못한 일'에서 알 수 있습니다.

(2) 세 번째, 네 번째 문단을 통해 롤스는 사회적 약자, 소수에 대한 배려를 중시했음을 알 수 있습니다. 그러므로 다수의 권리와 이익만 중요하게 생각하는 사회를 정의 사회로 보았다는 것은 적절하지 않습니다.

(3) 마지막 문단을 통해 개인이 자신의 이익을 추구하는 것을 찬성하는 한편, 사회적 약자를 위한 복지가 필요함을 주장했다는 것을 알 수 있습니다.

4 두 번째 문단의 내용을 통해, 노직은 빈부 격차를 당연시하기 때문에 이를 해결하기 위해 국가가 나서는 것에 반대했음을 알 수 있습니다. 그런데 ④는 세금 제도이기 때문에 부의 재분배를 위해 국가가 직접 나서는 것이라고 볼 수 있습니다. 그렇기 때문에 정의 사회를 위해 ④가 필요하다는 롤스의 의견에 노직이 동의하는 말을 하는 것은 적절하지 않습니다.

5 ㉠은 '차례나 몫, 승리, 비난 따위가 개인이나 단체, 기구, 조직 따위의 차지가 되다.'라는 의미로, 보통 '~에게 돌아가다'의 형태로 쓰입니다. ④의 '돌아갈'도 이와 같은 의미로 사용되었습니다.

오답 피하기 ①은 '일이나 형편이 어떤 상태로 진행되어 가다.' ②는 '원래의 있던 곳으로 다시 가거나 다시 그 상태가 되다.' ③은 '어떤 장소를 끼고 원을 그리듯이 방향을 바꿔 움직여 가다.' ⑤는 '정신을 차릴 수 없게 아찔하다.'의 뜻입니다.

현재에서 바라보는 역사

1 ③	2 ④	3 ⑤
4 ③	5 ③	6 역사, 가치, 역사적

● 독해력을 기르는 어휘

❶ 가치　　❷ 안목　　❸ 파악

❹ 해석

이 글은 역사의 선택과 해석에서 시대적 요구를 파악하는 것이 중요한 이유에 대해 설명하고 있습니다. 사실(事實)과 사실(史實)을 구분하여 제시한 후 사실(史實)을 뽑아내는 일이 역사가의 안목에 의해 이루어짐을 밝히고, 시대에 따라 가치 판단이 달라지므로 시대적 요구를 파악하는 일 또한 필요함을 강조하고 있습니다.

● **글의 특징**

– '사실(事實)'과 '사실(史實)'의 뜻을 구분하여 밝힌 후 내용을 전개하고 있습니다.

– 물음 형식을 활용하여 앞으로 전개될 내용을 제시하고 있습니다.

● **글의 구조**

가	역사가 현재의 입장이나 관점에 영향을 받는다는 의미가 무엇인지 물음.	→ 중심 화제 제시
나	사실(史實)을 뽑아내는 것은 역사가의 역할이나, 같은 시대와 미래의 사람들에게 인정 받을 수 있는 것이어야 함.	→ 사실(史實)을 선택하는 기준
다	그 시대의 인정을 받는 사실(史實)을 뽑아내기 위해서는 시대적 요구를 정확하게 파악해야 함.	→ 사실(史實)을 선택할 때 고려해야 할 점
라	올바른 사실(史實)의 선택과 해석을 위해 시대적 요구를 파악하려는 노력을 해야 함.	→ 요약 · 정리

⬇

주제 사실(史實)의 선택과 해석에 영향을 미치는 시대적 요구

어휘 수준 ★★★★★　　글감 수준 ★★★★★　　글의 길이 1,034자

1 가 문단의 마지막 문장과 나 문단의 다섯 번째 문장에서 물음 형식을 통해 이어질 내용을 제시하고 있음을 확인할 수 있습니다. 또한 전체적으로 '사실(事實)'과 '사실(史實)'이라는, 소리는 같지만 의미가 다른 두 단어를 사용하여 글의 내용을 전개하고 있습니다.

2 다 문단에서 시대에 따라 과거에 일어났던 일에 대한 가치 판단이 달라져 사실(史實)로 인정받았던 것이 시대가 변하면서 사실로 인정받지 못하거나 역사적 가치가 변하기도 한다고 하였습니다. 그러나 이와 관련된 사례에 대해서는 다루고 있지 않습니다.

3 오늘날의 역사가 광해군의 업적에 초점이 맞추어졌다고 해서 폭군이었다는 광해군에 대한 평가가 없어진 것이 아니며 또한 폭군이었다는 근거가 되는 사실들이 사실(史實)로서의 가치를 잃은 것도 아닙니다. 사실(史實)로 인정받지 못했던 광해군의 업적에 대한 측면이 그 가치를 인정받게 되면서 기존의 평가에 긍정적인 평가가 더해졌다고 보아야 적절합니다.

4 나 문단 일곱 번째 문장의 "사실(史實)을 가려내는 일은 주로 역사가들의 주관적인 안목에 의하여 이루어진다."는 내용을 통해 확인할 수 있습니다.

오답 피하기 ① ㉠과 ㉡ 모두 실제로 일어난 일을 말합니다.

⑤ 다 문단의 세 번째 문장에서 확인할 수 있듯 ㉡으로 선택되었더라도 시대가 달라지면 ㉡으로 인정받지 못할 수도 있습니다.

5 이 글의 '길'과 ⓒ의 '길'은 '사람이 삶을 살아가거나 사회가 발전해 가는 데에 지향하는 방향, 지침, 목적'이라는 의미를 가집니다.

오답 피하기 ① ⓐ는 '시간의 흐름에 따라 개인의 삶이나 역사적 발전 따위가 진행되는 과정(주로 과거)'의 의미입니다.

② ⓑ는 '방법이나 수단'의 의미입니다.

④ ⓓ는 '과정, 도중, 중간'의 의미입니다.

⑤ ⓔ는 '어떤 자격이나 신분으로서 주어진 도리나 임무'의 의미입니다.

1 ⑤ **2** ②

3 (1) ✕, (2) ✕, (3) ○ **4** (나)

5 의견, 생각 **6** 목적론, 목적, 본성, 출발점

● 독해력을 기르는 어휘

❶ 추구 ❷ 지적 ❸ 견해

❹ 탐구 ❺ 증명 ❻ 목적

❼ 본성

이 글은 아리스토텔레스의 목적론에 대해 소개하고 과학사에서 목적론이 어떤 평가를 받아왔는지, 나아가 그 이론이 가지는 의미가 무엇인지를 설명하고 있습니다. 가 문단에서 목적론을 소개하고, 나 문단에서 목적론에 대한 근대 사상가의 비판을, 다 문단에서 이 비판에 대한 현대 학자들의 비판을 중심으로 내용을 전개한 후, 라 문단에서 목적론이 갖는 의미를 제시하고 있습니다.

● **글의 특징**

– 목적론을 소개하고 그에 대한 비판을 검토한 후 목적론이 가지는 의미를 밝히고 있습니다.

– 구체적 예시와 물음을 통해 독자의 관심을 이끌어 내고 있습니다.

아리스토텔레스의 목적론	• 모든 자연물은 목적을 추구하는 본성을 가짐. • 내면에 존재하는 본성에 따라 운동함. • 자연물은 목적과 목적 실현 능력을 가짐. • 목적 실현 과정에 방해가 없다면 목적은 언젠가 이루어지며, 그 결과는 항상 바람직함.

⇕

근대 사상가들의 비판	아리스토텔레스의 목적론은 비과학적임.

⇕

현대 사상가들의 반박	아리스토텔레스의 목적론에 대한 근대 사상가들의 비판 내용이 타당하지 못함.

⬇

목적론의 의의	생명체의 존재 원리와 이유를 밝히려는 탐구의 출발점이 됨.

주제 아리스토텔레스가 주장한 목적론의 내용과 의미

어휘 수준 ★★★☆☆ 글감 수준 ★★★★☆ 글의 길이 1,073자

1 나 문단에서 목적론에 대한 비판을 제시하고, 다 문단에서 그 비판이 타당하지 못하다고 주장하는 학자들의 의견들을 소개하고 있습니다. 그리고 라 문단에서 목적론이 갖는 의미를 밝히고 있습니다.

2 다 문단의 두 번째 문장을 통해 근대 사상가 중 목적론(Ⓐ)의 설명이 과학적이지 못하다고 비판을 했던 인물이 갈릴레이(ⓐ)임을 알 수 있습니다. 그리고 다 문단의 마지막 문장을 통해 목적론(Ⓐ)의 설명이 과학적이지 않다고 본 사상가가 우드필드(ⓑ)임을 알 수 있습니다. 또한 우드필드는 "목적론의 옳고 그름을 확인할 수 없으므로 목적론이 거짓이라 할 수 없다"라고 하였는데, 이는 목적론(Ⓐ)이 거짓임을 확인할 수 없기 때문에 목적론(Ⓐ)이 잘못되었다고 말할 수는 없다는 의미입니다.

3 (1) 가 문단의 네 번째 문장에서 확인할 수 있듯 모든 자연물은 목적을 추구하는 본성을 지니므로, 비가 내리는 것 역시 본성에 의한 것으로 판단할 수 있습니다.

(2) 나 문단의 마지막 문장에서 아리스토텔레스는 인간만이 이성을 지닌다고 하였으므로, 개미의 행동은 이성에 의한 것이라고 보기 어렵습니다.

(3) 가 문단의 네 번째 문장을 통해 자연물이 추구하는 본성은 외적 원인에 의한 것이 아님을 확인할 수 있습니다.

4 아리스토텔레스는 모든 자연물은 목적을 이룰 수 있는 능력이 있다고 보았습니다. 따라서 자연물인 식물과 동물에게도 목적을 실현할 능력이 있다고 생각했을 것입니다.

오답 피하기 보기1 에서 아리스토텔레스는 인간이 식물이나 동물보다 우월한 이유는 고유한 능력을 가졌기 때문이라고 하였습니다. 나 문단에서 인간만이 이성을 지녔다고 한 것으로 볼 때, 인간이 이성을 지녔기 때문에 다른 생물보다 우월하다고 생각했음을 알 수 있습니다.

5 ㉠ '견해'는 '어떤 사물이나 현상에 대한 자기의 의견이나 생각'을 의미합니다. 따라서 '견해'는 '의견' 또는 '생각'으로 바꾸어 쓸 수 있습니다.

1 ②　　　2 ①　　　3 (1) ○

4 (가), (라)　　　5 대표성, 회상 용이성, 감정

● 독해력을 기르는 어휘

❶ 판단　　　❷ 회상　　　❸ 대표적

❹ 잘못　　　❺ 추정　　　❻ 용이

❼ 가능성

이 글은 휴리스틱에 의해 이루어지는 인간의 판단과 의사 결정에 관해 설명한 글입니다. 휴리스틱의 개념을 설명한 후에 휴리스틱의 세 가지 종류를 나열하고, 각 문단별로 휴리스틱의 종류별 특징을 서술하고 있습니다.

● **글의 특징**

– 휴리스틱을 대표성 휴리스틱, 회상 용이성 휴리스틱, 감정 휴리스틱 등 세 가지로 분류하고 있습니다.

– 문단별로 종류별 휴리스틱을 예를 들어 설명하고 있습니다.

– 휴리스틱의 장점과 단점을 모두 살피고 있습니다.

● **글의 구조**

휴리스틱의 개념	무의식적으로 과거 경험을 바탕으로 대강 짐작하여 판단을 내리는 것

대표성 휴리스틱	회상 용이성 휴리스틱	감정 휴리스틱
어떤 대상이 특정 집단의 대표적인 특징을 지니는가의 여부로 판단하는 것	떠올리기 쉬운 정보에 의존하여 어떤 사건의 발생 정도를 판단하는 것	감정에 의존하여 사건이나 상황에 대해 판단을 내리는 것

휴리스틱의 의의	잘못된 판단을 하도록 만들기도 하지만, 답을 빠르게 찾아 결정할 수 있게 하는 방법임.

주제 휴리스틱의 개념과 종류별 특징

어휘 수준 ★★★★☆　　　글감 수준 ★★★★☆　　　글의 길이 1,079자

1 설명 대상인 '휴리스틱'을 세 가지로 나누고, 세 종류의 '휴리스틱'에 대해 자세히 설명하고 있습니다.

오답 피하기 ① '휴리스틱'의 예를 들고 있지만, 이는 주장을 강조하기 위한 것이 아니라 이해를 돕기 위한 것입니다.

③, ④ 전문가의 말이나 '휴리스틱'에 대한 사회적 평가는 제시하지 않았습니다.

⑤ 5문단에서 '잘못된 판단'이라는 '휴리스틱'의 부작용에 대해 짧막하게 서술하고 있지만, '휴리스틱'의 사회적 부작용을 비판하고 있지는 않습니다.

2 근육질 몸매를 지녔다고 해도 운동으로 부상을 입었거나 질병으로 인해 건강하지 못한 사람이 있을 수 있는데, 근육질 몸매라는 개인의 특징을 건강한 사람 집단의 특징으로 판단하는 잘못을 범한 것입니다. 이는 대표성 휴리스틱의 예로, 정확하고 객관적인 판단이라고 보기는 어렵습니다.

오답 피하기 ② 사람들이 같은 가격의 자판기 커피임에도 불구하고 '일반 커피'보다 '고급 커피'를 선택하는 것은 '고급'이라는 말에서 느끼는 긍정적 감정에 의한 것으로, 감정 휴리스틱의 사례에 해당합니다.

④ '식중독'이 '천식'에 비해 더 무서운 질병이라고 판단한 것은 '천식'에 비해 언론에서 '식중독'을 더 많이 언급해 떠올리기 쉬웠기 때문입니다.

3 명단 1과 2 모두 유명하지 않은 사람이 유명한 사람보다 더 많았음에도 불구하고 실험 대상자들은 그와 반대로 답변하였습니다. 이는 유명한 사람의 이름을 떠올리는 것이 유명하지 않은 사람의 이름을 떠올리는 것보다 더 수월하기 때문에 유명한 이름이 많은 성별을 수적으로 더 많다고 판단한 것입니다.

4 (가) 감정 휴리스틱은 사건이나 상황을 꼼꼼히 따져서 판단하는 것이 아니라 이미 가지고 있는 자신의 감정에 따라 판단하는 것이므로 판단을 내리는 시간을 오히려 단축시킵니다.

(라) 대표성 휴리스틱이 신속한 결정을 내리는 데 유리하지만, 회상 용이성 휴리스틱보다 더 빨리 결정을 내리게 하는지는 이 글을 통해 알 수 없습니다.

37 정보화 시대의 저작권

1 ③　　　　2 ⑤　　　　3 ⑤

4 ④　　　　5 ㉠-ⓑ, ㉡-ⓒ, ㉢-ⓐ

6 권리, 정보공유라이선스

● 독해력을 기르는 어휘

❶ 이바지　　❷ 권리　　❸ 허용

❹ 보완　　　❺ 비영리　　❻ 논란

❼ 규제

이 글은 정보화 시대의 저작권에 대한 글입니다. 2006년 저작권법 개정으로 인한 논란과 개정 배경을 소개한 뒤, 저작권법이 지니는 문제점을 지적하고 이를 보완하기 위해 등장한 정보공유라이선스의 개념과 의의를 설명하고 있습니다.

● **글의 특징**

– 질문을 제시하고 이에 답하는 방식으로 내용을 전개하고 있습니다.

– 핵심 용어의 개념을 설명하여 독자의 이해를 돕고 있습니다.

● **글의 구조**

저작권법 개정으로 인해 많은 논란이 있었음.

저작권법 개정 배경	인터넷 공간은 누구나 접속이 가능하므로 저작권법이 정한 개인적 이용 범위에서 벗어남.
저작권법의 문제점	저작권법이 저작자의 권리 보호에만 치우쳐 있어 문화 발전과 정보 공유의 장애물이 되고 있음.
정보공유라이선스의 등장	• 기존 저작권법을 보완하기 위함. • 저작자들이 저작물을 자신이 정한 일정한 범위에 따라 공유할 수 있음.

저작권법을 보완하기 위한 대안으로 정보공유라이선스가 등장함.

주제 저작권법의 문제점과 대안으로 떠오른 정보공유라이선스

어휘 수준 ★★★★★　　글감 수준 ★★★★★　　글의 길이 959자

1 이 글에서 정보공유라이선스의 등장 배경, 개념, 의의를 설명하고 있지만, 단점에 대해서는 설명하지 않았습니다.

2 2문단에서 저작권법, 저작자, 저작물의 개념을 설명하고, 3문단에서 저작권법의 의의를 설명하였습니다.

오답 피하기 ④ 2문단에 사례를 제시하긴 했지만, 그 사례를 통해 문제점을 밝힌 것은 아닙니다.

3 2문단에서 돈을 벌 목적이 아니더라도 음악과 같은 저작물을 저작자의 허락 없이 인터넷 공간에 올리거나 사용하는 것은 저작권법을 어기는 행위가 된다고 했습니다. 따라서 저작물에 해당하는 뮤지컬 공연을 촬영하여 저작자의 허락 없이 블로그에 올리는 것은 저작권법에 어긋나는 행동입니다.

오답 피하기 ① 정당한 값을 지불한 음악을 교내 방송에서 틀어 준 것은 비영리적인 목적으로 청중에게 재생한 것에 해당합니다.

4 저작자가 무료로 저작물을 나누고 싶을 때는 이용자 한 명 한 명에게 따로 허락을 해 주거나 저작권을 포기해야 합니다. 반면에 정보공유라이선스는 저작자가 저작물의 이용 범위를 〈보기〉에 제시된 4가지 유형처럼 세분화하여 직접 정할 수 있습니다.

오답 피하기 ① 3문단에서 정보공유라이선스는 저작자들이 저작권을 포기하지 않고도 정보를 무료로 공유할 수 있는 대안이라고 했습니다.

② 2문단에서 저작권법에도 비영리적 사용에 대한 허용 규정이 있다고 했습니다.

③ 정보공유라이선스는 저작자가 자신의 저작물을 공유하고 싶을 때 그 의사를 표현할 수 있게 한 것입니다. 따라서 이용자의 권리를 저작자의 권리보다 더 중요시한다고 볼 수는 없습니다.

⑤ 정보공유라이선스가 생겼다고 해서 저작권법이 보호하는 창작물의 범위가 넓어지는 것은 아닙니다.

5 ㉠의 '강화'는 수준이나 정도를 더 높인다는 뜻이고, ㉡의 '이바지'는 도움이 되게 한다는 뜻이며, ㉢의 '유통'은 세상에서 널리 통하여 쓰인다는 뜻입니다.

1 ⑤   **2** ⑤   **3** ③

4 ②   **5** (1) 착용, (2) 사용

6 간접 광고, 미디어 교육

● 독해력을 기르는 어휘

1 ㉢   **2** ㉠   **3** ㉡

4 협찬   **5** 착용   **6** 공정

이 글은 간접 광고의 특성과 관련 제도에 관한 글입니다. 간접 광고의 개념과 특성을 직접 광고와 대비하고, 간접 광고의 주류적 배치와 주변적 배치에 대해 설명하였습니다. 또한 간접 광고와 관련한 우리나라 제도의 변화 과정을 제시하고, 미디어 교육의 필요성을 주장하고 있습니다.

● **글의 특징**

– 간접 광고의 특징을 설명하기 위해 대비되는 개념인 직접 광고를 제시하고 있습니다.

– 간접 광고와 관련된 제도의 변화 과정을 시간 순서(1990년대 중반 → 2010년)대로 설명하고 있습니다.

● **글의 구조**

간접 광고의 개념과 특성		간접 광고는 프로그램 내에서 상품을 노출시켜 광고 효과를 거두는 광고 형태로, 시청자들이 피하기가 어려움.
간접 광고의 구분	주류적 배치	출연자가 상품을 사용·착용하거나 대사를 통해 말하는 것
	주변적 배치	화면 속의 배경을 통해 상품을 노출하는 것
간접 광고 관련 제도의 변화	협찬 제도	1990년대 중반부터 극히 제한된 형태의 간접 광고를 허용함.
	↓	
	방송법의 '간접 광고' 조항	2010년부터 프로그램 내에서 상품명, 회사명 보여 주는 것을 허용하였으나, 비판적 의견이 있음.
미디어 교육의 필요성		간접 광고에 대응하기 위해 미디어 교육이 필요함.

주제 간접 광고의 특성 및 관련 제도의 변화 과정

어휘 수준 ★★★★★   글감 수준 ★★★★★   글의 길이 1,157자

1 3, 4문단에서 간접 광고와 관련한 제도의 변화를 보여 주고 있지만, 간접 광고에 대한 이론을 제시한다거나 이론의 발전 과정을 분석하고 있지는 않습니다.

2 1문단에서는 요즘 시청자들이 자신도 모르는 사이에 간접 광고에 아무 때나 노출되어 있다고 했고, 5문단에서는 간접 광고가 시청자의 인식 속에 남모르게 파고든다고 했습니다. 즉 시청자가 광고인 것을 알아차리지 못하더라도 광고 효과가 발생할 수 있음을 알 수 있습니다.

오답 피하기 ④ 직접 광고와 간접 광고는 광고를 프로그램 앞과 뒤에 배치하느냐, 프로그램 내에 배치하느냐에 따라 구분한 것입니다.

3 4문단에서 '간접 광고'라는 조항이 새로 덧붙여 시행되었지만 방송이 대중에게 미치는 영향력을 고려하여 뉴스, 시사, 토론 등의 프로그램에서는 간접 광고가 금지되었다고 했습니다.

오답 피하기 ⑤ '협찬 제도'도 제한된 형태의 간접 광고를 허용하고 있으므로, 이러한 간접 광고가 프로그램의 내용에 잘 들어맞는다면 맥락 효과를 얻을 수 있습니다.

4 2문단에서 출연자가 상품을 착용한 경우 주류적 배치에 해당한다고 했습니다. ⓑ는 여자가 의상을 직접 입고 있기 때문에, 주변적 배치가 아니라 주류적 배치에 해당합니다.

오답 피하기 ③ 4문단의 간접 광고 조항에 대한 설명을 보면, 프로그램 내에서 상품명이나 회사명을 보여 주는 것은 허용되었지만, 직접 말하는 것은 금지되었다고 했습니다. 〈보기〉에서 남자는 승용차의 상품명을 직접 말하고 있으므로, 방송법에 어긋나는 행동입니다.

⑤ 프로그램과 간접 광고가 잘 어울려 커피 전문점에 대한 호감도가 상승한 것으로 볼 수 있습니다.

5 '사용'은 '일정한 목적이나 기능에 맞게 씀.'이라는 의미입니다. '착용'은 '의복, 모자, 신발, 액세서리 따위를 입거나, 쓰거나, 신거나 차거나 함.'이라는 의미로, 대상이 의복이나 모자 등으로 한정되어 있습니다. (1)은 손목에 팔찌를 찬 것이므로 '착용'이 어울리고, (2)는 난방 기기를 기능에 맞게 쓰는 것이므로 '사용'이 알맞습니다.

1 ②   **2** ③   **3** ④

4 (1) ㉡, (2) ㉢, (3) ㉤, (4) ㉣, (5) ㉠   **5** ④

6 언론사, 사실, 맥락, 출처

● 독해력을 기르는 어휘

❶ 저명   **❷** 왜곡   **❸** 선정

❹ 비중   **❺** 출처   **❻** 기반

❼ 조작

이 글은 뉴스가 만들어지는 과정과 가짜 뉴스에 대해 설명하고, 뉴스를 대하는 바람직한 자세에 대한 글쓴이의 의견을 밝힌 글입니다. 뉴스 가치와 게이트 키핑, 가짜 뉴스에 대해 설명하면서 이를 토대로 뉴스를 주어진 그대로 수용해서는 안 된다는 의견을 밝히고 있습니다. 글쓴이는 뉴스를 볼 때는 언론사의 시각이 반영되어 있음을 전제로 뉴스의 의미를 생각해 보아야 하며, 가짜 뉴스를 판별하기 위해 내용, 맥락, 출처 등을 살펴보아야 함을 주장하고 있습니다.

● **글의 특징**

– 뉴스 판단의 기준을 나열하고 있습니다.

– 게이트 키핑과 가짜 뉴스를 바탕으로 뉴스를 대하는 바람직한 자세가 무엇인지 밝히고 있습니다.

● **글의 구조**

뉴스 가치의 정의	어떤 사건이 뉴스가 될 수 있는지 없는지 판단하는 기준
뉴스 판단의 기준	흥미성, 영향성, 근접성, 저명성, 시의성
게이트 키핑의 정의	뉴스 가치가 있는 사건을 보도할지를 결정하고 그 성격과 비중을 결정하는 과정.
가짜 뉴스의 정의와 문제점	정치·경제적 이익을 위해 의도적으로 퍼뜨린 거짓 정보로, 사회적 논란거리가 됨.
뉴스를 대하는 바람직한 자세	뉴스 선정 과정을 고려하여 그 의미를 생각해 보아야 하며, 뉴스를 대할 때에는 내용, 맥락, 출처 등을 짚어 보아야 함.

주제 **뉴스를 대하는 바람직한 자세**

어휘 수준 ★★★★☆   글감 수준 ★★★★☆   글의 길이 **1,134자**

1 뉴스 가치가 있는 사건의 예는 이 글에서 확인할 수 없습니다.
오답 피하기 ① 1문단에서 뉴스 판단의 기준인 흥미성, 영향성, 근접성, 저명성, 시의성에 대해 설명하였습니다.

2 2문단에서 가짜 뉴스는 '정치·경제적 이익을 위해 의도적으로' 언론 보도의 형식을 하고 퍼뜨린 거짓 정보라고 하였습니다. 따라서 뉴스 생산자의 의도가 분명하지 않다는 설명은 적절하지 않습니다.

3 2문단에서 게이트 키핑은 뉴스 가치가 있다고 판단된 사건들 중에서 어떤 사건을 보도할지를 결정하고, 뉴스의 성격과 비중을 결정하는 과정이라고 했습니다. 뉴스 가치가 없는 사건이라면 게이트 키핑 과정까지 올라올 수 없고, 올라왔다고 하더라도 보도가 되지 못할 것이므로 뉴스가 될 수 없습니다.
오답 피하기 ② 4문단에서 공정하고 객관적으로 보이는 뉴스도 사실상 언론사의 시각이 반영된 것이라고 하였습니다.
③ 2문단에서 뉴스 가치가 있다고 판단한 사건이어도 모든 언론사에서 같은 비중으로 보도하지는 않는다고 하였습니다.

4 김 기자는 사건이 가까운 곳에서 일어났음을 기준으로 뉴스 가치를 판단하고 있으므로 '근접성', 이 기자는 사람들의 관심을 고려하고 있으므로 '흥미성', 정 기자는 보도하기에 적절한 상황이라는 의견을 제시하고 있으므로 '시의성'에 초점을 맞추고 있습니다. 또한 권 기자는 유명 작가와의 관련성에 대해 언급하고 있으므로 '저명성', 송 기자는 그 사건이 중요한 일인지 따져 보고 있으므로 '영향성'을 기준으로 뉴스 가치를 판단하고 있습니다.

5 ㉮의 '높다'는 가능성이 높다는 의미이므로, 일어날 확률이 크다는 뜻으로 사용되었습니다.

1 ②　　　　**2** ①　　　　**3** ④

4 ④　　　　**5** ①

6 인터넷, 정부, 기업

● 독해력을 기르는 어휘
1 수익　　　**2** 가정　　　**3** 불투명
4 수행　　　**5** 확신　　　**6** 호환
7 투자

이 글은 사물 인터넷의 개념 및 특징과 경제적 가치에 대해 설명하고 국내 사물 인터넷 산업이 활성화되지 못한 원인을 분석하여 이에 대한 해결 방안을 제시하는 글입니다. 구체적 사례를 제시하여 사물 인터넷의 특징과 사물 인터넷이 지닌 경제적 가치를 이해하기 쉽게 설명하고 있습니다.

● **글의 특징**
– 국내 사물 인터넷 산업이 활성화되지 못하는 원인을 여러 각도로 분석하고 있습니다.
– 문제점을 분석하고 그에 대한 해결 방안을 제시하고 있습니다.

● **글의 구조**

사물 인터넷의 특징	사물 인터넷은 인터넷으로 사물을 연결하는 기술과 서비스로 사람과 사물, 사물과 사물 간 정보를 서로 주고받음.
사물 인터넷의 경제적 가치	사물 인터넷은 경제적 가치가 크기 때문에 국가 경쟁력을 확보할 수 있는 미래 산업으로서 중요함.
국내 사물 인터넷 산업의 문제점	① 정부 차원의 경제적 지원이 부족함. ② 각 기업 제품끼리 호환되지 않음. ③ 국내 기업들이 적극적으로 투자하지 않음.
국내 사물 인터넷 산업의 활성화 방안	① 경제적 지원책을 마련함. ② 기업의 투자를 유도함. ③ 정책과 제도를 정비함. ④ 기술력을 확보해야 함.

주제 사물 인터넷의 개념 및 특징과 경제적 가치, 국내 사물 인터넷 산업의 활성화 방안

어휘 수준 ★★★☆☆　　글감 수준 ★★★☆☆　　글의 길이 1,090자

40 디딤돌 독해력

1 이 글에서 사물 인터넷이 지금과 같이 발전하게 된 배경에 대해서는 확인할 수 없습니다.

오답피하기 ① 1문단에서 사물 인터넷의 개념을 설명하였습니다.

③ 2문단에서 사물 인터넷이 만들어 내는 경제적 가치를 설명하였습니다.

④ 3문단에서 선진국에 비해 확대되지 못하고 있는 국내 사물 인터넷 산업의 현재 상황을 설명하였습니다.

⑤ 4문단에서 국내 사물 인터넷 산업을 활성화하기 위한 방안을 제시하였습니다.

2 1문단에서 사물 인터넷의 특성을 사례와 더불어 설명하고 있습니다.

오답피하기 ④ 국내 사물 인터넷 시장이 확대되지 못하는 원인을 살펴보았을 뿐, 사물 인터넷 자체가 지닌 문제점의 원인을 살펴본 것은 아닙니다.

3 1문단에서 사물 인터넷은 사람과 사물, 사물과 사물 간에 정보를 서로 주고받는 기술과 서비스라고 설명했습니다. ④는 사용자에 대한 정보를 수집해 분석하는 기술로, 사물을 인터넷에 연결함으로써 사람과 사물이 연결되거나 사물과 사물이 연결되는 것은 아니므로 사물 인터넷의 사례로 보기 어렵습니다.

오답피하기 ① CCTV와 경찰서가 사물 인터넷으로 연결되어 있는 사례입니다.

② 버스와 정류장 전광판이 사물 인터넷으로 연결되어 있는 사례입니다.

③ 선반과 스마트폰이 사물 인터넷으로 연결되어 있는 사례입니다.

⑤ 홀로 지내는 어르신들의 정보를 수집하는 장치와 복지관이 사물 인터넷으로 연결되어 있는 사례입니다.

4 〈보기〉는 정부에서 기술 규제를 완화하여 신기술이 발전할 수 있는 환경을 만들었다는 내용이므로, 정책 및 제도 정비라는 해결 방안과 관련이 깊습니다.

5 ㉡의 '수행'은 '생각하거나 계획한 대로 일을 해내다.'의 뜻으로, 주로 '임무를', '역할을', '기능을'과 함께 쓰입니다.

최상위를 위한
심화 학습 서비스 제공!

문제풀이 동영상 ➕ 상위권 학습 자료
(QR 코드 스캔 혹은 디딤돌 홈페이지 참고)

상위권의 기준

최상위 수학

수학 좀 한다면

상위권의 기준

최상위 수학 S

수학 좀 한다면

기초에서 심화까지

단단한 수학 자신감의 완성!
디딤돌 중학 수학

중학 수학은 '무엇을 풀까?' 보다 '어떻게 풀까?'가 중요합니다.
디딤돌 중학 수학으로 개념을 이해하면 새로운 문제도 '이렇게 풀면 되겠네.'
응용, 심화, 유형에 흔들리지 않는 수학 자신감이 생깁니다.